GOD SAVE LA FRANCE

STEPHEN CLARKE

GOD SAVE LA FRANCE

traduit de l'anglais par Léon Mercadet

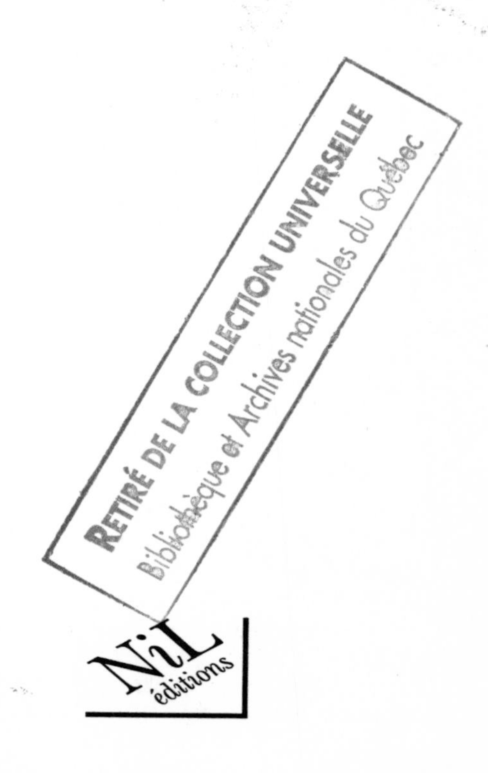

Titre original : A YEAR IN THE MERDE

ISBN 2-84111-318-3
(édition originale : Red Garage Books)

« La beauté de ce livre ne réside pas tant dans son style ni dans l'intérêt de l'information qu'il apporte, mais dans sa sincérité toute nue. Ces pages relatent des événements réels. L'auteur n'a eu qu'à les mettre en couleurs. »

Jerome K. JEROME,
préface de *Trois Hommes dans un bateau*

Tous les noms ont été changés pour éviter les procès et d'éventuelles agressions de la part d'hommes en costume Yves Saint Laurent (ou de femmes en tailleur Dior).

Septembre

Nous deux is not possible

L'année ne commence pas le 1er janvier, tous les Français savent ça. Il n'y a que ces fous d'Anglo-Saxons pour croire un truc pareil. En réalité, l'année commence le premier lundi de septembre. Le jour où les Parisiens récupèrent leurs bureaux après leur mois de vacances et se remettent à travailler le temps de décider où ils partiront à la Toussaint.

C'est aussi le jour où les Français se lancent dans des projets nouveaux tels que changer de coiffure ou construire un réacteur nucléaire.

Voilà pourquoi à 9 heures du matin, ce premier lundi de septembre, j'étais planté à cent mètres des Champs-Élysées au milieu de gens en train de s'embrasser.

Mon ami Chris m'avait prévenu : « Ne va pas en France. Là-bas la vie est classe : bouffe classe, femmes politiquement très incorrectes, sous-vêtements classes. L'ennui, c'est que les Français sont impossibles à vivre. » Il tenait son expérience de trois années passées dans la succursale londonienne d'une banque française. « Le lendemain du jour où la France s'est fait sortir de la Coupe du Monde, me dit-il, tous les Anglais de la boîte ont été virés. Pure coïncidence, bien sûr. »

Sa théorie : les Français se comportent comme une femme dédaignée. Jadis, en 1940, ils ont bien essayé de nous déclarer leur flamme ; nous avons répondu par des ricanements à propos de leur accent et de leur général à gros nez, de Gaulle. Depuis, nous ne pensons qu'à les empoisonner avec notre nourriture infecte et à éradiquer la langue française de la surface du monde. Pour se venger, ils construisent des camps de réfugiés à l'entrée de l'Eurotunnel et refusent toujours de manger de notre vache, des années après qu'elle a été reconnue saine.

— Les Français vivent dans la représaille permanente, avait conclu Chris. N'y va pas.

— Excuse-moi, avais-je répondu, mais je dois tirer au clair cette affaire de sous-vêtements.

Logiquement, enfin je crois, prendre un boulot à l'étranger dans le seul but d'étudier la lingerie fine du pays devrait conduire tout droit au désastre. Mais mon contrat de un an me paraissait alors regorger de promesses.

Je trouvai le siège de mon nouvel employeur – un immeuble XIXe siècle de grand style, taillé dans une pierre dorée – et débarquai en pleine orgie.

Des gens s'embrassaient en attendant l'ascenseur. Ils s'embrassaient devant les machines à café. Étirée par-dessus son comptoir, la réceptionniste bécotait une collègue – la fille qui était entrée dans l'immeuble juste devant moi.

Qu'une épidémie d'herpès facial commence et ils seraient tous obligés de se mettre des préservatifs sur la tête.

Je n'ignorais pas la passion des Français pour les bises sur la joue, bien entendu. Seulement je n'imaginais pas que c'était à ce point. Je me demandai même si l'entreprise n'obligeait pas les employés à se charger d'ecstasy avant qu'ils se mettent au travail.

Je m'approchai de la réception. Les deux filles avaient cessé de se bécoter et elles échangeaient des nouvelles. À l'évidence, cette entreprise n'adhérait pas au dogme de la réceptionniste canon. Celle-ci avait des traits conçus pour faire la gueule, pas pour sourire. Là, elle était en train de râler, pour une raison qui m'échappait. Je lui décochai mon sourire « petit garçon gentil ». Pas de réaction. Pendant une longue minute, je gardai la pose « Coucou je suis là et je ne serais pas fâché qu'on me demande pourquoi ». Écran blanc. Je fis alors un pas en avant et déclamai la phrase qui était censée m'ouvrir toutes les portes : « Bonjour, je suis Paul West. Je viens voir M. Martin. »

Les deux filles parlèrent d'un « déjeuner » – le lunch, ça je le savais –, échangèrent une demidouzaine de gestes signifiant sans doute possible « Je te rappelle ! », et finalement, la réceptionniste pivota vers moi.

« Monsieur ? » Pas le moindre mot d'excuse. Elles se faisaient des bises entre elles, mais moi je pouvais me faire biser ailleurs.

Je répétai mon mot de passe. Ou tentai de le faire, plutôt. « Bonjour, je... » Mais alors, la tête farcie de colère et de macédoine linguistique, il n'y avait plus rien à attendre. « Paul West, lâchai-je. M. Martin. » À quoi bon les verbes ? Je réussis malgré tout un second sourire engageant.

La réceptionniste – badge : Marianne, profil : Hannibal Lecter – émit en retour un *tsss tsss* agacé. Je l'entendais presque penser, peut pas parler français comme tout le monde, encore un qui se moque de De Gaulle à cause de son nez. L'enfoiré. « J'appelle son assistante », dit-elle (enfin je suppose). Elle décrocha le téléphone et enfonça une touche, sans cesser de me scanner de la tête aux pieds et ça se voyait sur son visage : je n'avais pas le niveau pour rencontrer le patron.

Avais-je donc à ce point l'air d'un plouc ? J'avais commis un gros effort pour me faire aussi chic qu'un Britannique doit l'être à Paris. Mon meilleur costume Paul Smith gris sombre (mon unique costume Paul Smith). Une chemise d'un blanc aveuglant, qu'on aurait dit tissée dans un ver à soie nourri à l'eau de Javel, plus une cravate Hermès aux tons électriques capable d'alimenter le métro de Paris si on la connectait au réseau. J'avais même enfilé mon caleçon de soie noire pour raffermir discrètement mon assurance. Les Françaises ne sont pas les seules à jouer du sous-vêtement. Je ne méritais en rien ce regard écrasant de mépris, encore moins si je me référais à l'allure des gens que je voyais entrer dans l'immeuble – types fagotés en employés de bureau, filles en jupes de chez le fripier et abondance de chaussures orthopédiques.

— Christine ? J'ai ici un monsieur... ? fit la Marianne réceptionniste en louchant de mon côté.

C'était à moi de parler, mais pour dire quoi ?

— Votre nom ? grogna Marianne en levant les yeux au ciel et en faisant du dernier mot un râle de désespoir devant ma stupidité de limace.

— Paul West.

— Polouess, répéta plus ou moins Marianne. Un visiteur pour M. Martin. – Elle raccrocha. – Asseyez-vous ici, articula-t-elle dans un français pour Alzheimer.

C'est clair, le patron se garde les canons pour lui, pensai-je en suivant Christine, l'assistante qui m'escortait au cinquième étage, une grande brune, port de reine, lèvres sombres, sourire qui lasérise le pantalon d'un homme à vingt pas. Et j'étais tout contre elle dans l'ascenseur, à quelques centimètres, mes yeux dans ses yeux, respirant son parfum. Subtilement cannelle. Cette fille avait l'odeur comestible.

C'était une de ces occasions où on se dit, allez ascenseur, tombe en panne, et vite. Coince-nous entre deux étages. Je viens de pisser, je peux attendre. Laisse-moi juste une heure ou deux, le temps d'imposer mon charme à un public captif.

Problème : je devrais d'abord lui apprendre l'anglais. Car quand j'avais essayé d'entamer la conversation, elle avait eu un sourire accablé et s'était excusée en français de ne pas comprendre un traître mot. Enfin, voilà au moins une Parisienne qui ne semblait pas me détester.

Nous arrivâmes dans un couloir bizarre : quelque chose entre le manoir gothique et le semi-remorque à double vitrage. Un interminable tapis de style oriental couvrait tout le sol à l'exception de quelques lattes de plancher ciré et grinçant. Plafonds et murs s'ornaient de plâtres moulés à l'antique, avec grand renfort de spirales, mais on avait arraché de leurs gonds les portes d'origine pour les remplacer par des vitres fumées pur vintage années 1970. Enfin, comme pour masquer le choc des styles, les murs étaient bordés de plantes vertes en nombre suffisant pour héberger une guerre tropicale.

Christine toqua à l'une des portes vitrées. « Entrez ! » répondit une voix mâle. Je poussai la porte et me trouvai face à lui, mon nouveau patron, installé devant un décor naturel : la tour Eiffel pointée comme un doigt géant dans un ciel nuageux.

Il se leva et contourna son bureau pour m'accueillir.

— Monsieur Martin, dis-je en tendant la main. Heureux de vous revoir.

— Appelez-moi Jean-Marie, répondit-il dans un excellent anglais, malgré un soupçon d'accent. (Il s'empara de ma main et m'attira vers lui, assez près pour un de leurs fameux frotte-joues. Mais non, il se contenta de me tapoter l'épaule.) Bienvenue en France.

Grand Dieu, pensai-je. Enfin une personne qui ne me déteste pas.

Pour un président de société, Jean-Marie avait l'air extrêmement cool. La cinquantaine, mais l'œil noir étincelant de jeunesse, un front dégarni mais le cheveu coiffé court en arrière, masquant une calvitie naissante. Chemise bleu roi et cravate mordorée d'un chic sans effort. Visage ouvert, amical. Il commanda des cafés et je remarquai qu'il disait « tu » à Christine alors qu'elle lui disait « vous ». Je ne comprendrai jamais leur système.

— Asseyez-vous, Paul, dit Jean-Marie en revenant à l'anglais. Tout est OK ? Votre voyage, l'hôtel ?

— Oh oui, parfait, merci...

Un peu basique, mais au moins il y avait le câble.

— Bien bien.

Quand il vous regardait, nul doute que votre bonheur personnel était pour lui la chose la plus importante de la planète. Oublié l'effet de serre, Paul est-il satisfait de sa chambre d'hôtel ? C'était l'événement du jour. Je décidai d'en profiter pour mener une petite enquête ethnologique :

— Vos employés ont l'air heureux, ici, dis-je. Ils s'embrassent tous.

— Ah, oui. (Il jeta un œil dans le couloir, comme pour chercher des passants à bisouter.) C'est la rentrée, voilà, the re-entry. Comme si on redescendait de l'espace. Pour un Parisien, tout ce qui se trouve à plus de dix kilomètres des Galeries Lafayette est une autre planète. On n'a pas vu les collègues depuis un mois, on est heureux de se retrouver. (Il renifla comme pour souligner une private joke.) Enfin bon, pas toujours très heureux, mais on ne peut pas refuser une bise.

— Même entre hommes ?

Jean-Marie se mit à rire.

— Vous trouvez que les Français sont efféminés ?

— Non non, bien sûr que non.

Avais-je pincé une corde sensible ?

— Bien.

J'avais l'impression que si Christine s'était trouvée dans la pièce, il aurait baissé son froc pour prouver sur-le-champ sa virilité.

Il claqua dans ses mains comme pour dissiper l'atmosphère soudain saturée de testostérone.

— Votre bureau est à côté du mien. Nous aurons la même vue. Et quelle vue, hein ? (Il tendit le bras vers la fenêtre pour présenter sa guest star, la tour Eiffel.) Nous voulons que vous soyez heureux chez nous.

Sur le coup, il était probablement sincère.

Quand je l'avais rencontré pour la première fois, à Londres, il s'efforçait de donner à sa boîte, VianDiffusion, le profil d'une famille, endossant lui-même le rôle de l'oncle sympa plutôt que du parrain ou du Big Brother. Jean-Marie avait repris le business de la viande une dizaine d'années plus tôt, à la suite de son père, le fondateur, qui avait débuté comme simple boucher. Ils possédaient désormais quatre usines (concrètement, des mixers géants avec bêtes beuglantes à l'entrée et hachis à la sortie), plus un immeuble de bureaux. L'affaire débitait sans répit, grâce à l'appétit illimité des Français pour les hamburgers, ou steaks hachés, comme ils disent par patriotisme. Quand il m'avait recruté, Jean-Marie semblait motivé par le désir d'extraire sa boîte de l'univers tripes et abats. Mon projet anglais devait faire oublier ces sanguinolents débuts. D'où la chaleur de son accueil.

Restait à voir si les autres collègues me témoigneraient un amour aussi franc.

— Une chose, Jean-Marie, dis-je tandis qu'il me pressait, me portait, presque, le long du couloir jusqu'à la salle de réunion. Dois-je leur dire tu ou vous ?

De toute façon, je ne savais encore dire ni l'un ni l'autre en français.

— Oh, ça c'est facile. Vous, dans votre position, vous dites « tu » à tous vos collaborateurs. Sauf peut-être à ceux qui ont l'air d'être plus âgés. Et à condition d'avoir déjà été présenté. La plupart des gens vous diront « tu » aussi. Il y en a, les plus jeunes, qui vous diront « vous », et aussi ceux qui ne savent plus s'ils vous connaissent. OK ?

— Euh, oui.

Clair comme une soupe à l'oignon.

— De toute façon, dans votre équipe, tout le monde parlera anglais.

— Anglais ? Je croyais que je devais m'intégrer ?

Jean-Marie ne répondit pas. Il me tira derechef par le coude et nous entrâmes dans la salle de réunion. Elle occupait toute la largeur de l'immeuble, avec des baies vitrées aux deux bouts. La tour Eiffel d'un côté, de l'autre une cour et un bâtiment moderne en verre. Quatre personnes attendaient dans la pièce. Un homme et une femme blottis contre la fenêtre sur cour, un autre type et une fille assis en silence derrière la longue table ovale.

— Bonjour tout le monde, je vous présente Paul, annonça Jean-Marie en anglais.

Mes nouveaux copains de travail se retournèrent vers moi. Des deux hommes, l'un était un grand blond au cheveu épais, la quarantaine, l'autre un jeunot maigre et chauve. Les femmes : une vraie blonde, blond miel exactement, la trentaine, queue-de-cheval lisse et stricte, dotée d'un menton en galoche qui l'empêchait d'être vraiment belle ; et une fille à face de lune, dans les trente-cinq ans, l'air gentil, avec de grands yeux bruns et un corsage rose mal seyant. Je leur serrai la main et oubliai instantanément leurs noms.

Nous prîmes place à la table, Jean-Marie et moi d'un côté, les quatre autres en face.

— OK tout le monde. C'est un moment super exciting, commença Jean-Marie. Nous sommes en phase de branching away. Nous volons vers de new horizons. Nous sommes capables, en restant très aware, de réussir dans le fooding. Sans notre bœuf haché, l'industrie française du fast-food n'existerait pas. Nous allons maintenant optimiser nos benefits sur l'Angleterre avec nos futurs tea cafés. Et nous avons ici quelqu'un qui connaît bien ce business. (Il brandit fièrement le bras vers moi.) Paul, vous le savez, était chief of marketing pour une chaîne de cafés français en Angleterre. Voulez-Vous Café Avec Moi. Combien de cafés avez-vous créés, Paul ?

— On en était à trente-cinq quand j'ai quitté l'entreprise. Mais ça remonte à deux semaines, et Dieu sait où on en est aujourd'hui.

Je plaisantais, mais tous me regardèrent bouche bée, sans mettre une seule seconde mes paroles en doute, tout à leur foi en notre dynamisme anglo-saxon.

— Eh oui, confirma Jean-Marie, sur qui mon prestige rejaillissait. J'ai vu que c'était des winners, il me fallait leur cerveau marketing, je suis donc allé à Londres pour couper des têtes.

— Couper ma tête ? m'offusquai-je.

— C'est cela, le chasseur de tête quoi. Je suis certain que Paul va apporter à notre nouvelle chaîne de tea cafés en France le succès qu'il a connu en Angleterre avec le concept miroir de French café en, euh, en Angleterre. Mais si vous continuiez en vous présentant vous-même, Paul ? dit-il, visiblement épuisé par sa dernière phrase.

— Oui, bien sûr. (Je regardai la brochette de collègues en imitant un regard débordant d'amour.) Je m'appelle Paul West, dis-je tandis qu'ils s'activaient à répéter mon nom pour se le mettre en bouche. J'étais au départ de la création de Voulez-Vous Café Avec Moi. Nous avons démarré en juillet dernier – le 14 juillet évidemment – avec cinq cafés à Londres, puis nous avons ouvert les autres dans les principales grandes villes et les centres commerciaux, en trois vagues de dix. J'ai avec moi un rapport qui vous permettra de lire l'histoire complète. Avant cela, j'avais travaillé dans une petite brasserie – un fabricant de bière, ajoutai-je en les voyant froncer les sourcils. Voilà, j'ai à peu près fait le tour.

— You very djeune, fit le petit maigre.

Pas sur un ton accusateur, juste un peu contrarié.

— Pas vraiment. J'ai vingt-sept ans. Si j'étais une rock star, je serais déjà mort.

Le type eut un geste d'excuse.

— No no. I am not critiquing. I am just... admirative.

Il avait un accent bizarre. Pas franchement français. Impossible à identifier.

— Oui, nous admirons tous Paul, ça c'est clair. (Une fois de plus, Jean-Marie donnait l'impression de me faire un plan drague.) Nous allons tous nous présenter, dit-il. Commence, Bernard.

Bernard, c'était le grand blond costaud coiffé en brosse avec la moustache. Il avait tout à fait l'allure d'un policier suédois mis en préretraite dans la force de l'âge à cause de ses pieds plats. Il portait une chemise d'un bleu douteux et une cravate rouge délavé. Je l'imaginai avec le mot « rasoir » tatoué sur le front, mais ça l'aurait rendu trop excitant. Bernard eut un sourire nerveux et se lança.

— I am Bernard, ayam responsibeul of communikacheune, euh...

Bon Dieu, Jean-Marie n'avait-il pas parlé d'une réunion en anglais ? Et voilà que ce type attaquait en hongrois. L'homme de Budapest poursuivit dans cette veine hermétique pendant deux minutes puis articula plusieurs mots, de la plus haute importance à en juger par la constipation forcenée de son visage :

— I am very happy work wiz you.

Capté ! Bien que peu familier des dialectes d'Europe centrale, cette fois j'avais compris. Il est très heureux de travailler avec moi. Par Babel ! C'était de l'anglais, mais pas le même que le nôtre.

— Merci Bernard, dit Jean-Marie avec un sourire d'encouragement.

Avait-il choisi exprès le plus nul pour mettre en valeur son excellent anglais personnel ? Je m'accrochai à cet espoir.

— À toi, Marc.

Marc, c'était le chauve maigrichon. Il portait une chemise gris sombre, mal repassée et déboutonnée au col. Il s'avéra qu'il avait passé plusieurs années dans le sud des États-Unis, d'où son accent bizarre, celui d'une Scarlett O'Hara qui aurait forcé sur le Pernod.

— I am chargèd of Haïti, dit-il.

— Chargèd of Haïti..., répétai-je d'un air approbateur.

De quoi diable s'agissait-il ? En rapport avec les tropiques, de toute façon. Intéressant.

— Compiouteur système, confirma Marc.

— Oh, IT ! fis-je. Information Technologies. (Le chauve me lança un regard noir.) Votre anglais est excellent, ajoutai-je précipitamment. Combien de temps avez-vous passé aux États-Unis ?

— One year prepa at university of Georgia. And five years in insurance company in Atlanta. In the departemone of Haïti, naturali.

— Naturali, acquiesçai-je.

— OK, Marc. Stéphanie, à toi, poursuivit MC Jean-Marie.

Stéphanie, c'était la blonde à forte mâchoire. Accent épais, très français, syntaxe effrayante, mais mon oreille commençait à s'y faire. Stéphanie était « responsibeul of fournitchourzes » dans la principale usine à viande du groupe, et « very api » de se retrouver désormais « promotèd responsibeul of fournitchourzes » dans la future chaîne « Inegliche ti salouns ». À l'évidence, il était aussi épuisant pour elle de parler que pour moi d'écouter et, à la fin de sa brève intervention, elle décocha à Jean-Marie un regard qui disait voilà, je les ai faites mes cinquante pompes et maintenant tu pourrais me dire merci, espèce de crapule sadique.

— Merci, Stéphanie. Nicole.

La petite brune à cheveux courts s'exprimait d'une voix fluette mais très claire. Elle était contrôleur de gestion sur le projet, comme d'ailleurs pour l'ensemble de la société.

— Vous avez séjourné en Angleterre, n'est-ce pas, Nicole ? demandai-je. Et même assez souvent, à en juger par votre accent.

Règle numéro un de la vie d'entreprise : toujours flatter votre contrôleur de gestion.

— Oui, my asband was angliche, dit-elle avec un sourire nostalgique.

Oh oh ma chère, veuve ou divorcée ? Pas le moment de demander.

— Ne vous fiez pas à Nicole, coupa Jean-Marie. Elle a l'air gentille, comme ça, mais elle a un cœur de pierre. Ce qui explique pourquoi nos finances sont au top. Notre vrai patron, c'est elle.

Nicole rougit. Ça sent l'anguille sous roche, remarquai-je. Jean-Marie qui fait son éloge professionnel, Nicole qui meurt d'envie d'ouvrir son corsage pour lui faire admirer ses nichons. À moins que je ne cède au cliché ?

— Bon, je constate que votre anglais est bien meilleur que mon français, annonçai-je à la cantonade, avec un regard plus appuyé vers Stéphanie et Bernard, mes camarades handicapés linguistiques. Je me suis acheté un CD-Rom pour apprendre le français et je vous promets de m'y mettre on the chapeaux de roues.

Ils furent assez bons pour rire.

Puisque nous étions désormais frères de projet, je décidai de mettre sur la table ma petite idée. Rien de polémique.

— Je pense que nous devrions choisir un nom pour le projet, suggérai-je. Rien de définitif, c'est provisoire, juste pour nous donner une identité collective, pour l'équipe. Un truc genre Tea Time.

— Oh ! (C'était Bernard, mon Hongrois, soudain dressé comme par un ressort.) No. We av un nom : Maille Tea Iz Riche.

Je fronçai les sourcils, les autres s'esclaffèrent. Je cherchai un secours du côté de Jean-Marie, mais il regardait ailleurs.

— My Tea Is Rich ? Comme nom de marque pour des salons de thé ? Ce n'est pas un nom, risquai-je, ça ne veut rien dire.

— Ouch !

Bernard était peut-être nul en anglais mais il excellait en monosyllabes.

— My Tea Is Rich iz a comic nom. Itiz inegliche humour.

— De l'humour anglais ? Pas du tout.

— Oh !

Bernard se tourna vers Jean-Marie en quête de renfort.

— Bien sûr, c'est pas my tea, c'est my tailor, expliqua Jean-Marie.

— Votre tailleur ?

J'avais l'impression de me trouver dans un film surréaliste. Dans un instant, Salvador Dalí allait entrer en vol plané par la fenêtre avec une baguette sortant de sa braguette.

— My tailor is rich, confirma Jean-Marie.

— Oh, vraiment ?

Salvador arrive, pensai-je. Mais par la fenêtre, on ne voyait que la tour Eiffel.

— My tailor is rich est une expression typiquement anglaise.

— Mais non, pas du tout.

— C'est ce que croient les Français en tout cas. Cette phrase était dans tous les manuels d'anglais.

— OK, OK, je crois que j'y suis, dis-je. (Les autres me fixaient comme si j'étais au bord de comprendre l'astuce et d'éclater enfin de rire.) C'est comme : Mon postillon a été frappé par la foudre.

— Hein ?

Cette fois, c'était au camp français d'avoir l'air largué.

— C'était dans tous nos manuels de français, dis-je. Maintenant je vous suis, ajoutai-je avec un sourire victorieux. (Ils hochèrent la tête. Malentendu surmonté. Problème résolu.) Mais ça ne change rien, ce nom est très mauvais.

Il fallait quand même que je le leur dise, pour leur bien, pour le bien du projet.

— Oh !

— Vous tenez absolument à Tea Time ? demanda Jean-Marie d'une voix éteinte. C'est un peu plat.

— Non, c'est provisoire. Je propose une étude marketing avant d'adopter un nom définitif pour la marque. D'ici là, mettons-nous d'accord sur un titre de travail. Vous n'aimez pas Tea Time ? Pourquoi pas Tea for Two, alors ?

— Ah non. (Ça, c'était Stéphanie.) Zis is plate also. (C'est aussi une assiette ?) Nous voulons un comic nom. Ayam OK ouiz Bernard, inegliche humour.

— And, euh, ouaille not Tease Café ? essaya Marc.

— Tease Café ? (Taquine ton café ?)

À nouveau, je perdais pied.

— Yé. Tea, apostrof, s, café, expliqua Marc.

Stéphanie hocha la tête : bonne idée.

— Tea's Café ? Mais ce n'est pas de l'anglais !

— Yes, rétorqua Stéphanie. You av méni nèmes with apostrof. Ari's Bar (qui est Ari ?), Liberty's Statue.

— Brooklyn's Bridge, dit Marc. (Que vient faire ce s ?)

— Roll's Royce, lâcha Bernard, comme un coup gagnant. (La Royce de Roll ? Ces bons vieux Charles Stewart Rolls et Frederick Henry Royce...)

— Pour des Français, l'apostrophe suivie de *s* fait très anglais, expliqua Jean-Marie, toujours dans son rôle d'interprète. Il y a un café américain sur les Champs-Élysées qui s'appelle le Sandwich's Café.

— Tout à fait, confirma Stéphanie en frappant de l'index sur la table.

— OK, mais ce n'est pas de l'anglais. (Je me sentais obligé d'insister.) Comme camping ou parking : ça sonne anglais pour vous, mais ce n'est pas de l'anglais.

— Ah !

Stéphanie fit appel à l'arbitre Jean-Marie.

Une attaque contre la langue française ? Carton jaune !

— Chaque pays emprunte à la culture d'autres pays, mais en l'adaptant, dit Jean-Marie. Quand j'étais en Angleterre, les restaurants servaient de la crème brûlée à la fraise. Eh non ! La crème brûlée, c'est de la crème brûlée. Pourquoi pas une baguette à la fraise ou du camembert à la fraise ?

Le camp français opina vigoureusement du chef, tous derrière Jean-Marie et sa mise au point, sévère mais juste.

— Yes, you Inegliche, you put orange djouce in champègne, dit Stéphanie. Merde alors !

Les autres émirent un rictus désapprobateur devant la profanation de leur trésor national.

— Oui mais même vous, dans le champagne, vous mettez cette liqueur toute noire pour faire du kir.

J'avais lu ça dans le guide touristique, et je le regrettai instantanément. Les sourcils français se froncèrent devant cette repartie arrogante. Jean-Marie noya l'incident dans l'huile d'olive.

— Bien bien, on va faire une étude de marché. On testera tous ces noms, et d'autres. Si on commençait par dresser une liste des suggestions ?

— Parfait.

Je hochai la tête comme un chien en plastique sur la plage arrière de la voiture, disposé à accepter la brillante idée émise par le diplomate français.

— Bernard pourrait s'occuper de l'organisation, suggéra Jean-Marie.

Le Hongrois sourit, il était l'homme de la situation. Une faible lueur dans son regard me fit comprendre qu'il voulait convaincre ses partenaires.

— OK, tout ça est très constructif, dit Jean-Marie. Une vraie réunion à l'anglaise. On prend des décisions.

Des décisions ? On n'arrive pas à se mettre d'accord, donc on engage un consultant qui se laissera corrompre pour retenir les idées les plus bêtes. À moi, ça ne paraissait pas très constructif. Mais c'était ma première réunion à la française. J'avais encore beaucoup à apprendre.

À l'extérieur, mon entrée dans la société parisienne n'était guère plus encourageante. Jean-Marie me payait une chambre dans un hôtel situé un kilomètre à l'ouest de l'Arc de Triomphe, nettement à l'extérieur de Paris. Ça donnait sur une espèce d'autoroute à huit voies, romantiquement baptisée avenue de la Grande-Armée, qui mène de Paris proprement dit aux gratte-ciel du quartier d'affaires de la Défense.

L'hôtel était un bâtiment moderne de style inclassable, fait dans une pierre artificielle. Sa couleur évoquait celle de la neige compissée par des chiens. Mêmes tons pour la déco de ma chambre. C'était censé être une chambre double, mais la seule manière pour deux personnes de s'y tenir en même temps aurait été d'y faire l'amour. C'était sans doute là l'idée d'ailleurs, mais cette activité me fit singulièrement défaut tout le temps que j'y passai.

Bref, l'hôtel se trouvait dans une banlieue chic du nom de Neuilly. L'endroit suait l'ennui malgré deux ou trois rues commerçantes remplies de ces petites boutiques aujourd'hui disparues au Royaume-Uni : poissonneries, fromageries, chocolateries, boucheries viande crue, boucheries viande cuite, boucheries chevalines, et encore une se consacrant à la seule vente de poulets rôtis.

Aussi, quand les piles de ma minichaîne hi-fi plongèrent dans leur énième coma, je résolus de me rendre chez un sympathique vendeur de matériel électrique pour acheter un adaptateur. Je m'y hasardai un samedi et pénétrai dans une minuscule échoppe pleine à ras bord de postes de radio, lampes torches et autres gadgets électroniques. L'intérieur était occupé par un long comptoir de verre couvert de traces de doigts et par un empilement d'étagères saturées de tout et n'importe quoi, depuis les minuscules micropiles pour montres jusqu'aux aspirateurs et autres mixers à légumes. Au milieu de ces boîtes se tenait un type entre deux âges vêtu d'une blouse de nylon grise harmonisée à la couleur de son visage. Le cousin parisien de la famille Addams.

— Bonne djour ! lançai-je en souriant pour m'excuser à l'avance de mon déplorable français.

L'homme ne me rendit pas mon sourire. Il se contenta de me dévisager sous ses sourcils en barbelés. Il me jaugeait et tirait déjà de désagréables conclusions.

Je devrais peut-être préciser que je ne portais plus mon costume Paul Smith ce jour-là. J'avais mis une chemise à fleurs orange chinée à Portobello Road. Le motif explosion-dans-une-usine-de-peinture-hawaïenne me conférait, croyais-je, un abord relax et amical, d'autant que je l'avais assortie d'un bermuda de surf et de chaussures de sport rouge pompier. J'avais observé que cet accoutrement était peu répandu parmi les habitants de Neuilly, mais c'était une tiède journée d'automne et je n'imaginais pas que cela allait compromettre mes chances d'acquérir du matériel électrique.

— Je..., commençai-je avant de m'apercevoir que je ne connaissais pas les mots français pour chaîne hi-fi, câble, prise, adaptateur ni même, pour être franc, électricité.

En Angleterre, vous allez dans une grande surface et vous vous servez. Au pire, tout ce que vous avez à faire, c'est de montrer du doigt.

— J'ai un ha-fa, risquai-je en lestant le mot d'une joyeuse tonalité française.

L'électricien ne sembla pas perturbé, ce qui me parut encourageant. Ni intéressé, d'ailleurs. Je me risquai plus avant dans la jungle linguistique. « J'ai un ha-fa anglais. » Grand sourire d'excuse. Désolé, je fais de mon mieux. Merci de me soutenir. « J'ai un ha-fa anglais, mais ici ? » Je m'efforçai de prendre une mine désespérée – ce n'était pas difficile. Le vendeur ne montrait toujours aucun signe de vouloir vendre quoi que ce soit. Au diable, tranchai-je, et j'activai le siège éjectable linguistique.

— J'ai besoin d'un adaptateur pour brancher ma hi-fi britannique sur le réseau français, expliquai-je en anglais, avec une diction parfaite et un grand déploiement de gesticulations.

J'avais toujours pris les Français pour des adeptes du mime, mais celui-là n'était pas un fan de Marcel Marceau.

— Parlez français, dit-il, avec un bref « hein ! » final qui devait signifier « pauvre connard d'Anglais » en argot de Neuilly.

— Si je pouvais je le ferais, bougre d'imbécile, répliquai-je en anglais, vaguement consolé par cette insulte qu'il ne comprendrait pas.

En réponse, j'eus droit à un haussement d'épaules qui disait clairement « ton problème c'est ton problème, pas le mien, c'est triste mais ça me fait marrer, parce que vu tes fringues, tu as tout du débile qui se fourre dans les emmerdes ». Tout ça en un seul mouvement d'épaules.

Sans illusions sur mes chances de remporter un concours de haussements d'épaules et encore moins de trouver un adaptateur, je sortis de la boutique.

Je n'avais pas fait un mètre quand mon corps se figea en une pose de taï chi congelé, genoux arqués et pied en l'air. Une petite motte d'étron couleur de gingembre boursouflait la pointe de ma superbe chaussure rouge.

— Shit !

Fut-ce mon imagination, ou l'électricien ricana-t-il vraiment derrière moi :

— Hé, l'Anglais – ça se dit merde !

Paris, je commençais à le comprendre, est une sorte d'océan. Un océan est un paradis – pour les requins. Il abonde en nourriture fraîche, et le premier qui vous emmerde, vous le coupez en deux d'un coup de dents. Personne ne vous aimera pour ça, mais au moins on vous fichera la paix. Les pauvres humains, eux, passent leur vie à flotter à la surface, malmenés par les vagues, et guettés par les requins.

La meilleure solution consiste donc à muter en requin aussi vite que possible. Et la première étape dans votre agenda évolutionniste est d'apprendre à parler couramment requin. Je disposais bien d'un CD *Le français sans peine*, mais il me vint à l'esprit que l'assistante de Jean-Marie, Christine, pourrait avoir envie de me donner quelques leçons... privées. Après tout, si on se fait requin, autant trouver une partenaire avec de jolis ailerons.

Christine ? une très mauvaise idée ! Sans pour autant être de ceux pour qui l'amour n'est qu'un match de tennis, je dois avouer que je n'avais pas jusqu'alors accumulé les victoires. C'est même l'une des raisons qui me firent sauter sur une offre qui m'éloignait de l'Angleterre. Je sortais à Londres avec une fille, Ruth, une histoire destructrice. On s'appelait, on se donnait rendez-vous, puis on attendait de voir lequel rappellerait le premier avec un superbe prétexte pour annuler. On finissait par se retrouver et alors c'était le cirque vicieux, ou une partie de cul à ébranler la Grande-Bretagne. Ensuite, silence radio pendant deux semaines, puis téléphone, etc. Nous savions tous deux que mon désir d'émigrer était signe que les choses n'allaient pas au mieux entre nous.

Ma dernière partie de cul-tremblement de terre remontait à quinze jours quand je m'étais retrouvé dans l'ascenseur avec Christine. Je n'avais pas besoin du flot anormalement élevé d'hormones dans mes veines pour constater que Christine était insupportablement belle. Elle avait de longs cheveux coiffés à la diable – comme les portent la plupart des Françaises –, ce qui était prétexte à de menus gestes de séduction comme recaler une mèche folle derrière l'oreille ou dégager son front. Très mince – comme la plupart des Françaises là aussi – et pourtant rien ne manquait, ni les bonnes courbes ni les protubérances judicieusement placées. Et ces yeux incroyables, quasi dorés, qui semblaient dire que je ne ressemblais pas à Quasimodo moi non plus. Elle m'envoya des battements de cils jusqu'à son bureau, et cela me parut outrepasser le strict nécessaire d'une collaboration quotidienne dans le cadre du lancement d'un ou deux salons de thé.

Mon français surréaliste la faisait rire. Et la faire rire, même à mes dépens, me plaisait décidément beaucoup.

— Tu es professeur pour moi, balbutiai-je un jour de la première semaine.

Elle éclata de rire. Je fis l'offensé :

— Je veux apprendre français.

Elle rit de nouveau et répondit quelque chose que je ne compris pas.

— Tu professeur anglais avec moi ? suggérai-je. Nous, euh...

Et je mimai de mon mieux des gestes qui devinrent vite plus sexuels que prévu.

Ce mime cérébral ne la mit pas en colère. Ce soir-là, nous allâmes boire un verre après le travail, dans un bar à cocktails en sous-sol des Champs-Élysées, horriblement cher. Le genre d'endroit où on se perche sur des fauteuils Philippe Starck, bien droit pour être vu. Je me penchai vers Christine et nous discutâmes de la vie à Londres et à Paris dans un charabia franglais. On commençait tout juste à être intimes, le stade où les ongles s'effleurent, quand elle me fit le coup de Cendrillon.

— Mon train, dit-elle.

— Non non, le métro est très brrmm brrmm ? objectai-je, pour lui faire comprendre qu'elle serait chez elle bien avant qu'il se transforme en citrouille.

Elle secoua la tête et me montra une petite carte-dépliant du métro. Elle habitait à perpète en banlieue.

— Viens chez moi, dis-je sportivement.

Vee-en shay mwa – l'une des meilleures phrases de mon CD-Rom. Ça sonnait comme un baiser. Elle émit un petit bruit désapprobateur, pressa ses lèvres noires sur ma bouche, me caressa le menton du bout de son doigt et me planta là, cloué à la table par une érection que seule une résolution de l'ONU aurait pu désarmer.

Je n'avais rien compris. La majorité des femmes anglaises que j'avais emmenées boire un verre en fin de journée auraient mis brutalement les choses au clair, ou alors seraient à cette heure en train de coller leurs mollets sur mes oreilles. Mais si ça se trouve, je n'avais connu que des maniaques du mollet sur l'oreille.

Mon premier geste, le lendemain matin, fut de lui apporter du café dans son bureau.

— Ce soir, tu veux... ?

Je la laissai remplir le blanc – sexe ou conversation, à son libre choix.

— Boire un verre ? choisit-elle.

Elle fit le geste d'en vider un. OK, au moins pour commencer.

— On se retrouve au bar at 19 hours ? articula-t-elle.

Se retrouver au bar. Un secret entre nous. Excellent, pensai-je. La veille, nous avions quitté le bureau ensemble et déclenché dans le couloir une épidémie de haussement de sourcils.

Mais ce soir-là, à 19 heures, au bar, Christine ne paraissait pas d'humeur à parler anglais. Elle me demandait en français si j'étais marié et si j'avais des gosses à Londres.

— Mais non ! assurai-je.

— Pourquoi pas ?

— Pffff, expliquai-je.

Mon français ne me permettait pas d'entrer dans les détails de ma désastreuse histoire avec Ruth. Elle me refit le coup des cils, et celui de Cendrillon à 20 heures tapantes. Impossible de rien comprendre, avec les Françaises. Des adeptes du prélude mental ? Du sexe, mais que cérébral ? Elles attendaient quoi, qu'on leur saute dessus ? Je n'y croyais pas trop, n'ayant jamais rencontré aucune femme d'aucune nationalité qui apprécie l'approche plaquage-rugby. Et si c'était une façon de symboliser les relations franco-anglaises – m'agiter sous le nez leur image sexy mais garder la distance pour éviter d'attraper la maladie de la vache folle ?

Je cherchai une explication dans une étude que j'avais commandée sur ce que les Français pensent réellement de nous. Je n'y trouvai rien qui concerne mes relations avec Christine, mais c'était néanmoins une lecture intéressante. À part la vache folle et les hooligans, ce que les Français associent le plus au mot anglais, c'est la reine, Shakespeare, David Beckham, Mr Bean, les Rolling Stones (autant de concepts positifs, ce qui peut surprendre) et, oui, le thé, considéré comme une boisson stylée et civilisée. Les Français ignorent manifestement ce qu'est la pisse de cheval avec nuage de lait versé dans un gobelet en polystyrène par un stagiaire ado dans une cafétéria de plage anglaise (j'en savais long sur la pisse de cheval : le stagiaire, c'était moi). Dans les cafés français, une tasse de thé coûte deux fois le prix d'un espresso.

Par le couvre-théière sacré ! me dis-je, pourquoi cette affaire de salons de thé anglais n'a-t-elle pas été lancée plus tôt ? Et pourquoi n'avais-je pas une meilleure équipe pour plancher sur la question ? Mes collaborateurs étaient eux aussi censés lire l'étude et quelques autres, mais quand je leur demandai leur avis, impossible d'en tirer autre chose que « very intéressant ». En fait, ils n'en avaient pas lu une ligne. Pas plus qu'ils ne s'activaient à faire avancer le projet. L'automne commençait à peine qu'ils étaient déjà des poids morts. C'était clair, il me fallait parler à Jean-Marie et lui demander de mettre Stéphanie, Bernard et Marc sur un projet qui les branche vraiment. N'importe quoi d'autre que mes salons de thé, en tout cas. Ils allaient me haïr, mais je n'avais pas le choix.

Un jour, je fis savoir à Jean-Marie que j'avais un gros souci et qu'il fallait en discuter. Il insista pour que nous allions déjeuner ensemble à « lunchtime ». C'était le bon jour pour déjeuner, dit-il, sans préciser davantage. Nous sortîmes de l'immeuble à 12 h 30 dans un concert de « bon appétit » lancés comme des « Joyeux Noël ». Chaque déjeuner était, semblait-il, une célébration. Pourquoi pas ?

La rue était pleine d'employés de bureau de première classe. À cette distance des Champs-Élysées, Dior et Chanel poussaient comme des champignons. Lunettes de soleil, sacs à main, jupes. Chez les trentenaires, du moins. On croisait aussi des troupeaux de jeunes secrétaires en jeans de marque, les cheveux longs et flottants comme Christine, en hauts serrés qui attiraient direct les regards d'hommes en complets-vestons. Y compris ceux de Jean-Marie, dont les yeux sautaient sans arrêt du niveau fesses au niveau nichons.

Deux femmes ultrachic en tailleur de marque nous dépassèrent. À Paris, beaucoup de gens donnent l'impression de sortir de l'hippodrome un dimanche de gala, mais Dieu sait où ils garent leurs chevaux dans ce labyrinthe de rues – un garage souterrain, qui sait.

— Pourquoi est-ce aussi important d'aller déjeuner aujourd'hui ? demandai-je.

— Vous verrez, fit-il d'un air énigmatique, en souriant à un nombril de passage.

Au coin de la rue se dressait une brasserie typiquement parisienne – six tables rondes à dessus de marbre, chaises de rotin, sous une véranda en saillie sur le trottoir. Jean-Marie empoigna une chaise devant la seule table vide, sans prêter attention aux vociférations d'un type qui visait la même.

— On a de la chance, dit-il. À Paris, quand il y a du soleil, toutes les terrasses sont pleines. Celles des bons restos, bien sûr.

Deux menus plastifiés atterrirent sur la table. Le serveur était un homme grisonnant au visage harassé, portant la tenue caractéristique du serveur : chemise blanche, pantalon noir et veste noire garnie de poches gonflées de menue monnaie. Il stationna près de nous le temps de marmonner quelques mots mystérieux à propos du plat du jour. Il tendit le doigt vers un Post-it bleu collé sur le menu et s'éclipsa pour s'occuper d'une autre table. En quoi consistait ce plat du jour ? L'écriture manuscrite, illisible, ne pouvait me l'apprendre. Pouvait-il réellement s'agir de « crétin dauphinois » ?

— Et de quoi avons-nous à parler ? demanda Jean-Marie.

Il s'était déjà débarrassé du menu après y avoir jeté un œil.

— E-euh ?

J'essayai de lire le menu tout en remettant de l'ordre dans mes idées. Soudain le serveur fut de retour, le regard inquisiteur. Jean-Marie me fit un grand sourire et m'invita à commander le premier.

— E-euh ? répétai-je.

Le serveur soupira et disparut. Il me détestait déjà. Mon « e-euh » britannique m'avait-il trahi ?

— Les études sont très..., Jean-Marie s'arrêta net et fronça les sourcils. Comment dites-vous ? Prometting ? Prom...

— Euh ! Promising. (Nous étions à table depuis moins d'une minute.)

— Oui, l'étude sur Marks & Spencer. Ils ont eu tort de fermer leurs magasins en France. Les Français adorent les produits anglais.

— Oui. E-euh, que prenez-vous ?

Je ne savais plus où j'en étais.

— Chèvre chaud, dit-il.

— Chèvre ?

— Oui, la femelle, comme un mouton, mais avec des cornes sur la tête.

— Des cornes sur la tête ?
— Des cornes.
— Ah, je vois.
— C'est ça, une chèvre.
Une chèvre chaude ?
De nouveau le serveur, nerveux.
— Chèvre chaude, dis-je.
Si je trouvais des cornes dans mon assiette, je les refilerais à Jean-Marie.
— Deux, confirma Jean-Marie.
— Et comme poisson ? demanda le serveur.
Du poisson ? Il faut prendre du poisson avec la chèvre ? Voilà pourquoi d'habitude je déjeunais à la cantine : vous composez vous-même votre plateau.
— Une Leffe, dit Jean-Marie. Une sorte de bière, m'expliqua-t-il.
Compris. Le poisson, ça se mange. La boisson, ça se boit.
— OK, deux.
Je prenais le rythme.
Le serveur récupéra les menus et décampa sans avoir rien noté. Si les Parisiens mettent vraiment deux heures pour déjeuner, pensai-je, il leur reste donc une heure et cinquante-neuf minutes après la commande. Qui prétend que les Américains ont inventé le fast-food ?
— De quoi donc devons-nous discuter ? répéta Jean-Marie.
— De l'équipe.
Tout de suite, le grand plongeoir.
— Mon équipe ?

J'avais longuement réfléchi à la formulation de « Je n'en veux pas », en vain.

— Je n'ai pas besoin d'eux, dis-je, ce qui sonnait nettement mieux.

Jean-Marie eut un rire nerveux et se renversa sur sa chaise. Le serveur revint avec deux sets de couverts enveloppés dans des mouchoirs de papier jaune. Les couteaux étaient dentelés et pointus. Pourvu que Jean-Marie n'ait pas l'idée de s'en servir sur ma jugulaire.

— Vous n'avez pas besoin d'eux ?

— Pas encore. Il me faut quelqu'un pour repérer des emplacements. Quelqu'un pour faire une étude de consommation basée sur les rapports qu'on est tous censés lire – quelle est exactement l'attente du public en matière de salons de thé anglais. Qu'ont-ils envie de manger ? Quelqu'un qui apporte des idées de noms et de logos. Bernard, Stéphanie et les autres ne sont pas faits pour ça.

Jean-Marie resta au fond de sa chaise. Sans un geste vers son couteau. Du moins pas encore. Il soupira.

— Les entreprises françaises ne fonctionnent pas comme les américaines ou les anglaises, commença-t-il.

Le serveur revint avec deux énormes verres à pied emplis de bière mousseuse.

— Vous avez des frites ? demanda Jean-Marie. (L'autre n'eut pas l'air d'entendre.) Vous avez raison, me dit-il. Sauf pour Nicole, en tant que directrice financière, elle a la main sur tous les projets, et pour

Marc, qui sera opérationnel quand nous en arriverons à la gestion des stocks. J'ai pris Bernard et Stéphanie pour les occuper. Ils ont du travail, mais pas assez. Ce n'est pas une insulte à notre projet. Au contraire, je m'appuie entièrement sur vous. Je compte sur vous pour les organiser, les motiver. Pour les ignorer, s'il le faut. Ils se débrouilleront bien tout seuls.

— Mais leurs salaires sont inclus dans mon budget ?

Jean-Marie éclata de rire.

— Vous êtes marrant. Chez vous, si un ouvrier ne tient pas la cadence, il est viré. Ici, ce n'est pas pareil. Ils appellent l'inspecteur du travail, ils se plaignent, et si vous ne payez pas d'indemnités le syndicat se met en grève et c'est la merde générale. De plus, Bernard et Stéphanie sont chez nous depuis dix ans au moins. Vous savez ce que ça me coûterait de les virer ? Même sans grève ? Et si je me paie une grève, pensez à l'odeur du bœuf quand on rouvrira les frigos éteints.

— Je ne vous propose pas de les virer. Juste de... Comment dit-on *les faire disparaître* ?

Le serveur revint avec deux assiettes surmontées d'une colline de laitue étincelante, coiffée d'une motte de fromage sur des toasts riquiquis. Pas trace de cornes. S'était-il trompé dans la commande ? Allais-je devoir réclamer ? Il posa les assiettes sur la table, nous souhaita bon appétit et tourna les talons. S'adressant à son dos qui s'éloignait, Jean-Marie s'enquit de ses frites.

— Je n'ai que deux mains, monsieur, fit le serveur.

Que deux mains. Si je comprenais bien, il venait de dire à Jean-Marie, poliment, d'aller se faire voir.

— C'est quoi le problème de ce serveur ? demandai-je à Jean-Marie. Vous le vireriez, non ? Il est absolument haïssable.

— Haïssable ?

— Oui, je veux dire, malpoli. Un git.

— Git ? Ah, oui, un con, je sais. You stupid French git.

Jean-Marie sourit gentiment au souvenir de cette insulte sans doute reçue jadis de quelque Anglais.

— Oh, reprit-il, les serveurs, à l'heure du déjeuner, sont toujours débordés. Si on n'est pas contents, ils savent qu'ils n'auront pas de pourboire.

Pas question d'embaucher des imbéciles pour mes salons de thé, pensai-je. Quoique, je devais l'admettre, ce type était rapide. Un con haut débit. « Et aujourd'hui, il est encore plus débordé que d'habitude », ajouta Jean-Marie avec un sourire mystérieux. Puis il se mit à déballer sa coutellerie. Il semblait s'accommoder parfaitement de la connerie du serveur, comme du fait que nous allions déjeuner presque au milieu de la chaussée. Il n'y avait pas un mètre entre nous et les voitures garées le long du trottoir. Un passant aurait pu cracher dans notre assiette sans tourner la tête. Et Jean-Marie, d'un coup de couteau un peu vif, pratiquer une césarienne sur un promeneur innocent.

— On rediscutera de l'équipe plus tard, fit Jean-Marie. Disons, le mois prochain. Bon appétit.

— Bon appétit, répondis-je, même s'il venait juste de me couper le mien.

Je mordis avec méfiance dans mon plat et l'appétit revint aussitôt. Maintenant je savais : *chèvre* signifie fromage de chèvre et non pas viande de chèvre. Excellent. Tiède et crémeux sur le toast craquant. Et la laitue était saupoudrée de morceaux de noix croustillants sur fond de vinaigrette. Une bouffée de plaisir s'engouffra en moi en même temps que la sauce. Ainsi donc j'étais là, installé sur la terrasse d'un bistrot sous le soleil d'automne, oublieux des voitures qui passaient et des gens qui s'énervaient parce qu'ils n'arrivaient pas à avoir une table. Les grands immeubles imposants, avec leurs bas-reliefs de dieux, d'animaux et de chapiteaux antiques soutenant les lourds balcons de pierre, me semblaient d'un coup moins menaçants. Les vitrines pleines de vêtements hors de prix, de jéroboams de champagne et de baquets de pâté aux truffes ne sortaient plus d'un univers extra-terrestre. Pour la première fois, durant quelques merveilleuses secondes, j'éprouvai ce que c'était que d'être de Paris.

— À part ça, le reste ça va, au bureau, j'espère ? demanda Jean-Marie.

Et visiblement, il l'espérait pour de bon.

— Oui, parfait. Bon, il y a un léger problème avec ma carte de visite.

J'en avais reçu une boîte dans la matinée.

— Ah ?

Je préférai ne pas mentionner qu'on m'y présentait comme Paul Vest. L'important était ailleurs :

— Eh bien, comme on n'a pas pu se mettre d'accord sur un nom provisoire, ma carte porte le logo de l'entreprise, VianDiffusion.

— Et ?

— Eh bien, c'est sans doute OK pour la France, mais pas pour des Anglais. Un gros VD rouge, ça ne fait pas très appétissant. Et comme parmi nos fournisseurs nous aurons des Anglais...

Jean-Marie parut troublé.

— Ça veut dire quoi, VD ?

J'expliquai. Venereal disease. Maladie vénérienne. Jean-Marie émit un rire de surprise vite stoppé par un morceau de toast coincé dans sa gorge. Il avala une gorgée de bière et essuya une larme avec la serviette en papier.

— Quand on s'est vus à Londres, personne n'a soulevé ce problème.

Non, certes, mais tous les Anglais avaient rigolé derrière son dos.

— Encore heureux que vous me le disiez maintenant, reprit Jean-Marie. Nous allons vendre de la viande dans d'autres pays. J'allais changer le logo en VD Exporters.

— Oui, très heureux, acquiesçai-je. Ainsi, vous ne croyez pas qu'on a besoin d'un truc très anglais sur les cartes de visite ? Comme Tea Time ou Tea For Two ?

— Hum, ou My Tea Is Rich.

Cette fois, ce fut à moi de m'étouffer avec mon toast.

Le serveur revint à ce moment et glissa une facture sous la salière. Il dit quelque chose que je ne compris pas et repartit. Jean-Marie grimaça et s'essuya la bouche.

— Et voilà ! dit-il.

— Voilà quoi ?

Il expliqua que le serveur voulait encaisser maintenant car, comme tous les serveurs syndiqués de Paris – soit la majorité des pingouins en veste noire, presque tous mâles, bizarrement –, il se mettait en grève à partir de maintenant, 13 heures. En plein milieu du déjeuner, pour être bien casse-pieds. Les serveurs faisaient grève parce que, même si les additions françaises incluent 15 % de service, les serveurs ont aussi besoin des pourboires pour gagner leur vie et que, depuis l'arrivée de l'euro, les pourboires avaient baissé. Avant, un pourboire standard de déjeuner était une pièce de dix francs, mais les gens laissaient désormais une pièce de un euro, soit seulement six francs cinquante. Le fait que les prix aient été arrondis à la hausse lors du passage à l'euro ne représentait pas une compensation suffisante.

Le serveur revint, pour prendre son argent.

— Nous n'avons pas terminé, se plaignit Jean-Marie, l'air soudain consterné. On voudrait un dessert et un café.

Le serveur lâcha une phrase où figurait le mot « en grève ».

Jean-Marie eut un monstrueux haussement d'épaules, qui surclassait même celui de l'électricien. Épaules, bras et cage thoracique décollèrent à la verticale en un geste d'immense indifférence.

— Ce n'est pas notre problème.

Jean-Marie proféra le mantra parisien, l'air de demander pourquoi l'autre faisait grève pour servir mais pas pour se faire payer. Le serveur n'aspirait pas au débat intellectuel. Le regard menaçant, il jaugea Jean-Marie.

— OK, vous voulez quoi comme dessert ?

À la vitesse du Concorde, il énuméra une liste où je n'identifiai que *crème brûlée* et *mousse au chocolat*. J'optai pour la seconde. Jean-Marie pour une tarte. Le serveur nous décocha un regard malveillant et repartit.

— Et deux cafés, cria Jean-Marie dans son dos.

La commande fut exécutée en une vingtaine de secondes. Le serveur eut son argent et son pourboire. Une pièce de un euro, cela va de soi. Aux autres tables, les gens se lançaient dans le même deal mais le serveur les engueulait ou les ignorait. J'étais conscient d'assister à une importante leçon de vie parisienne. Ne pas s'efforcer de plaire aux gens. C'est bien trop anglais. Leur montrer que vous n'en avez rien à battre de ce qu'ils pensent. Alors seulement vous arrivez à vos fins. En essayant de me faire bien voir, j'avais tout faux. Trop de sourires, et on vous prend pour un débile. Donc, si je n'arrivais pas à me débarrasser de mon équipe, il me faudrait jouer au dur.

Le problème pour jouer au dur, c'était leur damnée politesse, quasiment rituelle. Chaque matin, dès qu'ils me voyaient, Marc et Bernard me serraient la main. Ils disaient toujours « bonjour », demandaient « ça va ? », me souhaitaient en partant « bonne journée », ou selon l'heure « bon après-midi », voire « bonne fin d'après-midi ». Si l'on ne se voyait qu'à 17 heures, c'était « bonsoir » au lieu de « bonjour ». À l'heure de rentrer à la maison, on se quittait sur « bonne soirée ». Sans compter le « bon week-end » du vendredi, et le « bonne semaine » du lundi matin. Des salamalecs d'une complexité orientale. Après avoir salué tout le monde, il ne restait guère de temps pour aborder le problème des rapports non lus et des décisions non prises. Je résolus d'arrêter des mesures pour leur montrer que la période de laxisme était terminée.

Un matin, je descendis voir le directeur des ressources humaines. C'était là, semblait-il, qu'il fallait demander des cartes de visite portant le nom qu'avaient choisi mes ancêtres correctement orthographié, et un logo Tea Time en lieu et place des initiales sexuellement transmissibles de la société. Christine m'avait expliqué qu'elle n'avait pas le droit de s'occuper des cartes de visite. Tout était centralisé aux ressources humaines. Je trouvai le bureau du DRH et frappai à la porte, en verre fumé opacifié par un store baissé à hauteur de genou.

— Entrez, ronchonna une voix féminine.

À l'intérieur, je tombai sur Marianne, la réceptionniste aux cheveux permanentés, assise derrière une table nue, avec juste un ordinateur et un petit pot où poussait une plante apparentée à la belladonne, sans doute une variété de violette.

— Oh, vous êtes ressources humaines aussi, dis-je.

— Non, je suis réceptionniste aussi.

Elle se lança dans une récrimination monocorde sur le fait qu'une personne qualifiée en ressources humaines ne devrait pas avoir à assurer la réception de 9 à 11 le matin, plus une partie de l'après-midi. Après cette première salve de griefs, mon cerveau se refusa à traduire plus longtemps. Je devinais que quelque chose était un scandale, un intolérable scandale, puis tout se noya en un chant plaintif et généralisé, une vraie symphonie en *si* miné.

Pourquoi ne pas chercher un boulot dans une boîte qui a besoin d'une vache qui pleure à plein temps, avais-je envie de lui dire, mais je supputai que ça ne faciliterait pas l'obtention de mes nouvelles cartes de visite. En lettres capitales et bien dessinées, j'écrivis mon nom et Tea Time sur un papier.

— Pas avant la fin de la semaine prochaine, dit Marianne.

— Prochaine semaine ?

— La fin de la semaine prochaine.

— OK, je venirai vendredi.

— Oh, attendez jusqu'au lundi, pour être sûr, dit Marianne, presque joyeuse de son inefficacité.

Demi-victoire, me dis-je. Dans dix jours j'aurai la preuve cartonnée de ma détermination à gagner la guerre du logo. On ne plaisante pas avec les Britanniques.

La prochaine à faire les frais de ma nouvelle attitude le-chef-c'est-moi serait Christine. Le lendemain matin, j'arrivai tôt, comme elle. Je fis route jusqu'à son bureau, posai un café sur la table et un baiser humide sur ses lèvres. Sans aller jusqu'à l'approche rugby, juste une petite démo de tango buccal. C'était réveiller le monstre de Frankenstein. Sa langue se mit à explorer mon palais comme un doigt de dentiste. Du vrai French kiss labellisé. Christine soupira avec fièvre.

— Viens, dit-elle, et elle m'entraîna dans le couloir puis dans les toilettes des femmes.

Elle verrouilla la porte et nos corps commencèrent à se frotter l'un contre l'autre jusqu'aux amygdales. J'eus à peine le temps de penser, bon sang, je devrais toujours avoir des préservatifs dans ma poche, quand elle rompit le contact et saisit mon visage entre ses mains.

— Ah !

Elle m'embrassa durement sur les lèvres et recula d'un pas, tandis qu'un nuage de regret voilait son délicieux minois. Où est le problème ? me dis-je. On n'a encore rien fait.

— Il faut arrêter, lança-t-elle soudain.

— Pourquoi ?

— J'ai un petit ami, dit-elle.

Un ami petit ? De quoi s'agissait-il ? Un euphémisme pour vagin sous-dimensionné ? Elle vit mon trouble.

— Un fiancé, précisa-t-elle.

Pas de problème, pensai-je. Je ne suis pas du genre jaloux. Continuons. Mais comment dire tout ça en français ? À la place, je fis un pas vers elle.

— Non, ça ne va pas, dit-elle, l'air navré, en posant les mains sur mes épaules comme pour me repousser.

C'était « une folie », expliqua-t-elle. Elle avait vingt-cinq ans, elle voulait se marier, avoir des enfants. Son fiancé était un type bien et elle ne voulait pas le perdre à cause d'un Anglais qui n'était à Paris que pour un an.

— Mais ?

J'essayai de rassembler des arguments plus convaincants que « un peu de sexe anglais ne ferait aucun mal à votre relation » ou « t'inquiète pas, je ne lui dirai rien ».

— Mais alors, pourquoi ? finis-je par demander en agitant les mains à hauteur de mes lèvres mordillées.

Elle me refit le coup du minois douloureux.

— C'était une erreur, dit-elle. Une terrible erreur.

Elle voulait que je lui pardonne.

— Et merci, ajouta-t-elle.

— Merci pour quoi ?

Je ne suis quand même pas assez vaniteux pour imaginer qu'un frottement sur mon amygdale suffit à déclencher un orgasme instantané.

— Merci d'être aussi anglais. Tu es un gentleman. Laisse-moi t'embrasser sans...

Je crevais d'envie de lui dire : Non, je ne suis pas un bon sang de gentleman. Si gentleman veut dire un homme qui n'a pas envie de se fourrer sur-le-champ dans un lit, alors les seuls gentlemen que je connaisse en Angleterre sont les préados qui regardent pousser leurs poils pubiens. Christine semblait l'ignorer, mais les Britanniques ont parcouru un énorme chemin depuis les romans de Jane Austen, dont les héroïnes pouvaient accepter une promenade en forêt sans être sûres de se faire sauter. Même Lady Di l'a fait, contre un arbre, avec son professeur de cheval, non ? Et là il n'y avait pas trace de gentleman ni dans ma tête, ni dans mon boxer-short.

— Pardonne-moi, mon Anglais, dit-elle affectueusement, et elle me planta dans les toilettes des femmes, tout seul avec mon inutile érection.

Encore heureux que les érections soient biodégradables, pensai-je, parce que j'en gaspille un paquet.

— Espèce d'enfoiré, Mr Darcy, lançai-je au plafond. Et toi aussi, Hugh Grant. À force de trimballer partout votre sacrée politesse, comment voulez-vous qu'un Anglais ait encore ses chances ?

Au moins la grève des serveurs renforça-t-elle ma popularité. Après une première demi-journée de chaos, quand les patrons de bistrot en eurent assez de cavaler et de se faire secouer les puces, les établissements frappés – pratiquement toutes les brasseries de luxe – engagèrent des extras pour remplacer les grévistes.

D'un coup la clientèle se vit servir par des étudiants terriblement maladroits mais charmants, qui troquaient leur boulot puant et sous-payé derrière les comptoirs de fast-food pour la joie des pourboires sans casquette de base-ball obligatoire sur la tête.

Au lieu de s'écraser devant les grincheux surcaféinés en veste noire, on échangeait soudain des sourires avec une Amélie Poulain ou un apprenti Casanova.

Ils ne connaissaient pas les menus, laissaient tomber les assiettes et mélangeaient les additions. On se serait cru en Angleterre, où il est admis que serveur ne peut être qu'un boulot temporaire taillé sur mesure pour ceux qui ne savent rien faire. Mais c'était aussi le paradis, comme si, après une vie passée à regarder des films de Bergman, vous découvriez l'existence des Monty Python. Nombre de ces jeunes serveurs et serveuses m'ayant entendu charcuter la langue française se montraient ravis de parler anglais. Ça ne me faisait pas progresser, mais j'étais heureux de voir qu'ils aimaient discuter avec moi. Je récupérai même deux ou trois numéros de téléphone. Féminins, bien sûr.

Après une semaine à regarder les jeunes remplaçants empocher leurs pourboires, les serveurs décidèrent qu'ils avaient raté leur coup et les vestes noires retrouvèrent leur place, leurs Post-it plus illisibles que jamais et leur temps de stationnement à proximité des tables écourté jusqu'au record du monde de brièveté. La vie reprit son cours normal, comme toujours à Paris. Rien, pas même une grève au cœur de l'industrie nationale – la bouffe –, ne peut modifier longtemps la trajectoire effrénée de cette ville. J'allais de nouveau devoir affronter la haine.

Le coup de grâce vint avec les cartes de visite. La dernière semaine de septembre, avec plusieurs jours de retard, la rébarbative Marianne m'apporta mes cartes. Un coup d'œil à travers le plastique transparent de la boîte m'apprit que l'orthographe de mon nom avait été corrigée. Bien. À la place de VD s'étalait un nouveau logo My Tea Is Rich.

My Tea Is Rich ? Les crapules. Marianne s'attardait, guettant ma réaction, je m'en doutais, pour avoir un sujet de papotage.

— Merci, dis-je avec le flegme d'un officier anglais recevant de son ordonnance le revolver avec lequel il va se brûler la cervelle pour éviter la honte de la reddition.

Je m'assurai que Marianne me regardait et jetai sans l'ouvrir la maudite boîte dans la corbeille.

Octobre

Un pied in the merde

Les Français, tout le monde le sait, aiment les escargots. Une des façons de les cuisiner consiste à les poser directement sur le barbecue, vivants. Avant d'être cuits, les escargots sont couverts de sel (ce qui équivaut pour eux à un bain d'acide), et ils se vident de leur bave en essayant de se protéger. Pour les purger de leurs impuretés, les Français obligent les petites créatures à se chier dessus. Ils ont beau être français, ils ne mangent quand même pas la merde d'escargot. Face à cette barbarie, il peut paraître étrange de dire que les Français aiment l'humble escargot. Mais ce que peu de gens (et encore moins d'escargots) savent, c'est que la France a payé l'ultime tribut à ces mollusques sacrificiels : sa capitale est, concrètement, un escargot géant.

Je ne le compris moi-même que le premier samedi d'octobre. C'était un matin gris, un matin à enfiler son premier pull de la saison, un matin où les Parisiens marchent encore plus vite que d'habitude, comme terrifiés à l'idée que les magasins puissent être en rupture en stock avant leur arrivée.

J'étais assis à la terrasse d'un café, à mater. Pas les femmes, bien que le défilé fût, comme d'habitude, de niveau olympique. Je lorgnais une fabuleuse explosion automnale de l'autre côté de la rue. Un étalage de fruits et légumes comme je n'en avais jamais vu de ma vie. Pas un millimètre carré de cellophane en vue, et rien que des produits de saison. De longues bottes de radis avec leurs feuilles. C'était la première fois – le détail me frappa – que je voyais des feuilles de radis. Des empilements de machins inconnus. De gros bulbes blancs ? « Fenouil » indiquait l'étiquette. Je vérifiai dans mon dictionnaire de poche : « fennel ». Oui, j'en avais déjà mangé, mais uniquement en minces tranches grillées dans un restaurant de poisson. Ces trucs avaient la taille d'un gros cœur humain blanc hérissé de moignons d'artères vertes. À côté, une vaste corbeille de gousses tachetées rouge et blanc. « Écosser », disait l'étiquette. « Écossais » fut le mot le plus proche déniché dans mon dictionnaire. Rien à voir. Un Écossais se couvre effectivement souvent de taches rouges surtout s'il boit beaucoup de whisky, mais cela ressemblait davantage à une sorte de haricot. Il y avait des amas spectaculaires de figues fraîches et violettes, des cascades de petits raisins d'aspect juteux, qui paraissaient vrais, éclaboussés de poussière, comme s'ils pendaient toujours à la vigne en pleine campagne, à l'opposé des grappes clonées et rutilantes qu'on trouve dans les supermarchés anglais.

J'étais là à saliver quand l'un des vendeurs se pencha sur l'étalage, plongea les mains dans une colline de champignons sauvages et brandit à poignées des ceps noueux, couleur chocolat, équipés de leurs racines terreuses. C'était presque érotique. Si vous fantasmez sur les ceps noueux, je veux dire.

Je détachai mon regard de la bouffe et me concentrai sur la carte de Paris qui figurait dans mon guide. La carte affectait chaque arrondissement d'une couleur différente. Ils se trouvaient, chose que je n'avais jamais remarquée, arrangés selon une spirale qui partait d'un petit rectangle central, le 1er arrondissement. Le 2e était un autre rectangle, plus grand, au-dessus du premier. Sur la droite venait le 3e, puis, en redescendant, le 4e. Encore au-dessous, de l'autre côté de la Seine, le 5e, et ainsi de suite, une spirale de chiffres qui vous emmenait jusqu'au 20e, aux confins nord-est de la cité circulaire.

Les districts de Paris formaient incontestablement une coquille d'escargot. L'escargot lui-même avait dû être dévoré depuis longtemps.

Je cherchai sur la carte les sites remarquables. Le 1er arrondissement avait le Louvre. Le 2e ? Apparemment rien. Juste une tache grise qui semblait signaler un secteur intéressant : Bourse. Je consultai mon dictionnaire : porte-monnaie ; Bourse des valeurs ; (pop.) scrotum. Ahah, le fameux quartier chaud de Paris !

Le 3e avait le Centre Pompidou. Le 4e, la place des Vosges, que le guide décrivait en ces termes : magnifique place du XVIIe siècle, anciennement site des joutes royales, où le roi de France Henri II fut accidentellement embroché par un chevalier anglais, le comte de Montgomery. Encore une raison de nous détester.

Le 5e avait le Panthéon, imposant mausolée de style classique où les Français enterrent leurs grands écrivains. Un peu dur pour les écrivains, me dis-je, tout ça parce qu'ils sont un peu trop intellos...

L'escargot se déroulait, avec sa liste de monuments incontournables où je n'avais jamais mis les pieds.

J'avais jusqu'ici fait preuve d'une paresse chronique dans l'exploration de ma nouvelle ville. Certes, j'avais effectué la tournée de rigueur des sites principaux, Louvre, Notre-Dame, Centre Pompidou, contemplés de l'extérieur, mais le plus clair du mois s'était passé à travailler ou à me remplir de caféine et d'alcool dans les endroits faits pour ça. Si, comme moi, une pinte de bière et un match de foot en direct sur grand écran vous procurent un bonheur temporaire, vous pouvez passer des soirées et des week-ends paradisiaques dans l'un des nombreux pubs anglais de Paris. Vous commanderez au comptoir (aucun risque d'agression par une veste noire), en english (répit dans l'humiliation), et vous mangerez de la bouffe typiquement british, comme du poulet tikka massala.

La seule excuse à cet isolationnisme culturel était ma maladie. Depuis des siècles se succèdent des maladies qui défient la science. Certaines même n'étaient pas considérées comme relevant de la médecine. Au Moyen Âge par exemple, pour soigner l'épilepsie, on brûlait une vieille veuve solitaire qui avait le malheur d'avoir un nez crochu et un chat noir.

Depuis mon arrivée à Paris, je souffrais de symptômes apparemment inconnus de la Faculté. Je l'ignorais encore, mais j'étais sur le point d'en subir une nouvelle attaque.

Mon café terminé, après un dernier regard songeur aux feuilles de radis, je m'aventurai rue Montorgueil (monte orgueil), une zone piétonne du 2e, avec ses pavés blancs et glissants, ses bistrots et ses étalages de légumes érotiques, et allai inspecter la Bourse, laquelle n'était pas une boule rose et poilue mais un temple grec en solide moellons. L'ancienne Bourse des valeurs, en fait, comme mon dico le suggérait.

La Bourse était entourée de rues affairées, pleines de scooters jaillissants et de voitures nerveuses. Car à Paris, un quartier de bureaux ne se vide pas nécessairement de toute forme de vie quand arrive le vendredi soir. Je me dirigeai vers l'est, suivant le flot de la circulation, et parvins au carrefour de la rue Saint-Denis. Ici s'alignaient les prostituées les plus impudentes que j'avais vues depuis ma fuite précipitée d'un bar de Bangkok pour cause de filles prépubères escaladant mes genoux en demandant : « Toi vouloir pipe monsieur ? »

Ces Parisiennes étaient adultes, toutes, plutôt le genre figues blettes s'épanouissant hors de leurs minijupes et de leurs corsages ouverts. Elles avaient les sourcils sauvagement épilés et les bouches peintes à l'extrême. Il y en avait pour tous les goûts, Noires, Asiatiques, Blanches, teenagers, trentenaires, bouffies, vieilles. Partout des types zyeutaient le produit, demandaient le prix et disparaissaient sous les porches sombres. Pas de vitrines comme à Amsterdam. Ici, tout se passait sous votre nez, les femmes sur le pavé essayaient d'amorcer le poisson. Sans ma peur panique du sida, je me serais moi-même laissé aspirer dans ce flux de sexe.

Je tournai dans une rue latérale, soulagé d'avoir résisté à la tentation, et dérapai sur un étron gigantesque installé là au milieu de la rue pavée, qui hurlait « Me voilà ! » à mes sens abrutis par le sexe. Comment avais-je pu le rater ? J'entendis un rire. Une prostituée quinquagénaire, qui ressemblait à une Marilyn Monroe en cire de chez Madame Tussaud après une surchauffe des radiateurs, se tenait à l'entrée d'un immeuble quelques mètres plus loin.

« La merde, entonna-t-elle d'une voix tabagique, qu'on voit danser le long des golfes clairs. » J'avais entendu « la merde » et je crus à un chant folklorique typiquement français exaltant les fonctions de l'organisme. Je compris des mois plus tard qu'il s'agissait d'un trait d'esprit, le détournement d'une fameuse chanson appelée *La Mer*. Une pute intello, on ne trouve ça qu'en France.

C'était cela ma maladie : la très fâcheuse aptitude de mes pieds à se planter dans la première merde de chien venue. Plus j'explorais Paris, plus je bousillais mes chaussures. Selon un article lu sur Internet, je n'étais pas le seul. Chaque année, six cent cinquante Parisiens finissent à l'hôpital après une cabriole sur un échantillon des quinze tonnes d'étrons lâchés dans les rues de la ville par quelque deux cent mille chiens. Deux cent mille, c'était plus que l'armée de Gengis Khan.

J'entrepris donc de fortifier mes défenses. Dans un magasin de discount, j'acquis, pour une bouchée de pain, un stock de chaussures de sport nord-coréennes en toile pour mes explorations du week-end. Je les crevais en un jour et les balançais dans la poubelle sur le trottoir. Pas très écologique, mais bon pour les tapis de l'hôtel. Le réceptionniste feignait de ne pas remarquer que je marchais tout le temps en chaussettes. Pour arriver immaculé au travail, je me munissais d'un paquet rondouillard de sacs-poubelle que j'enfilais sur mes chaussures comme des bottes jetables. Soit, les gens me fixaient dans le métro, et il fallait penser à les enlever avant d'être en vue de Marianne, mais ça valait le coup.

Je savais pourtant que c'était traiter le symptôme sans guérir la maladie, et je passai du littéral au métaphorique dans mes rencontres du troisième chiotte.

Au travail, par exemple, quand j'eus à affronter Bernard pour le sabotage de mes cartes de visite. Car c'était évidemment un coup du Hongrois. My Tea Is Rich était son bébé et j'avais essayé de lui faire subir un avortement.

— Mi ? Mi ? répliqua-t-il avec son talent habituel pour les monosyllabes, dans une version française de l'oiseau coureur des dessins animés de Wild Coyote. No. I do not do the cards, me.

Sa moustache sautillait tandis qu'il refrénait un sourire victorieux. Il était ravi de pouvoir réfuter d'un mot mes accusations. À tel point qu'il ne prit même pas la peine de cacher le journal de sport qu'il était en train de lire.

— Si vous avez du temps pour ça, c'est que tu as lu mes rapports, n'est-ce pas ? fis-je.

— Zis ? Oh, itiz big publicity for company.

Il ouvrit le journal sur une double page de pub pour le bœuf haché. On y voyait un célèbre rugbyman français aux oreilles en chou-fleur mordre d'un air extatique dans un hamburger mal cuit.

— Good, hein ? Ze rugbyman is friend of moi.

Bernard semblait à peine moins extasié par sa publicité que par le marécage diplomatique qui s'étendait à mes pieds.

Dans le monde extérieur, même chose. J'avais rappelé une des petites serveuses intérimaires de la grève et arrangé un rendez-vous pour un brunch dominical. Peu avant le jour fixé, elle m'expédia un mail terrifiant avec en pièce jointe « quelques lignes très importantes pour moi ». J'ouvris le document où, à ce que j'en compris, il était question d'un fantôme qui apparaissait à une fille pour lui expliquer que la tristesse était en réalité de la joie, et vice versa.

— Bon Dieu, me soufflait mon cerveau, tire-toi de là pendant qu'il est temps.

— Pas du tout, disait le bas-ventre, cours jeter un œil.

C'était une grande blonde genre étudiante qui dissimulait un corps probablement magnifique sous ses vêtements informes. Elle avait une peau parfaite, un joli nez busqué qu'on avait envie de mordiller et un grain de beauté sur la joue qui semblait crier « embrasser ici ». Son visage n'avait sans doute jamais porté le moindre atome de maquillage. Le genre de fille qui donne l'impression d'ignorer qu'elle est belle. J'adore ça.

Alexa, tel était son nom, parlait un anglais excellent et suivait des cours de photographie. J'espérais qu'elle s'en servirait au moins comme excuse pour me demander d'ôter mes vêtements.

Bref, plutôt que de balancer le mail et la fille avec, je répondis niaisement que je la verrais avec joie et sans tristesse (oui, c'est nul, désolé) et m'abandonnai à quelques fantasmes sur nos futures séances de prise de vue.

À ma demande, nous nous étions donné rendez-vous à Montmartre, dans le 18e, à l'endroit précis d'où le petit ami d'Amélie Poulain la regarde au télescope. Pour grimper au Sacré-Cœur – une église en pièce montée blanc cassé –, je pris le funiculaire ultra-moderne, une sorte de métro vertical. J'avais cinq minutes de retard. Heureusement, Alexa en avait quinze, ce qui est normal pour une Parisienne.

Nous nous dîmes bonjour d'un chaste baiser sur chaque joue. Elle débordait d'une sensualité mal mise en valeur par une veste de cuir fatigué sur un haut flottant et un jean troué au genou. Genou ravissant, d'ailleurs. Elle portait, jeté sur l'épaule, un appareil photo.

— C'est super de se revoir, dis-je.

— Oui, approuva-t-elle tout en m'examinant en termes de luminosité photographique.

Nous tournâmes le dos à l'orchestre de flûtes péruviennes qui distrayait les touristes en train de se tirer le portrait. Devant nous s'étendaient les toits de Paris.

À l'époque de Van Gogh, Montmartre était une colline en pleine campagne où les artistes venaient traquer l'inspiration, savourer l'air frais et l'alcool à tarif réduit. Désormais engloutie par la ville, elle dégageait toujours une ambiance exotique, surtout à cause de l'altitude. De là-haut on découvrait un fouillis chaotique de toits de zinc gris qui n'avaient sans doute que peu changé en un siècle. À part la tour Eiffel au fond à droite, cachée par un bouquet de châtaigniers à feuilles d'or, seuls quelques accidents venaient hérisser l'horizon bas des toitures, avant les gratte-ciel de la périphérie. La tuyauterie bleue et blanche du Centre Pompidou, et bien sûr la tour Montparnasse, fichée comme un noir poignard de verre dans le cœur de Paris. Sinon, la ville semblait se résumer à un océan de mansardes romantiques pour apprentis Baudelaire en mal d'écriture. Je ne pus m'empêcher de sourire.

— Un vrai cliché visuel, marmonna Alexa.

Quoi encore ? me demandai-je. Sa tristesse égalait-elle ma joie ?

— Pour moi ce n'est pas un cliché. C'est la première fois que je viens ici.

— Hum, grogna-t-elle.

Je tournai le dos au cliché. Fais-la parler, bon sang ! Qu'est-ce qu'elle aime ?

— Tu as pensé quoi d'*Amélie Poulain*? dis-je en mimant un télescope braqué sur les rues cinquante mètres en contrebas.

Elle haussa les épaules.

— Oh, Jeunet est un réalisateur intelligent. Mais j'ai préféré *Delicatessen*. Tu l'as vu?

— Non, ça raconte quoi?

— Ça raconte quoi?

Elle grimaça. Il s'agissait apparemment d'un film trop excellent pour raconter quoi que ce soit. Encore une gaffe.

— *Amélie Poulain* est une succession de gros plans, dit Alexa d'un air outré. La moitié du film se résume au poster des yeux d'Audrey Tautou.

— Beaux yeux, d'ailleurs, plaisantai-je.

— Exactement, répliqua-t-elle avec mauvaise humeur.

J'eus un instant de panique. Peut-être Alexa croyait-elle que je l'avais invitée pour un cours d'esthétique française contemporaine plutôt que pour un casse-croûte d'avant-plumard?

La conversation se détendit pendant une promenade dans un petit marché d'art qui vendait les horreurs des pires imitateurs de Renoir. Nous ne manquions pas de sujets : pourquoi j'étais à Paris, son séjour en Angleterre (elle avait passé un an à Londres comme assistante d'un photographe) et l'avenir de l'art plastique français (en route vers le néant Disney, semblait-il). Je découvris qu'elle n'était pas agressive, juste sincère. Elle cachait sa (grande) beauté physique sous une veste trop large et la douceur de son caractère derrière des opinions tranchées qui, Dieu merci, faisaient probablement fuir les hommes.

Près du Moulin-Rouge, je m'arrangeai naturellement pour piétiner un étron canin tout sec qui évoquait du cacao vénéneux. La chose était tapie au pied d'un arbre, et me contraignit à une interprétation personnelle du *French cancan avec un tronc* pour en débarrasser ma semelle. Comme un crétin, j'avais ce jour-là mis des pompes élégantes à la place des nord-coréennes.

Alexa géra remarquablement bien la situation. Mieux que moi, en fait. Elle attendit à l'écart de mes jurons pendant deux minutes puis me pilota vers un caniveau où stagnait une mare d'eau. Elle n'avait pas l'air choqué par mon changement d'humeur brutal. En un sens, il était heureux qu'elle m'ait vu dans cet état, au pire de moi-même. L'incident nettoya l'air entre nous, comme quoi même les étrons peuvent contribuer à la propreté.

Devant des jus d'oranges pressées, des figues fraîches et des œufs pochés au saumon, elle m'encouragea à parler de mon handicap, et je pus tester ma théorie selon laquelle il s'agissait d'un état psychique que les pavés de Paris avaient éveillé.

— C'est une sorte de dyslexie. Tu connais la dyslexie ?

— Oui, oui, dit Alexa en hochant la tête tout en pelant sa figue bien mûre dans une image d'un symbolisme douloureux.

— Eh bien, je suis un peu dyslexique. Ou daltonien. Il y a des gens qui oublient le sens des mots, d'autres qui ne voient pas les couleurs. Moi je ne vois pas les crottes de chien. Je suis merdlexique.

— Et un peu obsédé, aussi, non ?

Alexa replia la peau de la figue et enfonça ses quenottes gourmandes dans la chair rose.

— Obsédé ? Peut-être. Mais dis-moi pourquoi je ne vois jamais personne essuyer ses chaussures ! Tu as déjà vu des gens en train d'essuyer leurs chaussures ?

— Rarement.

Alexa réfléchit. Au moins, elle semblait me prendre au sérieux. Si, à Londres, j'avais testé ma psychologie de bazar sur mon ex-petite amie, elle m'aurait accusé de l'ennuyer volontairement pour l'obliger à me quitter. À part les adeptes du New Age, la plupart des Britanniques s'en tiennent à la psychothérapie du « Arrête de gémir ! »

— Tu ne crois pas que c'est à cause de votre attitude, à vous les Anglais ? Vous êtes tellement snobs que vous marchez le menton en l'air.

— Le menton en l'air quand on croise un étranger, tu veux dire ? Oui, ça se pourrait.

Alexa parut satisfaite d'avoir contribué à ma prise de conscience. Elle reprit une figue, qu'elle traita plus gentiment que la première.

— Dommage que tu sois venu à Paris au pire moment, dit-elle, un éclair d'humour au coin de l'œil.

— Le pire moment ?

— Oui, la grève.

— Quelle grève ?

— Oui, les types qui nettoient les rues se mettent en grève. Ça commence lundi.

— Demain ?
— Oui.
— Non.
— Si.

Alexa m'observait avec inquiétude. Combien de temps étais-je donc resté en catatonie ?

— Pourquoi font-ils la grève ? demandai-je en tentant de retenir mes larmes.

— À cause de leurs balais...

— Leurs balais, articulai-je péniblement.

— Oui, ils veulent des balais plus sérieux.

Je dois reconnaître que les balais des balayeurs ne leur donnaient pas l'air malin. Une version moderne du balai de sorcière – un long manche en alu muni seulement d'une touffe de poils en plastique vert au lieu du plumeau de chaume. Alexa m'expliqua que les balayeurs réclamaient des engins plus gratifiants, des bidules automatiques, qu'on porte sur l'épaule et qui ressemblent à des brosses à dents électriques géantes. Les responsables de la voirie avaient refusé, les employés se mettaient donc en grève, et tant que dureraient les négociations sur les prix comparés des poils en plastique et des brosses à dents géantes, la saleté allait s'accumuler partout. Bientôt, je le sentais, ce serait à mon tour de faire une cabriole droit dans une ambulance française.

Alexa eut un petit rire nerveux.

— Que se passe-t-il ?

— Tu me fais rire, monsieur l'Anglais. Tu es tellement... tu vois ce que je veux dire ? tellement Hugh Grant.

Hugh Grant ? Le spectre de ma passion sexuelle pour Christine se dressa devant moi. Il avait le visage de tous les acteurs anglais qui, génération après génération, échouent à se taper leur partenaire à l'écran.

— Mais si, tu sais, l'air petit garçon perdu. C'est très touchant...

— Touchant.

— Oui, comme un... comment dites-vous... little dog ?

— Un chiot ?

Voilà, maintenant j'étais un chiot perdu. Autant m'envoyer tout de suite à la fourrière pour l'injection létale, me dis-je.

— Et tu fais quoi maintenant ? demandai-je à Alexa après avoir réglé la note.

— Pourquoi ?

De nouveau, la lueur narquoise dans les yeux de l'aguichante Alexa.

— Je me disais qu'on pourrait peut-être... (Pas encore le moment de lâcher « aller au lit », même moi je le savais. Je tentai désespérément d'imaginer une activité innocente, hors stéréotype. Faire des photos ? Je regardai son appareil.) Tu sais, marcher dans les rues, chercher des vues ou des gens photogéniques. Ça pourrait être amusant.

— Je n'ai pas l'habitude de chercher la bonne photo. Elles se présentent d'elles-mêmes.

— Ah. De toute la matinée, rien ne s'est présenté ?

— Non, de toute façon je dois aller voir mon père.

Oui, bien sûr. Dans l'arsenal des excuses foireuses, celle-ci vient juste après « il faut que je rentre m'épiler les poils des seins ».

— On pourrait se revoir bientôt, qu'en dis-tu ?

— Si tu veux.

— Super. Bon, ce soir ? On pourrait faire un truc plus excitant.

Elle se mit à rire.

— Non, désolée. Ce soir je ne peux pas.

Et ce fut terminé. Un frotte-joues et « ciao ». Pas même « au revoir ». Je ne pouvais pas la blâmer. Comment une Parisienne qui se respecte apprécierait-elle la compagnie d'un homme dont le principal sujet de conversation porte sur les crottes de chien ?

Le lendemain matin, je m'éveillai à 5 heures et tendis l'oreille dans le silence. Relatif, le silence, meublé par le bruit de fond des voitures sur l'avenue à huit voies. Mais un seul être vous manque et tout est dépeuplé : ce qui me manquait, à moi, c'était le raffut matinal des crissements de balais et des machines à nettoyer. Paris possède tout un arsenal de mécaniques vertes – camions aspergeurs, chariots balayeurs ou pompeurs, citernes sur roues munies de lances d'incendie capables de lessiver une émeute sur la place Tianan-men. Les porteurs de balais disposent en outre d'une arme secrète, une clé pour ouvrir les valves situées aux coins des rues. Ces valves libèrent des torrents d'eau qui dévalent les caniveaux en emportant leur récolte nocturne de canettes de bière, d'emballages de fast-food et d'ivrognes endormis jusqu'aux bouches d'égout du carrefour suivant. Là, on remarque, enroulés dans le caniveau, des sortes de tapis. J'ai cru au début qu'il s'agissait d'oreillers de fortune à l'usage des clochards. En réalité – comme me l'avait appris une minutieuse enquête menée sur ce sujet qui me préoccupait grandement –, nous sommes en présence d'un ingénieux système imaginé par les nettoyeurs pour canaliser les eaux sales. Avec la grève, ces tapis allaient devenir tout secs.

Je partis au travail en slalomant sur le trottoir, les chaussures enveloppées dans une double couche de sacs en plastique noir. On aurait dit que les salisseurs œuvraient au diapason des nettoyeurs. Le trottoir était encombré de poubelles débordantes sorties par d'optimistes concierges. Sans compter tout un assortiment de détritus qu'on ne voyait pas d'ordinaire : un guéridon devant un restaurant, un lot de baguettes rassies au seuil d'une boulangerie. Je fis un arrêt au distributeur de billets et la machine recracha ma carte comme si elle avait elle aussi eu le goût de la baguette rassie. Demande rejetée, afficha le distributeur. Je consultai l'état de mon compte et compris pourquoi : mon salaire n'avait pas été versé.

Quelqu'un essayait de foutre la merde et, s'ils voulaient la merde, alors ça allait être une sacrée merde. À peine au bureau, je filai voir Marianne.

— Pas payé ? dit-elle. Ah. Passe me voir dans mon bureau à 11 heures.

Là, elle faisait son boulot à la réception. Visiblement, une simple affaire de salaire non payé pouvait attendre qu'elle mette sa casquette de DRH.

— C'est possible de voir quelqu'un à la... ?

J'ignorais le mot français pour comptabilité. J'avais besoin de liquide, pas de conseils.

— À... ?

Elle n'y mettait décidément jamais du sien.

— À la finance ?

— Passe me voir dans mon bureau à 11 heures, répéta-t-elle dans son français spécial pour débiles mentaux. Bonne journée.

Je comprenais désormais assez bien pour traduire ces derniers mots : Va au diable.

Elle se pointa à 11 h 15, gobelet de café à la main, et nous entrâmes dans son bureau. Le temps de trouver un sous-verre pour son gobelet, de pendre son cardigan au dos de sa chaise, d'entrouvrir la fenêtre pour aérer et de se rappeler comment on allume un ordinateur, elle s'assit enfin et se mit à cliquer sur sa souris d'un doigt à l'ongle rongé.

— Ah, je vois. (Elle sourit – ou plutôt écarta les lèvres pour montrer ses dents grises. Je restai debout, m'efforçant d'avoir l'air menaçant, à côté de la plante verte d'aspect toxique.) Tu n'as pas de carte de séjour, dit-elle, puis elle réitéra son sourire comme si elle s'attendait à des remerciements pour cette réponse hélas incompréhensible pour moi.

— Carte de séjour ?

— Oui.

— Quoi c'est ? demandai-je en malmenant la syntaxe de telle sorte que je vis Marianne résister à la tentation de lever les yeux au ciel.

— Je ne sais pas exactement. Nous n'avons jamais eu de salarié étranger ici.

Une carte, je voyais ce que c'était.

— Une carte d'identité ?

— J'imagine.

Elle me donnait l'impression de n'avoir qu'une envie modérée de plonger dans les insondables mystères de l'univers.

— Où je peux, e-euh, trouver une carte de séjour ?

— Je ne sais pas. (Tout son corps se souleva, puis s'affaissa avec une moue d'indifférence.) Tout ce que je sais, c'est que la comptabilité ne peut pas te payer parce que tu n'en as pas.

— Et toi pas dire à moi ?

Le pire, c'est qu'on se disait tu, comme si nous étions deux copines échangeant des trucs de maquillage dans les toilettes des dames.

— La compta ne te l'a pas dit ? demanda Marianne, comme choquée par cette inefficacité d'un autre service.

— Non, personne a dit. J'ai besoin argent, haletai-je. Maintenant ! (C'était grammaticalement incorrect mais très clair.)

— Tu veux une avance ?

Une avance ? Pourquoi parler d'avance quand il s'agissait du salaire du mois dernier ? Mais l'heure n'était pas au débat sur la logique de la langue française.

— Oui, une avance, capitulai-je.

— Je peux arranger ça tout de suite par téléphone.

Tandis qu'elle composait le numéro, son visage s'éclaira de la compréhension soudaine que le problème était en voie de règlement. Ce n'était pas vraiment son problème, mais ça se passait dans son bureau, ce qui revenait presque au même, et maintenant il allait sortir et la laisser tranquille.

— Ils te porteront le chèque dans ton bureau ce matin, dit-elle après une brève discussion avec la compta. Un demi-mois de salaire.

— OK. Merci.

Marianne était radieuse.

— Il faudra signer un reçu pour le chèque. Tu as des papiers ? Ton passeport ? Une carte de...

Mon esprit défaillit sous des visions délicieuses de DRH agonisant par terre au milieu de débris de pots de fleurs.

Christine donna quelques coups de fil pour tirer au clair cette histoire de carte de séjour. Je passai dans son bureau une demi-heure plaisante, enivré peu à peu par l'arôme de sa chevelure tandis qu'elle se démenait avec les standards de l'administration. Elle dressa une liste d'adresses et de documents à fournir et entreprit de me les expliquer. Il ressortait que, étant citoyen européen, il me fallait aller à la préfecture face au marché aux fleurs sur l'île de la Cité, près de Notre-Dame. Très pittoresque, tout ça. Il me suffisait de prendre mon passeport, mon contrat de travail, trois photos d'identité, une facture d'électricité récente et les certificats de mariage de tous les hamsters que j'avais possédés depuis 1995, photocopiés sur du parchemin médiéval. Pas de problème.

La bonne nouvelle, m'apprit Christine, c'est que j'avais le droit à un jour de congé pour effectuer cet assommant parcours du combattant. Allons, me dis-je, ces gens sont civilisés.

— Arrête de me regarder comme ça, gronda Christine, surprenant de la gratitude dans mes yeux et la confondant avec du désir, ce qui n'était pas tout à fait faux.

— Comme quoi ?

— Comme ça ! (Elle se mit à rire et me flanqua à la porte.) Allez, va travailler !

Comment diable les Françaises peuvent-elles vous rembarrer tout en restant aguicheuses ? Bon Dieu, toujours sexy même quand elles vous envoient paître.

À chaque jour sa leçon de civilisation française : quand ils donnent une journée de congé, c'est que vous en avez besoin de trois.

Je me rendis à la préfecture le matin suivant, me frayant un chemin sur un marché aux fleurs que les balayeurs grévistes n'avaient pas nettoyé, dans un semis de cartons vides qui avaient envahi la place. Mon sac et moi fûmes passés aux rayons X et au détecteur de métaux, puis expédiés dans une queue où l'on attendait son tour d'être humilié par une fonctionnaire dans une cabine blindée. Une demi-heure d'attente, puis la femme jeta un œil à mes documents et m'expliqua qu'il fallait photocopier plus de pages de passeport et qu'il ne fallait pas sourire sur les photos. Retour à la case départ.

Le deuxième matin, je découvris qu'il me manquait la facture d'électricité comme preuve de domicile.

— C'est parce que je vis à l'hôtel, dis-je à la femme.

Dans ce cas, il fallait une lettre de mon employeur expliquant que je vivais à l'hôtel. Pas question de la demander par fax depuis la salle d'attente. Il fallait l'original, signé à l'encre, et d'ailleurs je n'avais pas droit à la salle d'attente sans les documents obligatoires. N'aurait-elle pas pu me le dire la veille? Bof, non, apparemment pas.

Enfin, le troisième matin, après avoir crapahuté sur des sommets himalayens de cartons à fleurs détrempés, écrasé des bulbes, évité des canettes vides et des vieux journaux poussés par le vent, j'éprouvai un frisson de fierté en recevant des félicitations pour la quantité et la qualité de mes documents. Je fus admis à franchir la porte interdite, qui donnait sur une salle d'attente évidemment lugubre.

Sur trois côtés – l'image de l'escargot me revint en mémoire, inexplicablement – se dressaient de petites cabines vitrées. Face à l'arc de cercle des cabines, des rangées de chaises dont un quart était occupé par des aspirants à la carte de séjour. Certains avaient le même look que moi, la tenue de bureau. D'autres en étaient la version jupe. Tous avaient l'air harassé. Je me demandai combien nos congés collectifs coûtaient à nos employeurs.

Il y avait aussi le groupe des sans-espoir. Ils venaient plaider, essayer de convaincre que oui, l'Europe avait admis quinze nouveaux pays, ce que ne semblaient pas décidées à accepter les cabines en verre. Devant le numéro 6, se déroulait une conversation houleuse :

— C'est l'Europe, non? criait un homme à moustache. Je suis européen, moi!

Dans la cabine en verre pare-balle, les yeux de la fonctionnaire se figèrent. Les femmes des cabines 5 et

7 abandonnèrent leurs clients et contournèrent les cloisons pour aller prêter main-forte à leur collègue. Un flux de monosyllabes transperça la vitre blindée.

— Eh oh !

— Ho là. Eh !

— Non mais, je suis européen, moi ! Merde !

Le mot fatal eut un effet puissant.

— Oh !

La femme qui l'embêtait lui rendit son dossier par-dessous la vitre et lui demanda de s'en aller. Le moustachu se mit à déblatérer sur les droits de l'homme et autres incongruités, mais sa tourmenteuse garda une indifférence minérale. Les femmes des cabines 5 et 7 se rapprochèrent derechef et lâchèrent elles aussi une salve de monosyllabes. L'homme refusait de partir. Un flic apparut. Il eut un geste las pour signifier au recalé de quitter les lieux. L'homme regarda autour de lui en quête de soutien, et tous, nous détournâmes les yeux. Pas de place pour les droits de l'homme dans une salle d'attente de l'administration.

Vingt-quatre heures à peine plus tard, c'était mon tour. Cabine 6, moi aussi. La cabine de la mort. Je lançai un bonjour jovial (pas trop souriant non plus) en m'efforçant d'avoir l'air le plus européen possible, et poussai mes papiers devant moi avec une prière muette. La femme rangea chaque document dans une case différente à l'intérieur d'un classeur rose. Elle saisit mon jeu de photos et pinça les lèvres.

— Vous auriez dû découper les photos, dit-elle.

— Ah, dis-je (aaaarrgghh ! pensai-je). Je ne savais pas.

Ma voix suggéra que non seulement je serais reconnaissant d'avoir l'occasion de pouvoir découper mes photos à la taille réglementaire, mais en plus de lui masser les pieds à l'huile essentielle de son choix pour peu qu'elle m'autorise à me prosterner sous la table.

— C'est bon. (Elle sortit une paire de ciseaux et découpa avec maestria la planche contact en quatre photos séparées. Elle m'en rendit une.) Il en faut trois, pas quatre.

— Ah. Et vous, vous la voulez pas ?

C'était censé être une blague, pour détendre l'atmosphère, mais elle se raidit et me regarda d'un air glacial.

J'entrevis les gros titres : Un Anglais expulsé pour harcèlement sexuel sur une fonctionnaire française. La Grande-Bretagne doit quitter l'Union européenne, demande le président Chirac. Ce sont les Français qui harcèlent sexuellement, pas les autres.

En croisant le regard de la femme – sombre et éteint par de nombreuses années à voir des gens qui lui en voulaient de leur faire perdre leur temps –, je sus que c'était l'instant décisif. Le moustachu s'était planté. Je devais réussir. Je pris la photo.

— Je suis triste. Pas très jolie, cette photo.

Je fronçai les sourcils devant le sinistre cliché et le remis dans mon sac. Elle hocha la tête et eut, presque, un sourire.

— Interdit de sourire sur les photos, poursuivis-je. Dommage. Tout le monse est moins triste.

— Oui, ça serait bien de voir des sourires. (Elle eut un rire microscopique et agrafa brutalement l'une des photos sur une fiche rose.) Voici votre carte de séjour provisoire. Vous recevrez une lettre quand votre carte définitive sera prête

Je jaillis de la cabine en embrassant ma fiche rose toute neuve. France 0, moi 1. Ce matin, du moins.

Le score de l'après-midi dépendait d'Alexa. Oui, Alexa. Je l'avais rappelée en quittant la préfecture et on avait bien bavardé tous les deux. Je l'avais fait rire avec mon parcours du combattant et elle avait glissé que Hugh Grant était très sexy dans *Notting Hill.* Je fis un effort de mémoire : Hugh Grant à la fin, il se fait Julia Roberts ou pas ? C'était impoli de le demander à Alexa par téléphone et je m'en tins à un rendez-vous pour déjeuner en espérant le miracle. Surprenante Alexa. Elle voulait déjeuner sur un bateau-mouche. L'autre jour elle s'était moquée des clichés. Me faisait-elle une concession ? Ou un signe que j'étais juste bon pour les clichés ?

Je sortis du métro pont de l'Alma, près du tunnel où Lady Di s'est tuée. Une poignée de touristes, la plupart dans les vingt ans et quelques, se tenaient sur l'esplanade au-dessus du tunnel et contemplaient une sculpture de flamme dorée, réplique de la flamme de la statue de la Liberté et adoptée comme symbole officieux de la princesse disparue. Deux nonnes en blanc se dirigeaient vers l'esplanade, égarées au milieu de la chaussée et risquant dangereusement de finir comme Diana. La rivière coulait, profonde et verte, sans que l'eau touche les pieds d'un vieux soldat sculpté dans le pont de l'Alma. Quand il pleut beaucoup, l'eau monte jusqu'à lui lécher les bottes. Si elle monte jusqu'aux organes sexuels, c'est pour les Parisiens le signe qu'ils doivent remplir des sacs de sable. Un trio d'énormes bateaux-mouches étaient à l'ancre, tels des immeubles de verre couchés.

Alexa m'attendait assise sur un banc, les yeux plissés face au soleil d'automne. Elle avait remis sa veste de cuir, mais cette fois portait une jupe, un long truc en denim qui lui cachait les genoux mais laissait voir une paire de mollets d'un blanc doux, crémeux. Comme si elle dévoilait son corps pouce par pouce. Je me penchai vers elle et l'embrassai sur la joue.

— Mon choix te surprend ? demanda-t-elle.

Je regardai les horribles bateaux : oui.

— J'ai choisi ça pour toi. Il n'y a pas de chiens au milieu de la rivière.

Le bateau de verre leva l'ancre. On n'avait pas l'impression d'être en bateau. Ni tangage ni roulis. Pourtant le courant était fort, creusant remous et tourbillons sous les ponts. Le navire était si grand qu'il semblait se mouvoir sur des rails. Mais en s'asseyant sur le pont au soleil, avec la brise qui soufflait entre les hauts quais de la Seine, on avait la vision de la ville débarrassée de son rush urbain. Alexa sortit des sandwiches enveloppés dans du papier d'argent et ouvrit deux petites bouteilles de bière glacée. Le commentaire enregistré se mit en marche. D'abord en français, puis une autre voix pour l'anglais, l'allemand, l'espagnol et enfin ce qui ressemblait à du russe et à du japonais. Nous remontions le courant vers le centre de la ville, cap sur Notre-Dame.

— À votre droite, annonça la voix enregistrée (féminine), l'Hôtel des Invalides, la tombe de l'empereur Napoléon Bonaparte.

— On your right, reprit une voix américaine enjouée (masculine), the Hôtel des Invalides, tomb of...

C'est à ça qu'on devinait la nationalité des touristes : le moment auquel ils se tournaient et regardaient dans la direction donnée. Les Bulgares, c'était ceux qui regardèrent droit devant eux pendant toute la croisière.

— Il y a quoi dedans ?

Je déroulai le papier d'argent du sandwich, long comme une demi-baguette.

— Saucisse de Normandie. Andouille de Vire.

Le commentaire japonais sur les Invalides était à peine fini que la voix française revenait. Il fallait regarder à gauche et elle expliqua que la grosse aiguille à pointe dorée sur la place de la Concorde était le cadeau d'un vice-roi égyptien...

La demi-baguette était fourrée avec les tranches d'une substance suspecte de couleur gris-brun.

— Saucisse ?

Le mot flotta avec scepticisme sur la triomphale annonce allemande « der Concorde-Platz ».

— Oui.

Je croquai une bouchée et la recrachai dans le papier.

— Ça a un goût... l'odeur... de la merde !

Alexa le prit à la rigolade.

— Ah, s'il te plaît. Suffit avec ton obsession. C'est de l'andouille typique.

Elle m'expliqua comment on la fabriquait. J'avalai une gorgée de bière pour me rincer les dents. J'avais semblait-il mordu dans du rectum de porc.

— Tu pourrais choisir quelque chose de moins typique.

— Ah les Anglais ! Chez vous les fermes sont des usines où la nourriture pousse dans des éprouvettes stérilisées. Essaie un autre sandwich.

— Il y a quoi dans les autres ? De la bouse de vache fumée ?

— La France te fait peur, hein ? dit Alexa en riant.

— Peur, moi ? Ouvre ce sandwich.

Alexa déballa un autre sandwich. Il était gorgé d'un fromage jaune et coulant, et il puait. Impossible de ne pas tourner la tête. Je fis un mouvement vers une famille asiatique qui regardait avec scepticisme un arbre que le commentaire japonais nommait Concorde.

— C'est du reblochon. (Alexa agitait le fromage sous mon nez. C'était probablement là l'un de ces fromages non pasteurisés interdits en Grande-Bretagne parce que, à en juger par l'odeur, ils sont récoltés directement sur le sol de l'étable.) C'est excellent. Goûte.

— OK, pas de problème.

J'essayai de prendre l'air plutôt Bruce Willis que Hugh Grant.

— Franchement. Ce n'est pas très fort. Tu ne connais pas l'époisse ni le munster. Ceux-là ont un vrai parfum. On adore ça.

— Je crois que ce pays n'est pas fait pour moi.

Alexa me caressa la main et me souffla une bouffée de fromage dans la figure.

— Tu t'adapteras.

Je me rassis avec ma bière, perplexe.

Le bateau avait dépassé le Louvre et longeait maintenant une paire de péniches à sable que la voix américaine décrivait comme la légendaire résidence de Mona Lisa. Cela augurait d'étranges albums de photos du côté de l'Arkansas.

— Par exemple, dit Alexa, il faudra apprendre à supporter le goût si tu embrasses une fille qui vient de manger du reblochon.

— Je pourrai me pincer le nez ?

Elle m'envoya une bourrade dans les côtes mais me tendit ses lèvres. Cela me plut tellement que j'y revins une seconde fois. L'idée d'être un cliché parisien vivant – un baiser en croisière sur la Seine, quoi de plus commun ? – ne me gênait pas du tout. Je passai mon bras autour d'elle et attirai sa tête sur mon épaule. Petit veinard, me dis-je. Tu as sorti le pire baratin du monde et pourtant elle t'aime bien.

Nous restâmes dans cette attitude tandis que le bateau croisait au pied des arcs-boutants gothiques qui flanquent la cathédrale Notre-Dame.

— Tu fais quoi cet après-midi ? demandai-je.

— Ah, je dois aller voir mon père.

— Ton père, encore ? Je veux dire, mais que...
— Il a des problèmes.
— Quel genre de problèmes ?

De gros problèmes, une faillite ou un cancer de la prostate, pour le moins.

— Oh, des problèmes de cœur. Mes parents sont divorcés, parce qu'il s'est aperçu qu'il est homo. Et là son petit ami l'a quitté.

— Et tu dois aller le consoler ?

— Oui, ça ne serait pas très diplomatique de demander à ma mère. De toute façon elle est à Moscou, elle tourne un documentaire sur la mafia. Qui sait quand elle reviendra.

Il était parfois agréable de n'être qu'un Anglais de l'ennuyeuse classe moyenne.

On longeait alors un immeuble de verre moderniste, l'Institut du monde arabe, et les Allemands froncèrent le sourcil à l'évocation d'une gothische Kathedral.

— Mais on peut se voir demain soir, dit-elle. On pourra faire autre chose que manger.

Je regoûtai ses lèvres parfumées de fromage. Au passage sous un pont, un gamin nous siffla. Lui au moins ne nous prenait pas pour un cliché.

Au bureau aussi, les choses commençaient à rouler. Jusqu'ici, je trouvais insupportable l'absence de prises de décision. Une fois par semaine, l'équipe se retrouvait en comité (une bête réunion s'appelait un comité). Je rédigeais un ordre du jour pour rappeler aux gens les décisions à prendre. Mais le comité se résumait à l'exposé par l'un ou l'autre de l'idée qu'il venait d'avoir aux toilettes cinq minutes avant. Pourquoi ne pas vêtir les serveurs en kilt ? Ou bien : Je suis allé dans un pub irlandais et ils avaient un vieux vélo accroché au plafond – pourquoi pas des vieux vélos ?

Un jour, Marc proposa que tous les serveurs portent des chapeaux melon et des parapluies comme Mister Stid dans *Chapeaux de melon et bottes à cuire* (puisque c'était le titre français, apparemment, de la série *The Avengers*). Et chacun de spéculer, on fait quoi du parapluie quand on porte un plateau de sandwiches au saumon ?

Le comble fut atteint quand Stéphanie se leva et brandit un double décimètre pour mimer le générique de la série. Elle portait un pantalon serré qui découvrait des bosses de cellulite fort peu *Avengers* en haut des cuisses. Dans mon jeune temps, mon époque lourdingue, j'aurais été tenté d'aller chercher un parapluie pour leur montrer où était sa vraie place.

Désormais j'étais capable de les laisser s'amuser sans frémir sur ma chaise. Jean-Marie non plus ne semblait pas concerné par cette perte de temps. Il se joignit aux autres quand ils passèrent au français et accueillit la fin de la discussion avec un soupir de satisfaction quasi sexuel. Seuls les Français, me dis-je, peuvent atteindre l'orgasme en s'écoutant parler. Du sexe oral en circuit fermé. Une autofellation.

— Au fait Bernard, demandai-je cordialement, quand exactement aurez-vous les résultats de l'étude sur le nom de l'enseigne ?

— Oh. Ah.

La moustache blonde de Bernard parut rougir. Il était très troublé.

— Oui, quel cabinet d'études avez-vous consulté ?

— Euh ?

Bernard regarda Jean-Marie d'un air implorant.

— C'est de ma faute, dit Jean-Marie d'un ton soudain plus coincé. J'ai dit à Bernard de lâcher l'étude sur le nom de l'enseigne. Désolé, Paul, j'aurais dû vous en parler. Mais...

— ... mais vous vous êtes dit que je le prendrais personnellement. Pas du tout. Je suis anglais Nous acceptons la défaite avec flegme.

Ceci est un mensonge sur les Anglais auquel les Français croient. Heureusement qu'ils n'ont pas vu les films sur les supporters anglais qui pleurent quand leur équipe est reléguée en deuxième division, ou les séquences télé sur les crises de rage des automobilistes qui font la queue pour une place de parking au supermarché.

— C'est donc vous qui avez commandé les cartes de visite My Tea Is Rich, n'est-ce pas, Jean-Marie ?

Tout le monde sauf moi avait l'air mal à l'aise. Ainsi, ils étaient tous dans le complot.

— Oui, c'est moi, admit Jean-Marie. Mais comme vous avancez bien sur les autres chantiers, j'ai pensé que le nom était un détail mineur. Vous voyez, Paul, My Tea Is Rich, c'est mon idée. Pour la France, c'est très bon. Si vous ne trouvez pas ça drôle en anglais, c'est parce que vous n'êtes pas français.

L'équipe me regarda pour voir comment j'encaissais ce coup imparable. Pas français ? L'insulte suprême.

Je réagis en homme.

— OK, très bien, Jean-Marie. Vous connaissez la France mieux que moi. Et vous êtes le patron. Mais si je peux me permettre, vu de l'extérieur, ça ne fait pas très professionnel de ne pas informer le chef de projet d'une décision importante. Ce n'est pas la façon la plus efficace de mener une équipe. À mon avis, si on continue comme ça, on a du souci à se faire.

Je complétai mon propos d'un haussement d'épaules à la parisienne. Langage corporel clair : foutez le bordel, c'est votre affaire. Contrairement à ce que vous pensez, j'en ai rien à battre. Message reçu : les cinq Français avaient l'air tout sauf triomphants de ma supposée humiliation. Ils contemplaient l'avenir d'un regard vide, inquiets à l'idée des pièges qui pouvaient s'y cacher.

Appliqué à la vie quotidienne, c'est le truc imparable pour garder ses chaussures propres quand on se promène dans Paris. Tout en marchant, votre subconscient scrute le pavé. Il s'exerce à repérer le moindre renflement à l'horizon et prépare le pied à un évitement réflexe. Demandez à un Parisien comment il se débrouille, contre toute attente, pour garder les pieds propres. Il l'ignore. Cela fait partie de l'instinct du Parisien. Quant aux six cent cinquante qui finissent à l'hôpital pour avoir dérapé dans la merde, je parie qu'il s'agit de touristes, de provinciaux, de vieux ou d'infirmes aux instincts diminués.

Les miens, à l'inverse, faisaient feu de tout bois. Le soir du rendez-vous avec Alexa, je restai tard au bureau à étudier les profils financiers des marques de nourriture les plus cotées de France. Il pouvait être 7 h 30. Il y avait bien deux heures que j'étais assis en silence à ma table, éclairé par ma lampe de bureau. Des voix indistinctes se firent entendre dans la pièce d'à côté, chez Jean-Marie. Rien d'anormal. Le premier bruit hors norme que je remarquai fut un hoquet. Celui qu'on fait quand on lit l'addition dans un restaurant hors de prix. Ou quand on approche du moment critique dans une partie de jambes en l'air sur un bureau. Je fixai la cloison comme pour mieux entendre. Oui, un grincement régulier, à peine audible. Comme un fauteuil sur lequel on s'agite. Ou une table sous un poids trop lourd. Re-hoquet. Puis une voix de femme qui suppliait Jean-Marie de continuer. Qui était cette mystérieuse inconnue ? Pas Christine, j'espérais. Ni Marc, quand même, avec cette voix de fausset. Il y eut d'autres hoquets, un râle ou deux, et le grincement cessa.

L'excitation eût été à son comble si je n'avais été aux prises avec l'image de Jean-Marie à moitié nu. Je n'avais aucune envie d'aller voir. Les voix montèrent d'un ton. Ils en étaient au reboutonnage. À l'évidence, ils se croyaient seuls à l'étage. L'un des deux ouvrit la porte et la voix féminine retentit dans le couloir. Bon Dieu, Stéphanie ! Fournisseuse de viande, mais pas au sens où l'entendait son contrat de travail. Je ne comprenais rien à ce qu'elle disait, mais je surpris les mots « vache folle » et « importer du bœuf anglais », ce qui était alors interdit en France. Jean-Marie semblait faire peu de cas de ses propos et lâcha que personne ne saurait. Puis il lui demanda de se taire et j'entendis le bruit de la porte de verre qu'on claquait. Mais ils parlaient de plus en plus fort et j'entendais toujours. Jean-Marie grogna quelque chose à propos de budget.

— Merde, dit Stéphanie, et que devient notre image ?

En dépit de mon français limité, il était clair que la conversation avait viré du badinage postcoïtal à une querelle entre la responsable des fournitchourzes et son patron à propos d'achat illégal de viande anglaise à bas prix. Sur une échelle de un à dix, cette merde-là valait onze. Je me demandai si le rugbyman de la pub, le copain de Bernard, aurait eu l'air aussi extatique s'il avait su dans quoi il mordait. Je laissai ma lampe allumée, ma porte ouverte, et me propulsai silencieusement vers les escaliers et mon rendez-vous avec Alexa.

Nous étions cette fois dans le 11e, le quartier Oberkampf, marchant dans la rue du même nom bras dessus, bras dessous. Le coin avait été très à la mode à cause de ses bars branchés, m'expliqua Alexa, mais la mode était finie et c'était tant mieux. Maintenant, les gens qui venaient juste à cause de la mode avaient déserté le quartier (son quartier) et il ne restait plus que des endroits sympas où passer une bonne soirée. Nous allâmes nous asseoir dans un bar latino à thème – la jungle, climatisée heureusement – et commandâmes des bières mexicaines au prix exorbitant. Il y avait de grands canapés, ce qui nous permit de nous installer confortablement, tour à tour bavardant, buvant et nous bécotant.

— S'il te plaît, une chose, ce soir, dit Alexa en écartant un représentant de tequila qui voulait obliger tout le monde à mettre un sombrero. Pas un mot sur ton sujet favori, OK, monsieur l'obsédé anglais ?

— OK, mais crois-moi, ce n'est pas vraiment une philosophie typiquement anglaise. Je n'y pensais jamais avant d'arriver à Paris.

— Une fixette sur le cul des chiens, tu appelles ça une philosophie ? gloussa Alexa.

Elle attaquait sa deuxième bière, avec rien dans le ventre pour éponger, sauf quelques chips mexicaines. Elle esquiva à nouveau le VRP de tequila qui brandissait au-dessus de sa tête un chapeau de paille grand comme le Mexique.

— Bon, oui, ça résume assez bien la philosophie française de la vie. Vous ne pensez qu'à vous. Et donc au lieu de chercher une solution pour éviter que les chiens chient dans les rues, vous apprenez à ne pas marcher dedans.

J'acceptai un sombrero pour me débarrasser du type.

— OK, OK, arrête maintenant, s'il te plaît, supplia Alexa. Aïe aïe aïe !

— Andale !

Le VRP se joignit au chœur mexicain et enfonça un sombrero sur les yeux d'Alexa.

Dans la rue, on a envoyé les sombreros atterrir comme des freesbies sur un tas d'ordures, puis on est entrés dans un bar lugubrement éclairé avec un DJ qui passait de la lounge music lugubre et une serveuse lugubre qui servait des cocktails assassins. On a marché trois portes plus loin et on est tombés sur un bar moins lugubre, bourré à craquer de gens, de disco et de fumée.

J'ai fendu la mêlée jusqu'au comptoir pour avoir deux bières et j'ai rejoint Alexa dans un coin assez tranquille vu qu'on était à plus de un mètre d'un baffle et du plus proche danseur saoul. C'était trop enfumé pour respirer, trop bruyant pour parler, il ne restait qu'à boire, regarder les gens, danser, suer, reboire, rire et s'embrasser, comme tout le monde autour de nous.

Leur façon de danser était bizarre. Ils se trémoussaient à peu près normalement sur les disques de dance et de disco, puis le DJ enchaîna sur du punk. Je rejoignis la piste, prêt pour un petit pogo, et me retrouvai au milieu d'un film d'Elvis. Joe Strummer s'époumonait à chanter la révolte, et tous les Français s'étaient mis à swinguer. Alexa me fit pivoter au bout de son bras et m'expliqua qu'on appelait ça le rock et que ça se dansait sur tous les disques rapides. Ce n'était pas une mauvaise idée. En Angleterre, pendant un disque punk, pas d'autre contact physique avec le partenaire qu'une forte poussée dans les reins.

Au bout d'un moment, Alexa et moi décidâmes d'arrêter l'alcool avant qu'on soit trop saouls. C'était comme décider de boucher le trou dans la coque du bateau-mouche alors que les passagers ont déjà de l'eau jusqu'au cou. Je me revois crier dans une oreille – pas celle d'Alexa – « sacrées rolloches », ce qui (j'en étais conscient malgré l'alcool) n'avait aucun sens pour moi, et encore moins pour la fille black que j'avais abordée. Après, je revois Alexa me demandant de descendre de la table, et un barman au crâne rasé mettre sa suggestion en pratique, gentiment mais fermement. Je me souviens vaguement d'un goût de sang salé dans ma bouche, de la vision d'une armée de pieds d'où sortaient des jambes sautillantes, et puis ce fut la fin de la soirée.

Le lendemain matin, la sonnerie de mon portable m'ordonna de me lever. Voulez-vous coucher avec moi ? hurlait le message, reliquat de ma période londonienne. J'ouvris les yeux sur une blancheur aveuglante. Plafonds blancs, lumière blanche, bruit blanc. Soit j'étais enterré sous une avalanche, soit j'étais chez quelqu'un (ma chambre d'hôtel était un lac de beige). Ah si, ça me revenait. On était rentrés chez elle. Et elle dormait à côté de moi dans ce lit, le sien, enfouie sous une couette d'un blanc immaculé, me cachant toujours sa beauté. Bravo. Outre le mal aux cheveux et la sécheresse saharienne de mon palais, la principale sensation physique était une humidité caractéristique au niveau zizi. Enfin des résultats, même si je n'en avais aucun souvenir.

Le téléphone me braillait toujours aux oreilles. J'atterris sur le sol et réussis à extraire le bruyant gadget de la poche de ma veste.

— Salut, c'est Alexa.

Je ris sombrement.

— Très drôle.

— Quoi ?

Je la regardai sur le lit et tapotai la couette à l'endroit de la tête.

— Ton réveil, dis-je au téléphone et à la couette. Mais si tu veux me réveiller, tu n'as qu'à tendre la main et me chatouiller. Ça marche à tous les coups.

— Qu'est-ce que tu racontes ? Te chatouiller ?

— Ouais.

Un grognement sortit de sous les draps et une main émergea.

— Raccroche pas, dis-je.

Je tirai légèrement sur la couette. Mes souvenirs de la nuit étaient brumeux mais j'étais sûr d'une chose : la dernière fois que j'avais vu Alexa, elle n'avait pas le bras tout noir.

— Paul ? Tu es là ? Mais où es-tu ? demanda le téléphone.

Et merde.

Novembre

Je cherche un home

C'est bien Édith Piaf qui chantait *Je ne regrette rien* ? Parle pour toi, pauvre naïve.

Une fille avec qui j'avais su communiquer, drôle, intelligente, et avec de beaux genoux en plus ! Et j'avais tout fichu par terre. Moi, je ne regrette pas rien, en fait.

Je n'avais nulle envie de m'attarder jusqu'au réveil de la Black. Elle gisait écroulée, mais à première vue, elle avait l'air plus musclée que moi. De vraies épaules de nageuse.

De nageur ?

Je jetai un rapide coup d'œil sous la couette. Il ou elle était couchée sur le ventre, je ne voyais pas de testicules entre ses jambes.

D'un autre côté, j'étais puissamment soulagé de constater que j'étais sorti couvert. Le long appendice rose et plissé qui pendouillait entre mes jambes n'était pas un grotesque prépuce mais un préservatif, resté à la place où l'un de nous l'avait enfilé quelques heures auparavant.

Une fois dehors, deux minutes plus tard, je dus plisser les yeux pour supporter une lumière étrangement brillante. L'été n'ayant pas pu surgir en ce mois de novembre, je compris ce qu'il se passait : la rue était illuminée par des reflets sur le pavé mouillé !

Les collines d'immondices avaient disparu. Les empilements de caisses puantes aussi. Une division blindée de nettoyeuses vertes avait écrasé toute résistance et écumé les rues pendant que je dormais. La grève était terminée.

Je voulais partager mon bonheur avec Alexa, mais il était trop tard. Je laissai une dizaine de messages suppliants sur son répondeur, pourtant elle ne rappela pas.

Enfin, dans une manœuvre pour éviter la saturation de sa messagerie, elle daigna me mailer un au revoir. Elle expliquait dans son message que j'étais un triste sire et qu'elle ne voulait pas être responsable de mon fragile bonheur. Eh oui, la vieille daube sur la joie et la tristesse me revenait comme un boomerang, en pleine poire.

Pour me consoler, je résolus de consacrer le mois de novembre à la recherche d'un appartement. Jean-Marie me payant l'hôtel pour trois mois, il me fallait commencer à réfléchir aux moyens d'assurer mon indépendance. La grève était terminée, le moment était venu. Christine m'apprit que les nettoyeurs avaient renoncé à leur revendication de balais mécaniques en échange d'une augmentation de salaire plus la promesse que chacun, une fois par semaine, pourrait conduire l'un des gros blindés verts. En clair, je pouvais me mettre à visiter des appartements sans saloper les tapis de mon futur propriétaire.

Le premier samedi du mois, j'étais assis à une terrasse (je ne pouvais déjà plus réfléchir ailleurs qu'à une terrasse de café), plongé dans mon guide, à la recherche du bon coin où me poser.

« À Paris, disait le guide, mieux vaut vivre près d'une importante station de métro. »

Comme à Londres. Même si vouloir habiter près d'une bonne ligne, c'est comme demander en mariage la chèvre la moins moche.

Le guide continuait : « Le métro n'est pas toujours en parfait état, mais comparé à Londres, c'est un rêve. D'abord, il est bon marché : une carte Orange donne droit à un mois de transport illimité sur tous les bus et métros de Paris pour le prix d'une heure dans le métro de Londres. Si vous travaillez à Paris, votre employeur en paiera la moitié. »

Un détail que le guide omettait de signaler : les stations de métro parisiennes sont le plus souvent envahies de femmes à moitié nues. Prenez la station près de mon hôtel. La première fois que j'y descendis, une fille avec des seins de un mètre de large faisait la réclame d'un soutien-gorge. Une autre en T-shirt déchiré promouvait un film. Des filles uniquement vêtues de minces lanières de cuir faisaient la pub de je ne sais quoi : boisson? parfum? aspirateurs? Peu importe, elles avaient de fortes poitrines.

De quoi garder les voyageurs de bonne humeur quand la rame avait du retard. Les voyageurs mâles et lesbiens, au moins.

Le métro de Paris, à mon sens, est beaucoup moins stressant que celui de Londres. D'abord, aux heures de pointe, il y a un train toutes les minutes. Et les minutes françaises ne comptent que soixante secondes. Si vous ratez un train, vous n'avez donc qu'une poignée de secondes à attendre. Pas de quoi piquer une suée. À propos de sueur, contrairement à une croyance répandue, les Français ne sentent pas comme s'ils s'étaient écrasé de l'ail sous les aisselles. Je ne détectais pour ma part que du parfum et de l'après-rasage. Les gens ont les yeux un peu plus vides que dans le Tube de Londres, et presque personne ne lit le journal, mais à part ça, la grande différence est que, si vous êtes obligé de rester debout, vous pouvez vous tenir droit. Nul besoin de se plier en deux comme chez nous. Pourquoi diable les ingénieurs anglais ont-ils construit des tunnels aussi bas ? Croyaient-ils que le Tube était fait pour des Hobbits ?

Bref, les transports en commun parisiens transportent vraiment les gens, au lieu d'essayer de les convaincre de prendre leur voiture.

« Quelle que soit la station la plus proche, continuait le guide, il faut savoir qu'à Paris les appartements sont petits et tassés les uns sur les autres, ce qui signifie que vous aurez *beaucoup* de voisins. Vous en aurez tout autour de vous, dessus, dessous et de chaque côté, dans votre immeuble, dans l'immeuble d'en face... Vous pouvez compter jusqu'à dix familles qui peuvent voir dans votre appartement, vous gêner par leurs bruits et leurs odeurs. »

Des odeurs ? Ces gens passaient-ils leur temps à cuisiner du rectum de porc et à tartiner les murs de fromages crus pour coller le papier peint ?

« Le plus sûr, poursuivait le guide, est de visiter un appartement à des heures différentes de la journée. Ça permet de se faire une idée de la vie nocturne du quartier (animée ou vraiment explosive). Essayez de croiser vos voisins du dessus, au cas où il s'agirait d'une famille de basketteurs adeptes du flamenco avec tendance au surpoids. Regardez de l'autre côté de la rue (le "vis-à-vis") et tentez de localiser les jumelles voyeuses et les organes sexuels exhibitionnistes.

« Mais au fond, toutes ces précautions s'avèrent sans objet, car si vous atteignez le stade où un propriétaire accepte de vous louer un appartement, vous pleurerez de gratitude. Pour l'emporter sur les douzaines de candidats à un logement décent, il vous faudra vous rendre aux visites armés de la copie de votre page familiale dans le *Who's Who* et de l'attestation d'une banque suisse certifiant que vous êtes assis sur un magot d'or nazi. Comme peu de gens peuvent produire de tels documents, il faut vous attendre à vivre dans un taudis. »

— Pessimiste, dis-je. Merci.

Le merci n'était pas adressé au guide, mais au serveur qui apportait mon café. Enfin, pas vraiment du café, mais un bol à punch plein d'une mixture blanchâtre. D'ailleurs, à peine prononcé, je ravalai mon merci.

J'avais commandé un café au lait et on me servait la production annuelle combinée des plantations colombiennes et des étables normandes.

Je regardai la note : le prix incluait le transport des vaches en wagons de première classe.

Ce fut l'un des derniers chocs de ma merdlexie. Pour célébrer ma capacité nouvellement acquise à marcher dans les rues sans patauger dans l'étron, j'étais parti me balader loin de l'hôtel, du côté de l'Arc de Triomphe, et j'étais assis à une terrasse de brasserie, sous un somptueux vélum vert et or, avec un serveur au tablier implacablement amidonné. Au pays de l'arnaque.

Je sortis mes deux sources de renseignements immobiliers. Le réceptionniste de l'hôtel m'avait conseillé *Le Figaro* et *De particulier à particulier*, hebdomadaire épais bourré d'annonces pour toute la France.

Les deux journaux regorgeaient d'offres alléchantes.

Si seulement j'avais pu les comprendre.

« 11e Oberkampf », disait une annonce du *Figaro*. OK jusqu'ici. 11e arrondissement, quartier Oberkampf. « 2/3P 2e ét, séj av mezz, 1ch, SdE, parquet. » Au secours !

Je pris mon dictionnaire et cherchai le seul mot complet. Parquet signifiait sol en bois. Super, il y avait un sol. Mais à quoi rimait le reste ?

Une autre annonce proposait « 11e proche Marais ». Le dictionnaire suggéra la proximité d'un marécage. À en juger par le loyer, ce devait être une sublime marécage. Plus loin : « 3P RdC s/cour, SdB/WC, dressing. »

WC, ça devait être des WC. Mais dressing ? Le robinet de l'appartement laissait couler de la vinaigrette ? Very gourmet.

Il y avait une location à Bastille, un endroit présumé sûr depuis qu'on n'y guillotine plus les gens. « Un beau 2 pièces, 5e étage (oh oh, explication du ét), ascenseur (Dieu merci), gde chambre (grande, devinai-je astucieusement), balcon (un balcon privé, la classe) et SàM avec cuis amér (ah merde !) »

D'après le dictionnaire, l'endroit était fait pour des sadomasochistes à cuisses amères. Je suspectai une erreur d'interprétation.

Normal de ramer comme un malade, me dis-je. Après tout, les annonces anglaises doivent être tout aussi incompréhensibles pour les étrangers.

Alors que je tentais de soulever mon café des deux mains, au bord de la luxation du poignet, j'observai le garçon qui revenait avec une commande pour un type à deux tables de là. Ça ressemblait à un café au lait de taille normale, et c'en était un.

— Merci, dit le client avec un fort accent américain.

Et, pour ajouter l'insulte à la foulure, il lisait le *Herald Tribune*.

— Excusez-moi, dis-je en me penchant vers lui. (L'Américain leva la tête de son journal.) Comment avez-vous fait ?

— Fait quoi ?

Il fronça les sourcils. La trentaine, cheveux mi-longs à la Kurt Cobain, il était vêtu d'un costume noir fatigué sur un sweat-shirt University of New York délavé. La cible idéale pour les arnaqueurs, non ? Je soulevais mon gigantesque bol un peu plus haut.

— Pour avoir un café normal ?

L'Américain éclata d'un rire énorme, un rire rauque de fumeur. Il attrapa son café, sa note et son journal et s'installa à ma table.

— Je suis Jake, dit-il en me tendant la main.

— Paul, répondis-je en la serrant.

— En visite à Paris ? demanda Jake en lançant un regard surpris sur ma marmite de café.

— Non, je vis ici depuis deux mois. Et toi ?

— Oh ouais, je vis ici, dit-il en riant comme pour une énorme blague.

— Quoi, ici ? dis-je en agitant le bras vers les immeubles d'en face.

C'était peut-être le bistrot habituel de Jake. Ça rendrait l'arnaque un peu moins douloureuse.

— Non, c'est juste qu'il m'arrive de travailler dans le secteur. Dans cette banque, là-bas.

Jake tendit son journal vers un bâtiment aristocratique qui faisait le coin, avec sa proue à colonnades et ses fenêtres voûtées. Pas le genre d'endroit à employer des guitaristes grunge mal rasés, sauf peut-être comme pousseurs d'aspirateurs nocturnes.

— Tu travailles *là* ?

Le scepticisme était perceptible dans ma voix.

— Ouais. Mon école de langue m'envoie ici une fois par semaine donner des cours d'anglais.

— Le samedi aussi ?

— Ouais. En France, il y a des banques ouvertes le samedi.

— Ils ne vous obligent pas à vous habiller un peu plus... Enfin...

— Nan. Et toi, tu travailles dans une banque ?

Il brandit son journal vers moi d'un geste accusateur.

— Non, une boîte d'alimentation.

Jake regarda ma chemise chic et mon jean de styliste d'un air entendu.

— Tu aimes t'habiller le week-end, pas vrai ? dit-il.

— Le week-end et les autres jours aussi.

— T'habiller chic. On dit pas ça en anglais ? Bon sang.

Il eut un reniflement dégoûté et me demanda ce que je faisais à Paris. Ma réponse lui arracha ce commentaire :

— Comme si Paris avait besoin d'un nouveau café.

Charmant.

— Tu cherches un appart' ? dit-il en désignant mon *Figaro* ouvert. Tu veux habiter dans quel coin ?

— Euh... je ne sais pas. Tu suggères quoi ?

— J'habite dans le 15e.

— Ça ressemble à quoi ?

J'essayai de visualiser le 15e sur l'escargot géant. En bas à gauche, sans doute.

— Hyperbourgeois, grogna Jake. Impossible de marcher sur le trottoir sans se cogner dans un landau. C'est bourré de riches cathos à 3,6 enfants.

— Ah.

— Le 19e est plus affordable.

— Plus quoi ?

Jake parlait un anglais curieux. Je commençais à me demander s'il n'était pas un peu cajun, de Louisiane peut-être, avec son anglais américain farci de français des marais.

— Moins cher. Abordable.

Il tapota sur la table comme pour mémoriser le mot.

— Près de la pute ?

Alexa m'avait expliqué que le 19e devenait le nouveau quartier in. Il y avait un grand parc avec une montagne artificielle dont le nom commençait par pute.

— Les Buttes-Chaumont ? Non, faut pas habiter là. Le métro est à des kilomètres. C'est un endroit pour balade du dimanche.

Je pris l'air perplexe qui s'imposait.

— Oui, les promeneurs du dimanche, expliqua Jake. Avec des foules qui font la queue pour regarder leurs gosses tourner sur un manège minable.

— Ah. Et c'est pas bien ?

— Nan. (Jake se concentra un instant.) L'idéal pour le métro, c'est Montparnasse, mais à moins d'être un lord, tu ne pourras pas te payer les bons coins. Et c'est un peu ringard.

— Hein ?

— Du toc, quoi. Touristico.

— Ah. Et Châtelet?

— Châtelet? (Le mot lui resta dans la gorge.) Laisse tomber, mec. Trop près des Halles. Ça aurait pu devenir le Greenwich Village de Paris, mais de soi-disant architectes en ont fait un chiotte de dealers, vintage années 1970.

Ouh, ce type était déprimant.

— Tu n'as pas l'air d'aimer beaucoup Paris, Jake. Pourquoi tu restes?

— J'ai des trucs à faire. (Il agita sa tasse sur sa soucoupe d'un air pensif et m'envoya un regard lointain typiquement parisien.) Bon sang! (Il refocalisa sur moi.) Pause-café terminée. Faut que j'aille donner un cours. (Il enfonça son journal dans la poche de sa veste.) À la prochaine. Je viens ici toutes les semaines à la même heure.

— Ouais. Sûrement.

La prochaine fois que j'aurai des pulsions suicidaires.

Jake allait se lever mais une idée le retint.

— Tu connais le meilleur moyen pour trouver un appart'? Trouver une Parisienne et s'installer chez elle.

— T'as raison.

— Sérieux. C'est ce qu'on fait tous.

— Ouais ouais. J'ai déjà essayé. J'ai trouvé la bonne fille mais j'ai échoué dans le mauvais appart'.

À la réflexion, si je ne pouvais pas vivre avec Alexa, peut-être pouvais-je loger pas loin?

Résolu à éviter l'humiliation de répondre aux annonces par téléphone, je pris le métro jusqu'à la station Oberkampf. Un escalator me cracha dans la rue et je fis un tour sur moi-même en quête d'une agence immobilière. Il allait être midi, des flots de véhicules montaient et descendaient le boulevard.

Je me mis en marche vers la rue Oberkampf et tombai aussitôt sur une devanture jaune vif marquée Immoland. La vitrine contenait des photos d'appartements à vendre, avec le jargon habituel : triplex rdc s/cour, SdB + SdE. Un petit espace près de la porte était réservé aux « locations ». Aucune allusion, je le savais, à des lieux de tournage en extérieur pour réalisateurs de cinéma, il s'agissait bel et bien d'appartements à louer.

— Bonjour, dis-je à un type assis derrière un ordinateur.

— Yes, canaille elp iou ? demanda-t-il.

Je me demandai ce qui m'avait trahi : mon accent ou mon look ? J'expliquai ce que je cherchais, un appartement à louer, au moins jusqu'à fin août.

— Plize, sit, dit le type en souriant.

La trentaine, blond, les cheveux lissés en arrière, bronzage artificiel et costume marron étroit. Le genre à vendre des sacs à main plutôt que des appart'. Je dis ça sans homophobie aucune.

Il me demanda quelle surface je recherchais. Me voyant hésiter entre peinture et papier peint, il m'indiqua qu'il s'agissait plutôt du nombre de mètres carrés dont j'avais besoin que du revêtement des murs. Malheureusement, comprendre la question ne résolvait pas mon problème, car je n'ai aucune idée de la taille d'un mètre carré. Je sais combien mesure un mètre, mais que représentent trente ou quarante mètres carrés ?

Je me risquai :

— Une chambre ?

— Separate living ? demanda le vendeur.

— Oui, je vis seul en ce moment. (Mais en quoi cela le concernait-il ?)

À sa façon de plisser l'œil et de se fourrer le stylo dans l'oreille, je compris que nous étions repassés en mode non-communication.

— Euh, separate salon ? tenta-t-il.

Bon, le voilà qui me prend pour un coiffeur homosexuel dépacsé, me dis-je. On n'y était pas du tout.

— You want one bedroom and one separate ozer room ? Salon, living, c'est pareil. Vous voulez un living-room ?

— Ah ! C'est ça. Oui. Une chambre et un living.

— OK. Ayave.

L'homme empoigna un classeur et feuilleta les pages plastifiées. Il me le tendit ouvert sur un plan de chambre, séjour, cuisine et SdB, ce qui s'avérait être la salle de bains. SdE, m'expliqua-t-il, voulait dire salle d'eau : un coin douche.

— Ça se trouve où ? demandai-je.

— Rue Oberkampf. You know ziz street ?

— Oh oui.

Je fis le geste de boire et de tomber d'une table.

— OK. You ouant vizit ?

— Oui.

— You ave letter of garantie ?

— Non.

— Ah. (Regard douloureux.) Oh. (Intense réflexion.) Bon. (Résignation.) It iz no problem.

Six heures plus tard, je n'étais toujours pas remis de mes avanies.

D'abord, il y avait eu la mansarde romantique, décrite avec superbe vue sur les toits. Exact : je voyais des toits, et aussi pas mal de trous dans le mien.

— Reparation iz véri quick, dit l'agent immobilier.

Était-ce mon imagination ? Le titre du journal déchiré qui bouchait l'un des trous annonçait : Napoléon est mort.

J'admis que l'appartement était admirablement situé par rapport aux bistrots. Il se trouvait dans le même immeuble qu'un bar qui envoyait des beats techno par la tuyauterie.

L'autre léger problème venait des toilettes, un trou dans le sol à partager avec huit autres mansardes romantiques, dont l'une était visiblement occupée par un aveugle frappé de dysenterie.

— Ze concierge, she no clean encore aujourd'hui, dit-il.

C'était peut-être vrai, mais même sans la techno et les répugnantes toilettes, l'endroit n'aurait pu faire mon bonheur pour une simple raison : il fallait s'y déplacer à quatre pattes. Bon, j'exagère. Je pouvais me tenir debout dans l'entrée, mais un seul pas et je me cognais la tête au plafond qui descendait en oblique et touchait le plancher trois mètres plus loin. J'étais dans un volume triangulaire où il fallait marcher plié en deux pour éviter de se fendre le crâne.

— It iz not beaucoup money, dit l'agent.

— Peut-être mais it iz not appartement, répliquai-je, c'est un tiroir à Toblerone.

La deuxième visite me conduisit dans une cave. En français, cave désigne le cellier, l'endroit où on range le vin. En anglais, cave signifie grotte. Là, c'était une grotte.

De la rue, nous avions franchi un énorme portail de bois donnant sur une cour pavée (pittoresque). Les murs étaient hauts et croulants, festonnés de lierre (baroque). Dans un coin de la cour, un vieux portail, plus petit que le premier, dans lequel l'agent inséra une clé de fer de quinze centimètres (excitant). La porte s'ouvrit en grinçant et il tendit la main vers un interrupteur. On entendit le déclic, mais pas de lumière.

— It ouill be renovèd, dit l'agent en scrutant l'obscurité. It ouill av more electricity.

— Oui, il en faudrait *beaucoup* plus, dis-je.

Le sol était en terre battue, on aurait pu y faire pousser des pommes de terre.

— Bientôt it ouil av beautiful par-quay, dit-il. Fenêtres aussi, all.

Dans les ténèbres se devinaient des murs de pierre nue et des caisses qui ressemblaient à des cercueils. Le dernier résident aurait-il par hasard été un M. Dracula ?

— You sign contract now and ouène you arrive, all ouill be OK.

— Si je signe le contrat maintenant, c'est mon cerveau qui n'est pas OK.

Le troisième appartement, m'assura l'agent, était entièrement équipé. Plancher, fenêtres, électricité et grande salle de bains.

Il ne mentait pas. Il y avait en effet une très grande salle de bains. C'était une pièce immense, avec lit, gazinière, deux chaises de bois dans un coin et une large planche. Sans oublier la gigantesque baignoire émaillée qui occupait la moitié de l'espace. Fallait-il rire ou pleurer ?

— À quoi sert la planche ? demandai-je par curiosité.

L'agent posa la planche en travers de la baignoire et plaça les deux chaises de chaque côté, face à face, dans le bain.

— La table, dit-il.

Je respirai profondément, calmement.

— Vous voyez ça ? dis-je en posant le doigt sur l'étiquette de ma chemise. Et ça ? (Je me tournai pour lui montrer la marque de mon jean.) Et ça... (Je m'abstins in extremis de lui montrer mes chaussures en me rappelant que j'étais en baskets nord-coréennes ornées d'un petit Harry Potter asiatique, rebaptisé Hatry Poteur par le styliste coréen.) Je ne suis pas obligé de vivre dans une grotte ou une salle de bains, dis-je à l'agent. Je peux me payer un appartement. Vous m'aviez promis de m'en montrer un avec chambre, living-room et salle de bains.

L'agent haussa les épaules, à la parisienne : pas mon problème.

— You av no letter of garantie. No letter, no good appartement. You ouant ze basroum or not ?

Non. Et merci quand même.

Le lundi, à peine au bureau, je filai voir Jean-Marie, qui m'avait proposé un coup de main pour chercher un logement.

— Jean-Marie ne viendra pas ce matin, me dit Christine. Il avait rendez-vous avec le ministre de l'Agriculture.

Le ministre ? Sûrement pour recevoir une fessée après ses importations de bœuf anglais.

— Il reçoit une médaille pour son soutien à l'agriculture française.

Christine rayonnait comme si la médaille était attribuée à son propre père.

— Une médaille ?

Je fis un tel effort pour ravaler mon incrédulité que je sentis l'ironie me gicler par les oreilles.

Jean-Marie arriva dans l'après-midi et nous montra sa médaille. Il ouvrit une boîte de cuir bleu à armoiries, frappée des mots La République française. À l'intérieur, sur un écrin de soie blanche, reposait une petite médaille de bronze gravé, où l'on voyait divers types de bétail et de végétaux nutritifs. Un certificat confirmait que M. Jean-Marie Martin avait été nommé chevalier de la culture bovine.

Tandis que Christine s'extasiait, je demandai à Jean-Marie ce que signifiait exactement chevalier de la culture bovine. Il traduisit mot à mot :

— Knight of beef culture.

— La bœuf culture ?

Aurait-il rendu des services au cinéma animalier ?

— Vous ne saisissez pas, je vois. (Il cessa une seconde de s'autoadmirer.) En français, le mot culture a deux sens. Nous disons la culture du thé quand on fait pousser du thé. Mais il désigne aussi l'art, la fiction. Bref, culture et agriculture.

Certes. Quiconque s'intéresse aux négociations sur les subventions européennes confirmera la confusion, dans les cerveaux français, entre agriculture et fiction artistique.

— OK je vois. Vous êtes devenu Sir pour services rendus à l'industrie du bœuf.

— Oui, je suppose que je suis Sir Jean-Marie, maintenant.

Il éclata de rire et se rengorgea, de nouveau très content de lui.

Quel homme étonnant. Pas d'émotion feinte, ni d'hypocrisie. Il me faisait, je dois dire, un excellent numéro.

Une fois Christine repartie dans son bureau, j'informai Jean-Marie de mes problèmes de logement. Il n'avait pas le temps d'en discuter maintenant, me dit-il, mais pourquoi ne viendrais-je pas dîner chez lui samedi prochain ?

— Ma femme dit que je vous néglige. Vous êtes ici depuis plus d'un mois et je ne vous ai toujours pas invité à dîner. Elle a raison. Je fais un hôte déplorable. Pardonnez-moi.

Il me posa la main sur l'épaule et me pria de le laisser réparer sa faute.

En France, l'importation de bœuf anglais était un crime moins affreux qu'une entorse à l'étiquette du dîner.

Il était heureux pour moi que Jean-Marie m'ait casé dans un hôtel proche de chez lui car ce samedi-là, à Paris, les employés des transports firent grève.

Et pourquoi, cette grève ? Suppressions d'emplois ? Questions de sécurité ? Non.

Les syndicats étaient exaspérés par des rumeurs selon lesquelles il n'était pas impossible que le gouvernement fût en train de réfléchir à l'hypothèse purement théorique qu'un jour (pas demain mais, disons, dans quatre-vingts ans) il ne pourrait plus financer la retraite à cinquante ans des employés des transports.

Ouah ! me dis-je, rendons-nous de ce pas au QG de la compagnie des transports remplir un formulaire d'embauche.

Bon Dieu, impossible. Comment y aller ? C'est la grève.

Heureusement, aller chez Sir Jean-Marie, ça n'était qu'un quart d'heure à pied. Seul obstacle : l'avenue de la Grande-Armée.

Les lignes du métro et du train RER fermées, la grande voie d'accès à Paris par l'ouest était absolument bouchée.

Huit lignes de voitures pare-chocs contre pare-chocs, quatre dans chaque sens, qui klaxonnaient plaintivement, telles des baleines prises dans un filet, s'appelant entre elles pour vérifier qu'elles n'étaient pas seules dans l'océan d'asphalte.

Sitôt la route traversée, et expulsée la pollution de mes poumons, je tombai dans un autre univers. À l'arrière de la ligne des cafés, boutiques et bureaux qui frangeait l'avenue, commençait un monde de silence, de rues arborées vides de voitures. L'immuable horizon d'immeubles de cinq étages qui domine à Paris se brisait ici sur de vastes résidences et des jardins privés.

Au bout de trois cents mètres, je tombai dans une nouvelle avenue. Immeubles chic, pas tous du meilleur goût : j'aperçus des horreurs 1970 avec de longues balustrades peintes en couleurs. Mais il y avait aussi ces bâtiments XIXe, haut de gamme, le genre que devait louer Édouard VII pour ses week-ends hippiques à Longchamp.

Pour vivre ici, il faudrait vendre des milliards de tasses de thé.

Avec les burgers en revanche, pas de problème, merci : c'était ici qu'habitait Jean-Marie.

Son immeuble était l'exact contraire de ceux que j'avais visités avec l'agent immobilier. Ni plâtres pelés, ni boiseries pourries. Il était probablement plus propre et en meilleur état qu'au lendemain de sa construction. La pierre de taille crémeuse luisait comme si le concierge escaladait les murs chaque matin avec un seau d'eau accroché au tablier.

Le bâtiment dominait le bois de Boulogne, une forêt, où les gens de la haute vont faire du cheval et où de jeunes Brésiliens amassent le pécule de leurs opérations transsexuelles. À Paris, une adresse des plus choisies.

Un code à six chiffres donnait accès au hall. Sol de marbre, tapis, murs blancs immaculés, moulures de plâtre sous le plafond. Ça sentait le fric et l'encaustique. Au fond du hall, une épaisse porte vitrée à interphone. Dix noms seulement : les appartements devaient être gigantesques. À moins que certains résidants n'aient développé un tel sens de la propriété privée qu'ils aient refusé de mettre leurs noms sur la liste.

Je pressai le bouton Martin et annonçai mon arrivée à la caméra vidéo au-dessus de la porte vitrée.

— Montez, c'est au cinquième, dit une voix féminine onctueuse.

Madame, probablement.

La porte extérieure de l'ascenseur était une lourde grille d'acier, la porte intérieure était en noyer verni, à vitre. La cabine s'éleva lentement en grinçant, droit vers le cœur du bâtiment. On avait l'impression de visiter un magasin d'antiquités à bord d'une armoire Louis XV.

Jean-Marie attendait pour m'ouvrir la porte de l'ascenseur, avec un énorme sourire de bienvenue.

— Entrez, entrez, dit-il avec exubérance. Ah, des fleurs ! Ma femme va tout de suite vous adorer.

Il désigna mon minuscule bouquet, payé une fortune chez le fleuriste en bas de l'hôtel. Pour ce prix-là, il fallait que ce fût au moins une plante en voie d'extinction.

Jean-Marie m'introduisit dans un salon de la taille d'un terrain de football. La déco de la pièce mêlait profusion antique et sobriété moderne, des fauteuils laqués or et brodés encadraient un canapé de cuir noir, une gravure abstraite noir et blanc flanquait une peinture à l'huile de facture médiévale représentant une vache.

Au milieu de ce bazar, une femme, anthologie du chic of the chic : blonde, cheveux sur l'épaule, perles imposantes, cardigan Dior sur une robe de lin toute simple mais impeccable, et le visage bétonné contre le vieillissement par le meilleur chirurgien d'Europe. Elle s'avança vers moi et me tendit la main, inclinée sans nul doute selon l'angle exact prescrit par l'Académie française.

Cette main serra (pressa, plutôt) la mienne, la femme se déclara enchantée et elle accepta mon microbouquet sans signaler en rien, au cas où elle l'eût pensé, qu'elle le trouvait un peu minable.

Elle me fit asseoir sur le canapé et partit chercher un vase en ordonnant à Jean-Marie de servir un verre à son invité.

Derrière cet abord social délicieux se devinait la dame de fer, prête à défendre sa réputation à coups de batte de base-ball Louis Vuitton.

Elle réapparut avec une création Art déco en porcelaine qu'on aurait, sur Portobello Road, payé le prix d'une voiture, et deux ados qui avaient l'air d'être les siens.

Le garçon était étudiant, ça crevait les yeux. Jean délavé, T-shirt trop grand au logo onéreux, cheveux noirs avides de se transformer en dreadlocks, pieds nus.

Il me serra mollement la main tandis que Jean-Marie le présentait sous le nom de Benoît.

La fille s'appelait Élodie et m'intéressait déjà plus. Blonde comme maman, sans la batte de base-ball. D'après ses fringues, elles avaient la même carte de crédit mais pas les mêmes goûts. Vêtements collants de marque et lingerie apparente : soutien-gorge de dentelle noir à armature compliquée, ceinture de cuir ostentatoire. Le genre de fille dont mon ami Chris m'avait conseillé de me méfier. Hem. Elle me serra la main jusqu'à l'écraser.

— Élodie fait ses études à Ashersay, dit Jean-Marie.

Le nom de cette obscure université anglaise ne me disant pas grand-chose, je ne parus guère impressionné, et il fallut m'expliquer que HEC était la meilleure école de commerce française et la plus chère. Je haussai les sourcils en conséquence et Élodie me récompensa d'un sourire éclatant.

— Et Benoît fait ses études de médecine, dit Jean-Marie, comme s'il énonçait une condamnation.

— Non, papa.

Benoît grimaça et informa son père qu'il avait changé et était maintenant en biologie.

— En biologie !

La surprise était totale pour Jean-Marie et c'est pourquoi, tout en sirotant du champagne et en piochant des petits fours, il y eut querelle de famille sur l'avenir du fiston (qui avait vingt-quatre ans, à ce que je compris), avec Jean-Marie qui revenait à l'anglais pour me demander des trucs comme « Et vous, vous faisiez quoi à vingt-quatre ans ? » avant de se remettre à haranguer son rejeton.

La fille semblait trouver la scène comique et me balançait des sourires entendus du genre « Ne vous inquiétez pas, c'est comme ça tout le temps ». Elle avait une jolie façon de croquer les petits fours. À la fois délicate et gourmande.

Au dîner, je pense avoir utilisé les bons couverts. Bon, je n'en avais pas besoin pour les huîtres. Je suivis l'exemple des autres et pressai du citron dans les coquilles béantes (les huîtres, vivantes, en frémissaient) avant de verser le contenu dans ma gorge.

Ce n'était pas désagréable. L'impression d'avaler du mucus pulmonaire, salé et citronné.

Je pris le couteau dentelé pour le steak quasi cru acheté, assura la maman, chez le divin boucher du quartier. (Pourvu que Jean-Marie n'en soit pas le fournisseur.)

Quand j'eus fini et essuyé le sang sur mes lèvres, on me servit des légumes. Du gratin dauphinois, – soit des pommes de terre cuites dans une sauce laiteuse et muscadée sous une croûte de fromage –, ainsi que des haricots verts noyés dans le beurre.

Je ne commis pas la gaffe de couper par la pointe les triangles suintants de brie et de camembert, avec le petit couteau à bout rond, et complétai par un fromage âcre nommé cantal. Ça ressemblait à du cheddar, avec un arrière-goût de transpiration des pieds.

Enfin, j'utilisai la fourchette et la cuillère en argent pour le gâteau mi-cuit au chocolat, une sorte de pudding mousseux qui, pas plus que le steak, n'était cuit au milieu. On aurait dit du sperme additionné de beurre de cacao.

Entre les grognements de plaisir, j'affrontai les questions habituelles sur l'Angleterre.

Madame : Votre mère prépare-t-elle vraiment le pudding de Noël six mois à l'avance ?

Benoît : C'est vrai qu'il y a des strip-teaseuses dans tous les pubs ?

Jean-Marie, provocateur : À Londres, c'est facile pour un jeune de trouver du travail s'il est trop paresseux pour passer ses diplômes ?

Élodie, encore plus provocatrice : C'est vrai que les Anglais ont peur des femmes ?

Assis sur les canapés, nous parlions maintenant de mes problèmes de logement. Élodie gloussait au récit de mes aventures avec l'agent immobilier et trouva aussitôt la solution.

— Il peut dormir avec moi !

Je faillis renverser mon café sur mes jambes. Et Madame faillit vider le sien aussi.

Élodie aimait l'exagération, c'est tout.

— J'ai une chambre de libre dans mon appartement. Paul peut s'installer, dit-elle dans un excellent anglais.

— Mais ton loyer n'est pas si élevé, tu n'as pas besoin de partager avec quelqu'un, objecta Madame en français.

J'étais OK pour un dîner, mais elle me jugeait incapable de partager un frigo avec sa fille et de m'en contenter.

— Oui maman, ça coûte presque rien, donc ça coûtera à Paul la moitié de rien.

— L'appartement est à vous ? demandai-je à Jean-Marie, pour lui laisser sa chance de bloquer l'idée.

— Non, c'est à la ville de Paris, coupa Élodie. Je suis une pauvre étudiante, sans privilèges, donc je vis dans un pauvre appart' misérable. C'est un logement... comment ils appellent ça, dans le Bronx ? Ah oui, des *projects*.

Le coup de la princesse en haillons ! Je voyais ça d'ici, pas de toit, un trou puant pour les toilettes, le sol en terre battue. Non merci, je connaissais déjà.

— Eh bien, je vous remercie, Élodie, mais...

— Je vais vous montrer. Vous voulez venir quand ? C'est quoi votre numéro de téléphone ?

Son école de commerce devait attribuer un coefficient élevé aux cours d'allant et de confiance en soi.

Je déclinai son offre de me raccompagner. Vieux jeu si vous voulez, mais je ne couche pas dès le premier soir avec la fille du patron. En tout cas pas au milieu d'un embouteillage.

Mais elle me rappela le lendemain matin et j'acceptai de venir visiter l'appartement, quand la grève du métro serait finie.

En attendant, pas question de se déplacer autrement qu'à pied, à moins d'avoir une patience de gréviste de la faim ou l'agressivité d'un joueur de football américain qui vient de se faire traiter de pédé.

En voiture ? Oublie. Jean-Marie m'avait bien proposé de m'emmener au bureau, mais il se levait à 6 heures du matin pour éviter les bouchons.

À vélo, à roller ? Possible, à condition de rester sur les trottoirs et d'être prêt à massacrer du piéton.

Bus et métro ? Réservés aux gladiateurs. C'était tout le sadisme subtil de cette grève : elle n'était pas totale. Certains syndicats continuaient le travail, ce qui maintenait un service squelettique sur certaines lignes, attirant des hordes de voyageurs désespérés prêts à couvrir le quai de leurs cadavres.

Les voyageurs parisiens tiennent leur système de transports rapide et efficace pour un droit acquis. Dès que les bus et les métros ralentissent, ils s'énervent. Et si lesdits bus et métro doivent s'arrêter dix minutes à chaque station, le temps que les gens qui veulent descendre, ceux qui veulent monter et ceux qui ne veulent pas bouger s'arrachent les yeux à coups d'attachés-cases, alors l'ambiance est nettement moins relax.

Chaque matin, je vérifiais donc que les piles de mon walkman étaient neuves, sélectionnais un itinéraire tranquille à l'écart des embouteillages ultrapollués et m'élançais pour une longue excursion matinale jusqu'au bureau. Je traversais le bois de Boulogne d'un bon pas, échangeant des signes de tête et des saluts avec mes frères forçats de la marche. Au lieu de me toiser d'un regard vide, ils me répondaient. Ça commençait à être drôle.

Et puis soudain, la grève s'arrêta. Normal. Car la dernière chose que souhaitent les employés des transports, c'est bien que les gens apprennent à se débrouiller sans eux.

Et voilà comment un matin, nous sommes tous redevenus des voyageurs autistes.

L'heure avait sonné d'aller inspecter l'appartement d'Élodie.

L'immeuble ressemblait aussi peu à du logement social que le N° 5 de Chanel aux odeurs de chaussettes d'un marathonien.

Pour commencer, il était situé en plein Marais, qui n'était pas le marécage annoncé par mon dictionnaire, mais le cœur médiéval et hypertendance de la ville, regorgeant de cafés, de boutiques de fringues et d'autres qui vendent des accessoires de déco dont seuls les homos savent quoi faire. Il y avait un agent immobilier par mètre carré, avec les clients salivant devant les vitrines. Et moi je débarquais et j'allais décrocher le pompon sans me fouler.

Le bâtiment lui-même était de facture moderne, années 1930 à première vue, en briques d'un orange pâle, parfaitement entretenues, moulées et rémoulées, enfin, tout ce qu'il faut pour faire reluire la brique. Il avait de hautes fenêtres à volets métalliques blanc laqué et des petits balcons. Les balustrades en fer forgé Art déco déroulaient d'étranges motifs, des sortes de spermatozoïdes censés représenter des fleurs. Les vraies fleurs étaient rouges et piquaient du nez dans des bacs sur le rebord des fenêtres.

— Ça n'est quand même pas un bâtiment public ! demandai-je à Élodie.

— Oh, que si ! (Ma stupéfaction l'amusait, ainsi que mon soulagement visible de constater qu'elle ne m'invitait pas à pieuter avec une bande de dealers et de marginaux.) Ce sont des ashlem, proclama-t-elle.

— Des quoi ?

Aïe, étais-je tombé sur une communauté orientale avec yoga obligatoire à 6 heures chaque matin ? Ça, jamais.

— HLM (Elle épela le mot en anglais.) Ça veut dire *habitation à loyer modéré*. Des appart' pas chers. (Elle gloussa.) Mais les occupants sont tous avocats, médecins, etc. Ou fils et filles et amis de politiciens. Papa m'a eu le mien par un copain à l'Hôtel de Ville. La mairie, vu ?

— Logement pas cher réservé aux hyperprivilégiés dynastiques ?

— Si vous préférez, allez vivre dans votre grotte.

— Non non, mon but dans la vie est justement de devenir un hyperprivilégié dynastique.

Nous entrâmes dans une cour de béton qui sentait étonnamment le propre, et fûmes aussitôt attaqués par une poubelle.

Une petite dame boulotte à cheveux noirs émergea de derrière la poubelle à roulettes et aboya en direction d'Élodie dans un langage qui faisait penser à de l'espagnol avec un accent hollandais. Puis elle s'éclipsa en boudant derrière une porte à rideau brodé marquée « concierge ».

— Elle vous a dit que c'était interdit de faire entrer des visiteurs mâles, c'est ça ?

Élodie se plia en deux de rire, ce que j'interprétai comme un non.

Si la concierge surveillait les visiteurs mâles d'Élodie, elle devait en effet avoir un sacré boulot car, à peine entrée dans l'appartement, Élodie se colla à ma bouche comme un gros bâton de rouge à lèvres.

Le sexe, pour elle, se menait comme un projet industriel.

D'abord un rapide et efficace dépouillement des données, suivi par la quantité requise de recherche et développement, puis elle m'invita à positionner mon produit dans sa niche-client. Je fis de mon mieux pour satisfaire ses demandes en flux tendu et assurai au maximum sur la livraison. Après une période de brutales fluctuations du marché, la bulle finit par exploser et ce fut l'écroulement. Nos forces de vente étaient à plat.

— Je vais te montrer ta chambre, dit-elle, une dizaine de secondes après l'effondrement du marché.

Ou comment éteindre la lueur postorgasmique dans l'œil d'un homme ! Mais, je le dois à la vérité, l'accueil était nettement plus chaud que dans l'autre agence immobilière.

J'en étais là : un coq en pâte. Dans une chambre ensoleillée, pas chère, au cœur de la ville. Pas de ménage, parce que le deal de Jean-Marie avec sa fille comportait une bonne à tout faire. J'avais de nouveau une cuisine, ce qui promettait d'être amusant. Il y avait longtemps que personne n'avait profité de mes pâtes-surprise (j'avais oublié de saler l'eau : surprise !).

Et le comble, c'est que dès qu'Élodie en avait marre de la théorie économique, elle m'appelait dans sa chambre pour faire valser la couverture.

La *belle vie à Paris*, ou quoi ?

Même la concierge s'y mettait pour me rendre l'existence agréable. La langue qu'elle avait aboyée au nez d'Élodie s'était avérée être du portugais. Les vieilles concierges françaises, celles des romans de Maigret, ont disparu depuis longtemps, remplacées par des sous-traitants ou des familles portugaises qui cumulent les boulots pour amasser de l'argent en France et financer la construction de pavillons dans leur pays.

Mme Da Costa avait renoncé à parler français à Élodie qui, comme tous les résidants friqués de l'immeuble, ne l'écoutait pas de toute façon. Élodie avait la mauvaise habitude, apparemment, de laisser ses sacs-poubelle la nuit sur le palier. Quand ils étaient percés, c'était à la concierge de nettoyer.

Mme Da Costa était une concierge redoutablement efficace. Son second boulot, femme de ménage dans des bureaux, l'approvisionnait en produits chimiques toxiques et chaque dimanche soir, avec son mari et son fils, elle partait à l'assaut du hall et de la cage d'escalier, ravageait les plâtres à coups de balai, laissant derrière elle l'odeur d'une fabrique de jus de citron.

Ça ne l'empêchait pas d'asphyxier le monde presque tous les soirs avec un nuage glutineux qui puait le poisson frit et filtrait sous les portes. Vous étiez dans le living en train de regarder la télé et soudain votre tête semblait prisonnière d'un seau d'huile de foie de morue, où elle se dissolvait lentement.

Elle m'avait à la bonne parce que je lui disais bonjour et que j'étais sincère. Et aussi parce que, comme elle, j'étais étranger. Elle s'assurait que je recevais bien mon courrier. Et me refilait par la même occasion le courrier international des autres locataires. Dès que l'enveloppe portait un timbre venu d'ailleurs, c'était forcément pour moi. Je pris l'habitude de sortir le soir redistribuer discrètement les lettres qui ne m'étaient pas adressées. Petit prix à payer pour conserver ses bonnes grâces.

Je n'étais pas le seul type à profiter des largesses d'Élodie, mais ça ne me dérangeait pas plus que ça, même si la qualité de mon sommeil pâtissait parfois de ses jappements rythmiques, de l'autre côté de la cloison.

Il était d'ailleurs heureux que je n'aie pas de contrat exclusif, parce qu'un samedi matin, alors que j'étais assis dans la cuisine à regarder mon café se faire, qui voilà ? Jean-Marie.

Je n'étais pas complètement nu, disons que j'avais enfilé mon jean, mais sans le boutonner, et on voyait mes poils.

Je vis la question coaguler dans l'esprit de Jean-Marie : où et avec qui avais-je passé la nuit ?

Sur ce, entrée d'Élodie, vêtue seulement de rouge à lèvres barbouillé et d'une chemise d'homme. Mauvais timing.

— Bonjour papa, dit-elle en l'embrassant.

— Salut, Paul.

Elle m'embrassa aussi, ce qu'elle ne faisait jamais le matin. Jean-Marie me scruta, les yeux plissés.

— Ah, papa, Paul, je vous présente Chico.

Et mon salut parut, sous la forme d'un ange grand format qui s'avança dans la cuisine. Un Latino de deux mètres de haut, genre supermodèle, gel capillaire, pommettes saillantes, à poil, circoncis et fier de l'être.

Qui avait sauté qui ? Voilà qui réglait la question.

— Chico chéri, je te présente mon père. Si tu allais t'habiller ?

Chico s'assura qu'on avait tous vu son bronzage et sortit sans se presser. J'aurais juré qu'il se rasait les fesses.

— J'espère que Chico et moi, on ne t'a pas empêché de dormir, Paul.

— Non, non, pourquoi tu dis ça ?

Je levai les yeux vers Jean-Marie, signifiant clairement que je souffrais autant que lui. On est dans la même galère, patron.

— Vous permettez... ? (La voix de Jean-Marie dérailla. Il repassa au français.) Élodie, j'ai à te parler.

Mon tonneau de café étant prêt, je le sucrai et avalai une pinte d'énergie pendant que le père et la fille se livraient un duel d'invectives dans le couloir. Chico ne reparut pas. Sans doute incapable de s'habiller tout seul.

J'essayai d'espionner la dispute, dans l'espoir d'y piocher des mots nouveaux (le vocabulaire du père humilié, ça pourrait peut-être me servir un jour), mais le débat semblait porter sur le dressing.

Était-ce un euphémisme typiquement français ? Du style « Ma fille, tu reçois trop de garçons dans ta garde-robe » ?

Elle lui disait de ne pas entrer dans le dressing, ça je comprenais. Elle avait dû faire péter la carte de crédit et il venait se rembourser, en prélevant l'une des cinq paires neuves de Gaultier à semelle dorée.

— J'ai la clé, dit-il.

Peut-être demandait-il simplement la permission de venir de temps en temps essayer un falzar.

Quoi qu'il en soit, après un vif échange de menaces et de réfutations, Jean-Marie s'en alla et Élodie revint dans la cuisine, toute rouge et marmonnant des insultes gauloises.

Ce dressing avait déjà attiré mon attention. Une nuit, je m'étais réveillé dans son lit. Une faible lumière filtrait sous la porte de sa garde-robe. Je m'étais levé pour éteindre mais la porte était verrouillée.

J'avais pensé : bizarre. Croit-elle que je veux lui voler ses strings ?

Mais je n'allais pas critiquer ma propriétaire. J'avais un contrat plus avantageux que bien des locataires parisiens.

Un samedi, je ne résistai pas à l'envie de retourner voir Jake au même café pour frimer avec mon triomphe immobilier.

Il fut impressionné. Pas tant par l'histoire de la fille, mais parce que j'avais réussi à détourner un HLM au nez et à la barbe de l'establishment parisien.

Ce samedi-là, Jake finissait plus tôt que d'habitude et il me proposa de m'emmener dans le meilleur magasin de Paris. Pourquoi pas, me dis-je en visualisant une boutique de disques à prix cassés, avec bière gratuite et vendeuses topless.

Raté. C'était une librairie d'occasion.

Plutôt mignonne, d'ailleurs, dans une maison médiévale à colombages en face de Notre-Dame. L'intérieur sentait agréablement le renfermé, une odeur de moisi montait des livres en embuscade dans tous les coins, par terre, sur toute la hauteur des murs et même au plafond, tels de petits vampires morts et poussiéreux. Et tous étaient écrits en anglais.

Jake salua un jeune type avachi derrière la caisse et me pilota jusqu'au fond de la boutique. Suivait un étroit escalier, lui-même tapissé de livres qui agressaient votre nez et vous forçaient à la vigilance.

— Peu de gens montent ici, dit Jake.

Ça se comprenait aisément. À moins d'être farouchement résolu à se crever l'œil sur un exemplaire mité de *Par-delà l'Histoire : une vision métaphilosophique de l'édification de l'empire américain* (Vol. 4).

Au premier étage, l'invasion des livres ne montrait aucun signe de faiblesse. Sous le plafond bas et les poutres apparentes, cinq personnes étaient assises sur des tabourets et des piles d'encyclopédies.

— C'est mon groupe d'écriture, me dit Jake. Trois Américains, un Anglais et un Australien, deux types et trois filles de vingt à trente-cinq ans, mixtes de BCBG et de clones branchés de Jake. J'étais le seul à ne pas avoir sous le bras un classeur plein de manuscrits, détail qu'ils enregistrèrent aussitôt.

Je m'assis sur la pile *Belzébuth-Crétinisme* et écoutai une dame discourir sur son roman en chantier. L'histoire de deux filles qui se découvrent grâce à la masturbation. J'aurais bien aimé voir le film mais le roman était un peu lourd. Elle nous lut deux ou trois pages à dégoûter du sexe pour la vie. Puis elle attendit notre verdict.

— Génial, dis-je lorsque ce fut mon tour. Les romans féminins, c'est très à la mode.

L'écrivaine eut un geste de désespoir.

— C'est pas un roman féminin, c'est un roman féministe. Je m'en fous de la mode.

Elle prononça mode sur le ton de Saddam Hussein parlant de George Bush.

— Bien vu en tout cas, dis-je. Les femmes lisent beaucoup plus que les hommes. Plus grand marché.

Dans la pièce, il y eut d'autres gestes de désespoir.

Au tour de Jake. Il sortit une feuille de son classeur et se mit à lire des poèmes sur les vagins qu'il avait fréquentés. Ils parlaient tous de leur vie sexuelle, ces écrivains, qui se trouvaient par ailleurs (à mon humble avis) les personnes les moins sexy que j'eusse vues à Paris, hormis dans les files qui poireautent devant les abris de l'Armée du Salut.

Le projet littéraire de Jake consistait en un cycle de poèmes sur le thème : je baise les femmes de toutes les nationalités qui vivent à Paris. Son dernier opus était une ode en cinquante vers sur la difficulté de tirer une Albanaise. À Paris, elles sont toutes aux mains des macs.

— Pourquoi ne pas tout simplement payer la fille ? argumentai-je.

— Non mec, je ne paie jamais. Où serait la poésie ?

— T'as qu'à écrire :

Une Albanaise, ça te tente ?
Alors file-moi cinquante.

— Écoute, Paul, toi aussi t'es dans le tourisme sexuel, alors viens pas me faire chier.

Il raconta mon histoire à la cantonade. L'appartement, le loyer, le sexe débridé.

La masturbatrice parut choquée. (Ou jalouse.)

— C'est du détournement. Vous savez pour qui sont ces logements ?

Et tous de se lancer dans une frénésie d'autovalorisation, chacun évoquant son toit percé, sa cage d'escalier transformée en pissotière, ses cafards, ses cambrioleurs et son salaire minable, pour ceux qui avaient un salaire.

— Je parie que le chauffage est compris dans le loyer, non ? interrogea une Australienne.

— Sais pas, dis-je avec un haussement d'épaules parisien.

Ce geste les acheva. Je savais en le faisant que ça les énerverait davantage que mes incursions malvenues dans le champ de la critique littéraire.

On me demanda poliment de partir. Puis, moins poliment, de foutre le camp.

Je descendis l'escalier sans me fracasser le crâne et, arrivé en bas, faillis me télescoper avec Alexa.

— Alexa !

Toujours la même beauté discrète. Elle rougit et m'embrassa chastement sur la joue.

— Paul. Comment vas-tu ?

— Qu'est-ce que tu fais ici ?

— Je sais lire, tu vois.

Je hochai la tête, ne sachant que dire. Ou plutôt je le savais, mais n'osais pas.

Je l'entraînai dans le café voisin – piège à touristes, mais je m'en fichais pour une fois –, histoire de bavarder.

Je lui demandai une dizaine de fois si ça allait. Une dizaine de fois, elle me répondit que oui.

— Et le papa ?

— Toujours homo, toujours avec son chagrin d'amour, merci.

— Bon Dieu, Alexa. L'autre nuit...

— C'est pas grave.

— Si, c'est grave. Pour moi. Écoute. Ce soir-là j'étais bourré mais je ne crois pas que ce soit une bonne excuse. Et si je te dis : Ce soir-là j'étais comateux ? (Elle m'accorda un sourire.) Cette fille a dû me ramener chez elle sur son dos. Je ne sais même pas qui c'est. Jamais revue. Je sais pas ce qu'on a fait. Tout ce que je sais, c'est que je me suis réveillé avec une capote qui pendait au bout de mon...

— Une capote ? Donc tu... ?

— J'imagine. Aucune idée. J'ai été voir un hypnotiseur et il m'a dit qu'il n'y avait même pas de souvenirs inconscients à récupérer. (Ça me valut un second sourire.) C'était un non-événement, Alexa. Un tragique accident.

— Hum.

Changeant de sujet, elle me demanda où j'habitais maintenant. Je contai ma bonne fortune. En omettant de parler d'Élodie.

— Ton pourri de patron t'a trouvé un HLM ? (Elle rit de bon cœur.) Depuis que tu as cessé de marcher dans la merde, te voilà devenu un vrai Parisien.

La lueur aguichante reparut dans ses yeux.

Un café et un taxi plus tard, nous étions dans son loft, qui occupait l'étage supérieur d'un immeuble industriel dans une cour pleine d'arbres.

Le soleil se déversait à l'intérieur à travers un mur de verre.

— Mes parents habitaient là avant leur divorce. C'était le premier studio photo de mon père.

— Bon Dieu, mais qu'est-ce qu'il photographiait là-dedans ? Des yachts ?

Mais pas question de s'attarder à comparer nos surfaces habitables. Un escalier métallique en spirale conduisait à sa chambre, et là, enfin, je vis Alexa en entier. Sous tous les angles : les murs étaient couverts de portraits d'elle nue.

Elle se déshabilla et je découvris la version 3-D. Elle était tout ce que mon imagination m'avait laissé espérer, avec en prime le parfum, le goût et la douceur et enfin, un peu d'émotion.

Nous explorâmes en détail la totalité de nos creux et recoins, tout en bisous mais pas seulement, mêlant nos respirations à bout de souffle.

C'était le genre de fille qui préfère partager son corps plutôt qu'exiger le contrôle technique complet. Elle murmurait en français là où Élodie aboyait des ordres en anglais.

— Là, là, là.

Comme une mélodie qui me guidait vers ses secrets les plus sensibles.

Et moi de gémir « Aaaaah... », le jingle parfait pour une pub de masse-pieds automatique.

Moi qui ai pour habitude de sortir une gentille petite blague après l'orgasme, pour cette fois je restai coi.

Nous étions allongés en sueur sur sa couette, laquelle n'était pas d'un blanc éblouissant mais orange vif. Je me sentais arrivé, enfin chez moi.

— Paul ? (Elle rompit le silence au bout de deux, trois minutes.) Que dirais-tu de... ?

Oui. Elle allait me demander de venir habiter chez elle. Et moi, je n'hésiterais pas une seconde. Même au prix d'un peu de ménage.

Novembre

Hé, me dis-je, pourquoi pas sous-louer ma chambre chez Élodie ? En faire une sous-sous-location.

« Recherche locataire mâle pour partager appartement et lit de la propriétaire. Chauffage central, bien agencé. (L'appartement aussi est pas mal. Ah ah ah !) »

Je n'avais plus qu'une chose à faire : traduire l'ensemble en abréviations de petite annonce.

Décembre

God save the cuisine

En français, « self » veut dire restaurant self-service. Quelle ironie, n'est-ce pas, d'invoquer le soi, l'ego, pour désigner une cafétéria de bas étage, dans un pays qui se voit comme un énorme restaurant gastronomique.

Pourtant, c'est assez juste, car les Français, contrairement à ce qu'ils aimeraient qu'on pense, adorent le fast-food. Ils font croire au monde entier qu'ils se nourrissent de foie gras et de truffe, mais un fort pourcentage passe ses déjeuners et ses week-ends le nez plongé dans un hamburger.

Pour cela, les fast-foods accommodent la nourriture d'une façon qui plaît aux Français. Serveurs en tenue qui répètent des phrases robotiques en recalant votre serviette sur le plateau..., tout répond à leur sens du cérémonial. Ainsi, que vous le vouliez ou non, une excursion dans un fast-food est un événement culinaire.

L'amour des Français pour la bouffe est si grand qu'il les rend dingues, par exemple quand ils vont à la boulangerie acheter du pain. La boulangerie est le seul endroit au monde où les Français consentent à rester en rang. Non, pas le seul : au tabac aussi ils respectent la file indienne, mais uniquement par peur de se faire massacrer par un drogué à la nicotine qui serait impatient.

Une visite à la boulangerie du coin était toujours un événement. Il y avait en général trois ou quatre femmes pour servir, ou plutôt se bousculer derrière l'étroit comptoir. Elles cavalaient pour rassembler ma commande, puis devaient elles-mêmes faire la queue pour annoncer à la femme du tiroir-caisse, la patronne, le montant de mes achats. Chaque fois que j'achetais une baguette, la fille qui me servait, ou la patronne, s'autorisait à l'écraser par le milieu – comme si elles étaient accro au son de la croûte qui craque. Si j'achetais un gâteau, il fallait compter cinq bonnes minutes d'attente pendant qu'elles l'empaquetaient amoureusement et le ficelaient de ruban. À intervalles réguliers surgissait un boulanger enfariné, qui surveillait la manœuvre, avant de se faire expulser par sa femme qui ne voulait pas de farine sur la caisse. Au milieu de ce chaos, la queue avançait respectueusement, même quand elle s'étirait sur plusieurs mètres en dehors de la boutique. Ici, les gens respectaient la queue parce qu'elle fait partie du rituel alimentaire.

Apparemment, je ne montrais pas assez de respect pour les rituels.

— Tu ne t'intéresses pas vraiment à la bouffe, hein ? (Comme pour vérifier que j'avais bien entendu la question, un sein nu vint me tamponner l'oreille.) Je fais une raclette géniale et ça ne t'intéresse pas.

C'était Élodie, qui illustrait à sa façon le goût français pour la cérémonie de la bouffe en s'activant dans la cuisine, vêtue de son string et de son sourire. On était début décembre, mais il n'y avait pas le moindre petit poil de chair de poule sur sa peau. Le chauffage était bel et bien inclus dans le loyer, et elle le poussait à fond en permanence de sorte que la nudité (totale ou partielle) était le seul moyen d'éviter de mourir de chaud.

Chastement couvert d'un short et d'un T-shirt, j'étais assis devant un verre d'apremont bien frais, un vin blanc nerveux des montagnes de Savoie, idéal pour accompagner les recettes au fromage. J'en étais à mon troisième verre, ce qui expliquait pourquoi je maniais aussi maladroitement l'ustensile qui allait nous permettre de déguster cette « raclette géniale ».

Le grand magasin près de chez Élodie proposait un choix considérable d'ustensiles de cuisine parmi les plus complexes du monde occidental. On y trouvait des « plats à éclade », où l'on peut disposer des moules à la verticale (oui, à la verticale) et les cuire nature à la mode côte Ouest. Des miniplats à raclette – des grils avec de petites poêles à frire où on fait fondre des tranches de fromage dont on nappera les pommes de terre bouillies – et des grands plats à raclette qui chauffent des blocs qu'on débite à l'aide d'une sorte de guillotine. Pas étonnant que les Français fassent d'excellents ingénieurs, s'il faut un certificat de dessin industriel pour cuire le dîner.

Je me débattais donc avec un grand plat à raclette, attentif surtout à garder les doigts à distance de la lame. Élodie avait acheté un bloc de fromage de la taille d'un demi-pneu de Mini.

— Tu préférerais un sandwich au beurre de cacahuètes, hein ?

Si je ne répondis rien pour défendre l'honneur de mon pays, c'était surtout parce que je venais de m'empaler la main sur les pointes destinées à maintenir le fromage en place et que je regardais mes doigts avec terreur en me demandant lequel allait tomber.

— Ou du saumon en conserve ?

— Non. Écoute, Élodie je suis passionné par ce qui se passe ici, mais je doute que la recette comprenne un doigt amputé ou un téton bouilli. Pourquoi ne t'occuperais-tu pas de ce piège à loup pendant que je surveille les pommes de terre ?

Pire que la douleur qui irradiait maintenant dans tout le bras était l'idée de cette peau de femme nue ébouillantée par le magma de pommes de terre qui valsaient dans la marmite. Et ça serait à moi de tartiner de crème ses boursouflures. Je savais bien comment ça finirait.

— Oui, c'est au moins une chose que vous les Anglais savez faire dans une cuisine, vous faites tout bouillir.

— Ce n'est pas vrai. C'est un vieux cliché. La cuisine anglaise a beaucoup évolué.

— *Cuisine ?* Pff... Et en quoi aurait-elle évolué ?

— On ne fait plus tout bouillir. Aujourd'hui on passe tout au micro-ondes.

Nous échangeâmes nos places. Elle à la table de la cuisine, moi aux pommes de terre, armé d'une fourchette pour vérifier la cuisson.

Difficile de contester le plaisir de cuisiner avec une jolie fille couverte de deux millimètres carrés de lingerie, et pourtant j'aurais préféré que ce fût une autre. Même habillée. Problème, Alexa ne m'avait pas invité à habiter chez elle.

La question qui la démangeait quand nous étions dans son lit ne concernait pas mon déménagement. Elle m'avait demandé si je croyais que deux personnes qui parlent des langues différentes peuvent réellement communiquer. Quelle intello !

Ma réponse (un silence atterré) n'avait fait qu'amplifier ses doutes.

Nous étions désormais un couple quasi officiel, mais vivant séparément, et je faisais de mon mieux pour me dérober aux invites d'Élodie. J'avais dit à Élodie que j'avais une petite amie, mais ça l'amusait de continuer à réclamer des acrobaties nocturnes et elle était rarement plus vêtue que dans une cabine d'essayage de lingerie fine. Elle feignait de s'offusquer de ma résistance, mais au fond elle s'en fichait. Il n'y avait pas place chez elle pour le manque de confiance en soi, elle qui ramenait régulièrement des éphèbes à faire craquer les lectrices de *Vogue*.

— Merde !

Elle ne s'en tirait pas mieux que moi, avec la raclette, sauf que ce n'était plus un doigt que menaçait l'amputation, mais un sein.

— Va t'habiller, moi je termine ça.

— Connerie de machine !

Elle abandonna sur la table l'engin à moitié assemblé et vida mon verre de vin. Elle ne montrait aucun signe de vouloir s'habiller et ça m'ennuyait, car Alexa allait arriver d'une minute à l'autre et elle risquait d'être surprise de découvrir que ma propriétaire était une nudiste affranchie et pas l'étudiante en business chiante que j'avais décrite.

— Tu veux que j'aille chercher tes habits dans le *dressing* ?

— Hein ? Oh, non, ça ira. J'y vais.

Je vérifiai chaque item de notre menu. La laitue – fraîche, pas en sachet – était au frigo, lavée et enveloppée dans une serviette, prête à être déchiquetée – et non coupée – en lambeaux assez petits pour tenir au bout d'une fourchette. En France, couper de la laitue dans son assiette est un crime passible de la peine de mort.

Pour la sauce, j'avais suivi la recette d'Élodie : une cuillerée de vinaigre avec du sel dissous, une cuillère à café de moutarde, et trois cuillerées d'huile d'olive. Je n'avais pas le choix, Élodie avait menacé de m'écharper à la moindre sortie de route.

— Non, le sel dans le vinaigre d'abord ! Le sel dans le vinaigre ! (Elle m'avait vicieusement pincé le bras.) Attends que ça se dissolve, attends !

Aussi dominatrice en cuisine qu'au lit.

Deux douzaines de tranches de jambon cru ultrafines s'étalaient en éventail sur une grande assiette, telles des cartes de poker-cholestérol. Rouge sombre, et même noires par endroits. En Angleterre, mon supermarché les aurait jetées pour cause de putréfaction avancée, mais Élodie les avait décrétées parfaites, et je n'avais pas eu le courage de prétendre le contraire.

Sur la table, il y avait aussi le plateau de fromages que j'avais imprudemment tenté de ranger dans le frigo.

— Dans le frigo ? On ne met pas le fromage dans le frigo ! Ça le tue !

Pour Élodie, les bactéries aussi avaient le droit de vivre et de se reproduire.

Mon seul doute, c'était le dessert. C'était ma contribution « typiquement anglaise » au menu et je n'étais plus trop sûr de mon coup, après m'être donné un mal de chien pour réunir les ingrédients.

Il est vrai que si un monticule noirâtre de pudding de Noël ne fait pas partie de votre histoire familiale, cet apport essentiel de la Grande-Bretagne à la période des fêtes risque surtout d'évoquer ce qui fuit des soutes d'un pétrolier pendant une marée noire.

Et pourtant, bien fumant, et orné d'une feuille de radis ? (Impossible de trouver du houx.)

— Allons les filles, vous en faites trop, là !

Alexa et Élodie avaient eu un geste de recul, horrifiées, comme si le pudding allait leur exploser au nez ou les interpeller en langage extra-terrestre.

Mais ça augurait bien de la soirée. Contrairement à mes craintes, elles avaient trouvé un terrain d'entente. Contre moi et tout ce qui est anglais, certes, mais tout de même.

— Et c'est quoi *ça*? grogna Alexa tandis que je versais mon *custard* à peine grumeleux dans un pichet.

— C'est du sang anglais, fade et coagulé, assena Élodie.

— Goûtez, ça va vous plaire, dis-je en exhibant une fiasque de whisky et un briquet pour flamber le pudding.

— Tu as raison. Mieux vaut l'incinérer avant qu'il devienne dangereux, dit Alexa.

Elles refusèrent de goûter, et je me sentis obligé, par un mélange de fierté masculine, de patriotisme et de stupidité génétique, d'avaler tout le pudding et une pinte de custard pendant que les filles débitaient des commentaires sur les coutumes alimentaires des Britanniques.

— Il paraît que les ballons de basket sont fabriqués avec du fromage anglais.

— Et les saucisses avec des vieilles chaussettes.

Mes seules réponses à ces provocations étaient des borborygmes au custard.

— Et les fish and chips ! Pourquoi donc cuisez-vous de l'excellent poisson dans des biscuits ?

— C'est quoi déjà, cette gelée à la menthe que vous mangez avec la viande ? Ça ne serait pas meilleur sur des toasts au petit déjeuner ?

— Ah non ! éructai-je, mon système digestif au bord de l'éruption de pudding, la sauce menthe sur la viande est l'une de nos plus grandes inventions.

Un hoquet sonore interrompit mon plaidoyer en faveur du raffinement britannique.

— Je sais que c'est traditionnel en Angleterre, de vomir dans la rue, alors s'il te plaît, mets la tête à la fenêtre si tu te sens mal, prévint Élodie.

Vers 2 heures du matin, elle décida d'aller se coucher, seule, Dieu merci.

À cette heure-là, le plus gros du pudding s'était dissous dans mes veines, et mon système nerveux me laissait capable d'inviter Alexa à me suivre dans ma chambre.

— T'inquiète pas, je n'écouterai pas à travers le mur, dit Élodie en sortant de la cuisine, déjà à moitié nue.

Ce qui, évidemment, anéantit mes dernières chances de baiser cette nuit-là.

À la lumière de l'incident du pudding, je pensai que ce ne serait pas une mauvaise idée de donner à mes collaborateurs du projet salons de thé une leçon d'authenticité.

— Les Français ne boivent pas le thé de la même manière que les Anglais, leur dis-je.

Il y eut un « oh ! » massif d'incrédulité autour de la table.

J'avais réuni l'équipe dans une grande brasserie. Il y avait des tables rondes en marbre près des fenêtres et des boxes en skaï orange dans le fond. Là, sur le coup de 4 heures, on profitait de l'accalmie entre le rush du déjeuner et la volubilité des amateurs d'apéritif. Un type en salopette de peintre, les cheveux poussiéreux, buvait du vin rouge au comptoir. Un VRP chauve en costume gris chic était assis près de la fenêtre, occupé à lire *L'Équipe* en décortiquant un pied de porc. Il piqua sa fourchette dans un morceau de viande rose et tendineuse et l'enfourna dans sa bouche. La graisse dégoulina sur son menton, puis sur le journal.

Mes cinq acolytes s'étaient entassés dans un box, hommes d'un côté, femmes de l'autre. Personne ne l'avait décidé, ça s'était fait tout seul. Je m'étais mis côté filles, la cuisse serrée contre celle de Nicole, face à un Marc aussi ennuyé qu'un ado suivant une conférence sur les dangers des portables pour le cerveau, et à Bernard, qui ne s'amusait que parce qu'il ne s'était jamais posé de questions sur ce qui aurait dû *vraiment* l'amuser.

Jean-Marie était présent lui aussi, et lançait des regards ouvertement irrités autour de la table. Seule Stéphanie le dépassait en mauvaise humeur, les yeux aussi noirs que son sweater à col roulé en cachemire.

— Regardez.

Je désignai la preuve à charge sur le formica noir de la table.

Tous baissèrent les yeux.

Sur la table se trouvaient deux bières, deux cafés au lait et deux minuscules théières à côté de deux grandes tasses blanches et vides. Il y avait une tranche de citron dans l'une des tasses, et un petit pot de lait près de l'autre.

— Regarder quoi ? aboya Stéphanie.

— OK. D'abord, regardez où sont les sachets de thé.

Les regards convergèrent vers les sachets, posés sur une assiette près des théières, avec leur étiquette agrafée au bout d'un fil de coton plus long que ma main.

— L'eau chaude, l'eau bouillante, doit en fait être versée directement *sur* les sachets dans la théière. Moins l'eau est chaude, moins le thé a de goût.

Stéphanie et Nicole soulevèrent le couvercle de leur théière, saisirent leurs sachets par l'étiquette et les plongèrent dans l'eau. Les sachets restèrent à la surface, tandis qu'un faible nuage marron s'en échappait.

— Bon, maintenant, regardez où sont les théières.

Je vis Marc et Stéphanie échanger un regard. Timbré, l'Anglais.

— Où sont-elles, Marc ?

— *Duh.* (C'était un mot qu'il avait appris en Géorgie.) On ze table, no ?

Stéphanie et Bernard étouffèrent un ricanement. Stéphanie me narguait directement.

— Comme vous dites, Marc : *duh.*

Ces programmeurs sont tous les mêmes : ils prennent les autres pour des imbéciles, et s'imaginent que le comble du cool consiste à porter son badge d'entreprise accroché à la ceinture d'un jean trop serré.

— Les femmes, dit Nicole.

— Ah oui, fit Jean-Marie, enfin arraché à sa mauvaise humeur. Il n'y a que les femmes qui prennent du thé. Bien vu, Nicole.

Il lui balança un sourire radieux, et à Stéphanie un regard assassin.

J'avais demandé à tout le monde de commander ce qu'il voulait. C'était ma tournée. (« Tchourney ? » avait demandé Bernard.) Marc et Bernard avaient commandé une bière, Jean-Marie et moi un café. CQFD.

— En Grande-Bretagne, tout le monde prend du thé, dis-je. Bon, excepté à Londres, dans les cafés italiens. Pas un immeuble ne serait construit si les maçons n'avaient pas leur thé. On a gagné la Seconde Guerre mondiale uniquement parce que nos soldats touchaient de grosses rations de thé.

— And some elp by Americons, dit Marc.

— Oui, mais vous remarquerez qu'avant de débarquer en Normandie, les Américains se sont arrêtés en Angleterre pour boire un thé.

— Oui, je vois, dit Jean-Marie. C'est ça. (Il agita un doigt en direction des femmes.) Le petit sachet, l'assiette, la théière, le citron. Tout cela est très féminin. Mais ça justifie le prix.

— Exact, le prix. (Je m'emparai de l'addition, posée sur une soucoupe en plastique au bout de la table.) Le thé, c'est ce qui coûte le plus cher. En Angleterre, ce serait le moins cher.

— Mais c'est de l'excellente valeur ajoutée, dit Jean-Marie.

— Mais quand vous achetez ces sachets, qui contiennent un thé bas de gamme, vous payez en fait l'étiquette, l'agrafe, la petite enveloppe du sachet, plus que le thé lui-même.

— But it iz laïc zat zat tea is vendèd in Fronce, dit Stéphanie.

— Peut-être, mais bon sang, même le sachet est *plissèd*. Ça coûte combien, ça ?

— Plissed ? répéta Stéphanie.

Je soulevai le couvercle de la théière et repêchai le sachet détrempé par son étiquette. L'eau n'était pas plus foncée que de la bière. Je désignai les plis sur chaque côté du petit rectangle dégoulinant. Un chef-d'œuvre technique complexe, comparé aux simples sachets tout plats qu'on trouve en Angleterre.

— En Grande-Bretagne, vous pouvez acheter cinq sachets pour le prix de celui-ci, et le thé est meilleur. Ainsi vous réduisez le prix, vous montez en qualité et en plus, vous augmentez votre marge.

— Excellent, s'exclama Jean-Marie dont le moral remontait de minute en minute.

— But it iz véri chic, zi etiquett', objecta Stéphanie.

— Si vous voulez faire chic, commandez un jeu de théières avec votre chic logo dessus.

Cette suggestion me valut un « Aah » collectif. Collectif moins Stéphanie, qui y voyait une invasion très « plages de Normandie » de son territoire.

— Au fait, Bernard, où en est le logo My Tea Is Rich ? demanda Jean-Marie. Vous m'aviez promis de faire vite.

Bernard s'empourpra.

— Yes, ze test for ze logo iz, euh, bientôt finish.

Ou pas commencèd, me dis-je. Franchement, ce type n'était qu'un morse en costard de pub.

— Et que préconisez-vous pour déféminiser l'image du thé ? demanda Jean-Marie.

— Je ne suis pas sûr qu'il faille le faire, dis-je.

Il y eut une réaction en chaîne de grognements et de haussements d'épaules : pourquoi les avait-on traînés ici s'il n'y avait rien à changer ?

— Pas complètement, en tout cas. (Je poursuivis mon idée.) Cette sorte de rituel compliqué, quand on sert le thé, sera bonne pour notre image. Pour les thés spéciaux, du moins : Darjeeling, Dapsang Souchong, ce genre-là. Sur le menu, il faudra présenter des produits assez masculins. La grande tasse de thé anglais extra-fort, par exemple. On gardera l'image du thé comme produit de luxe, tout en le vendant moins cher. C'est pourquoi Stéphanie devra se renseigner sur les tarifs indiens.

— Les tarifs indiens ? dit Stéphanie en fronçant le nez.

— Eh bien, oui. Je sais que vous préférez tout acheter chez des fournisseurs français mais... (Elle tourna les yeux vers Jean-Marie, qui fit semblant de regarder droit devant lui.)... mais ça sera beaucoup moins cher de commander à la source. Il faudra aller les voir à Londres.

— À Londres ?

La terreur de Stéphanie, à l'idée de devoir parler anglais plus d'une heure d'affilée, était palpable.

— Excellente idée. J'irai avec Stéphanie.

Sans doute Jean-Marie se réjouissait-il à l'avance de tout le bœuf anglais qu'il pourrait tasser dans son attaché-case. Cette auto-invitation du boss eut en tout cas le don de radoucir Stéphanie. Elle ne l'avait peut-être jamais vu en dehors du bureau.

— Yes, maybe in-terresting, dit-elle.

— Super. Je vous ferai une liste de produits anglais à rapporter. On fera une dégustation. D'authentique cuisine anglaise.

Il y eut un silence, le temps que chacun finisse de traduire la phrase dans sa tête. Puis des sourcils levés, et des bouches bées.

Oooh !

Avec Stéphanie et Jean-Marie à Londres, j'allais pouvoir m'adonner à un petit piratage nocturne. Stéphanie ne fermait pas à clé la porte de son bureau, et le vigile ne passait pas avant huit heures. Après sept heures l'immeuble était pratiquement vide. J'aurais donc accès sans risques à son ordinateur.

La pièce était grande, avec un bureau bien rangé, une table ronde pour les réunions et une bibliothèque plus haute que moi remplie de dossiers étiquetés avec soin.

Le mur derrière la table de réunion était couvert de photos encadrées. L'une représentait Bernard et Stéphanie dévorant des yeux le rugbyman copain de Bernard, probablement pendant la séance de prise de vue de la pub. Toutes les autres montraient une Stéphanie souriante à côté de vaches énormes décorées d'un ruban. Plusieurs vaches portaient le logo de la boîte, un gros VD rouge collé sur l'arrière-train comme pour avertir les paysans pervers qu'ils risquaient des ennuis s'ils tentaient une petite partie de saute-vache.

Il me fallut une quinzaine de secondes pour entrer dans sa boîte aux lettres : mot de passe « Stéphanie », l'innocente ! Elle avait placé des douzaines de messages dans sa corbeille, sans la vider ensuite. Certains apparaissaient sous le titre « BAng », ce que même un étranger ignare comme moi pouvait traduire par « bœuf anglais ».

Ainsi pris-je connaissance, sous le regard des vaches de Stéphanie et de son rugbyman, de la discussion semi-secrète qu'elle avait eue avec Jean-Marie.

D'abord venaient les récriminations d'un fournisseur de viande du Limousin dont les commandes baissaient alors que, de notoriété publique, les affaires de VianDiffusion explosaient. Puis une demande signée Jean-Marie concernant un bordereau d'achat pour un abattoir situé près de la frontière franco-belge. Puis un lot de messages angoissés de Stéphanie sur l'achat de bœufs anglais exportés et abattus en Belgique pour être vendus à prix cassé.

J'imprimai le tout. Ça pouvait servir un jour.

Jean-Marie était à peine revenu de Londres que l'affaire lui péta au nez. Un matin, en arrivant au bureau, je notai un subtil changement d'ambiance devant l'immeuble. Mais si, bien sûr ! D'habitude, l'entrée n'était pas bloquée par une demi-tonne de bouse de vache. Et je n'avais jamais vu de tracteurs dans ce quartier chic de Paris, conduits par des types en bleu de travail, l'air fâché, et qui hurlaient quelque chose à propos de bœuf anglais.

Hélas pour la compagnie, la moitié des télés et des radios de Paris avaient leur siège dans un rayon de un kilomètre et la rue grouillait déjà de cameramen et de journalistes agitant des micros. Ils interviewaient les paysans et filmaient une paire de magnifiques vaches françaises à poil blond, venues manifester elles aussi contre ces bestioles anglaises qui les privaient du droit de se faire hacher menu dans les usines de Jean-Marie.

Ne sachant que faire, je m'attardai sur le trottoir opposé avec une foule de passants et de collègues. Il était encore loin de 9 heures, ce qui expliquait l'absence totale de mes équipiers.

Paris étant ce qu'il est, la manifestation était épaulée par des automobilistes qui klaxonnaient devant le tas de bouse pour faire libérer le passage. La bouse ne réagissant pas, la rue d'ordinaire calme se transformait en pandémonium de klaxons, de slogans et de mugissements.

Soudain, quelqu'un m'empoigna par-derrière et me tira sous un porche.

— C'est moi, chuinta Jean-Marie. (Il avait l'air nettement plus tendu que d'habitude, presque défait. Ses rares cheveux n'étaient pas exactement à leur place, sa cravate de soie bleue flottait à un millimètre de sa chemise rose.) Venez, il faut donner des interviews.

Avant que j'aie le temps de demander ce qu'il fallait raconter, il se fabriqua un sourire figé et m'entraîna vers la caméra la plus proche.

Un autocollant bleu en lambeaux nous apprit qu'elle appartenait à une chaîne d'infos câblée.

Debout à côté d'un tracteur, une jeune femme en épais manteau noir parlait devant l'objectif.

Jean-Marie attendit qu'elle ait fini puis, sans me lâcher le coude, il avança vers elle et se présenta. La fille, flairant le scoop, le tira devant la caméra et demanda à son cadreur de commencer à filmer.

Le cadreur, dont les larges épaules et la veste en peau de mouton semblaient trimballer des caméras depuis de longues années, demanda à la fille de changer d'angle. Brève querelle, où le cadreur menaça de s'en aller si elle ne faisait pas ce qu'il disait, puis Jean-Marie et la fille, plus moi qu'on remorquait comme une pièce rapportée, nous nous plaçâmes de telle sorte que l'image prenne notre façade et le monticule de bouse.

La fille commença son interview. N'ayant qu'une vague idée de ce qui se passait, elle s'en tint aux questions genre « Expliquez-nous ce qui se passe », ce qui permit à Jean-Marie de la jouer mielleux et d'exposer sa version des faits sans peur d'être contredit.

Rien d'étonnant donc à ce qu'il débite un tissu de mensonges. Du bœuf anglais ? Oh oh, mais d'où tenez-vous ça ? Il venait de recevoir une médaille du ministre de l'Agriculture, est-ce que les éleveurs croient que le ministre de l'Agriculture donnerait une médaille à un importateur de bœuf anglais ? Ridicule !

Il enchaîna sur une autodéfense passionnée, aussi hypocrite que le reste, qui lui permit d'apparaître comme une victime vertueuse. Puis ce fut à moi.

Il me présenta comme l'Anglais sympa, venu ouvrir des salons de thé en France, créant des centaines d'emplois. Des centaines ? Allais-je devoir embaucher un plongeur par tasse de thé ?

La journaliste me mit le micro sous le nez.

— Oui, dis-je prudemment.

Jean-Marie admit qu'il revenait de Londres, où il avait négocié un accord avec un industriel de l'alimentaire, mais il s'agissait de thé, pas de bœuf. N'est-ce pas, Paul ?

— Oui, confirmai-je.

Tout n'était que triste malentendu, dit Jean-Marie. Il était fier d'acheter du bœuf français, et uniquement du bœuf français, mais il ne voyait pas de mal à importer du thé anglais. Mieux : il invitait tous les éleveurs présents à venir boire une tasse de thé gratuitement, dès l'ouverture des salons, qui s'appelleraient, au fait, My Tea Is Rich.

J'imaginai ces paysans attablés, avec leurs bottes en caoutchouc, se demandant s'il valait mieux commander de l'Earl Grey ou de l'Orange Pekoe.

— My Tea Is Rich ? Très amusant, dit la fille.

Même le cadreur se fendit d'un sourire.

— Oui, nous pensons que c'est une excellente idée, n'est-ce pas, Paul ?

— Oui.

Je n'en étais plus à un mensonge près.

Nous répétâmes la même interview à peu de chose près devant tous les micros et caméras que Jean-Marie put accaparer, puis il m'entraîna loin de la manif, à l'abri dans un café des Champs-Élysées le temps que la tempête se calme.

— Mais pourquoi la police ne vient-elle pas les disperser ? demandai-je. Je veux dire, si les crottes de chien sont interdites, les crottes de vache doivent être un crime ?

— La police ? Juste au moment où on a besoin d'eux pour défendre la cuisine française, ils sont en grève, dit Jean-Marie d'une voix offusquée.

Personnellement, je doute que la présence de la police aurait changé quoi que ce soit. Car les policiers parisiens ont une spécialité dans laquelle ils excellent : rester assis dans leurs cars.

Vous les voyez partout, en ville, pratiquer cette unique activité. Vous marchez dans une rue, paralysée par un embouteillage dont vous découvrez vite la cause : la police a décidé d'y garer en double file deux ou trois cars. Dans les cars, assises, des brigades anti-émeutes apparemment averties qu'une émeute va éclater incessamment dans cette rue. Ils peuvent y passer la matinée entière, ils sortent de temps en temps se dégourdir les jambes, faire un tour à la boulangerie ou comparer leurs cuirasses, et quand l'émeute tarde à se matérialiser (découragée, peut-être, par leur immobile présence), ils repartent et vont rester assis dans une autre rue.

En dehors de ça, les seules fois où je les ai vus, ils se promenaient par bande de quatre ou cinq en papotant, ou faisaient du VTT dans le gay Marais, histoire de montrer leur cuisses et leurs shorts de cyclistes.

Mais je n'ai jamais vu beaucoup de criminalité ; j'en déduis qu'ils doivent s'activer par ailleurs.

Les policiers étaient en grève en raison d'événements survenus à l'*extérieur* de Paris, dans des coins moins paisibles. La ville est presque entièrement encerclée par des banlieues pauvres, cernée par une armée de jeunes types au chômage et ivres de fureur. Dans ces confins, où les Parisiens ne s'aventurent jamais, existent des zones interdites dont les commissariats sont attaqués au cocktail Molotov, et les gamins abattus pour avoir forcé un barrage. Les syndicats policiers laissaient entendre que les politiciens seraient plus pressés de résoudre la crise sociale s'ils étaient en première ligne, eux, face à la haine. Le président Chirac prêchait la paix en Irak mais envoyait ses flics combattre la guérilla des banlieues. Eh bien la police refusait le combat.

Puisque Jean-Marie se plaignait de cette grève, il était tout naturel que sa fille manifestât l'opinion contraire.

Un soir que j'étais invité chez Alexa, nous étions sortis dîner, avant d'échouer dans un bar. Soudain, Alexa piqua une grogne sur la quantité de bière que je buvais.

— En Angleterre, pas question de passer une bonne soirée sans se torcher, hein. Vous voulez juste vous torcher, en fait, lever une fille et la baiser avant de vous écrouler. C'est ça, les Anglais !

Et moi qui croyais que, quand on s'assoit dans un bar, il vaut mieux commander une bière, par politesse. Le patron n'aimerait pas vous voir occuper un siège pendant deux heures en vous rongeant les ongles. Et c'était Alexa qui avait choisi ce pub irlandais, parmi les cinq millions de pubs irlandais de Paris (qui semblait d'ailleurs avoir embauché tous les Irlandais de moins de vingt-cinq ans).

— Tu exagères, Alexa. Je ne suis pas saoul. Je croyais qu'on passait une bonne soirée.

— Mais tu bois ça comme si c'était de l'eau. Tu ne sens même pas le goût.

J'en étais à ma deuxième pinte de Guinness, autant dire un militant antialcoolique par rapport à ce que la plupart de mes compatriotes auraient déjà descendu à cette heure de la nuit. Et j'avais la nette impression que, si, je sentais le goût.

— Tu ne dirais pas ça si j'avais bu deux verres de vin.

— Ce n'est pas la même chose.

— Non? La bière est aussi noble que le vin, tu sais. La tradition française est de brasser du raisin, la nôtre du houblon. Chacun a son propre goût. Comme si je te traitais de bourgeoise parce que tu manges du fromage de chèvre et pas de vache.

— Il y a fromage fermier et fromage industriel.

— Ouais, mais parlant de boissons, on s'y connaît aussi en qualité. Et pas seulement pour la bière. J'ai lu dans une étude que la Grande-Bretagne est le deuxième consommateur de champagne au monde après la France. Et on importe les meilleurs vins français. C'est juste que les Français sont vexés parce que nous mettons les vins sud-africains, australiens et californiens sur le même plan que les vins français. Nous sommes moins snobs, c'est tout. Une bonne bière est aussi bonne qu'un bon vin, d'où qu'il vienne.

— Oui, et vous en buvez jusqu'à tomber par terre. C'est pour ça que dans les pubs, les Anglais restent debout. Quand ils tombent, ils savent que c'est l'heure de rentrer.

— Alors que les Français sont juste un peu pompettes, là-dessus ils prennent le volant et écrasent quelqu'un. Vous avez le plus fort taux d'accidents dus à l'alcool de toute l'Europe.

Je vidai ma Guinness d'un air de triomphe mais mon estomac, probablement encore sous le coup du pudding, recracha les bulles par le nez.

Mauvais timing.

— Si tu crois que je vais te laisser entrer dans mon lit comme ça, tu peux toujours... comment dites-vous ?

— Tu peux toujours courir ! souffla un sympathique jeune serveur irlandais en T-shirt Guinness serré qui débarrassait les verres vides.

— Merci, dit Alexa, souriant un peu trop chaudement à cet Irlandais musculeux.

— Ouais, merci l'ami, complétai-je lugubrement.

À mon retour, l'appartement était vide, et la porte d'Élodie ouverte.

Je restai sur le seuil et jetai un œil dans sa chambre. C'était tout elle : l'ordi portable ouvert sur la table en formica, un soutien-gorge noir jeté sur la chaîne hi-fi, un demi-million de CD éparpillés sur le parquet nu, une bouteille de champagne vide et deux verres dressés comme un autel au pied du vaste lit.

Le plancher craqua bruyamment tandis que je me dirigeais vers le fameux dressing, mais il n'y avait personne à réveiller.

Je me penchai pour regarder par le trou de la serrure, et j'eus l'impression de recevoir un massage facial. La serrure et la poignée étaient chaudes. Ça ne sentait pas le brûlé, mais la porte était aussi chaude qu'un radiateur. À la différence de Marilyne Monroe, Élodie aimait-elle garder sa lingerie à température du corps ? Impossible de le savoir : la serrure était bouchée de l'autre côté.

Je venais de me mettre à plat ventre pour essayer de voir sous la porte quand j'entendis sa voix sur le palier. Une clé tourna dans la serrure de l'entrée.

Pas le temps de sortir de la chambre, je lui serais rentré dedans.

Inutile de chercher à ramper sous le lit, il était à moins de dix centimètres du sol et il aurait d'abord fallu me passer à la planche de pressing.

Devais-je m'enterrer sous les CD, en espérant qu'elle ne remarque pas la forme bizarrement humanoïde du tas ?

Non, il n'y avait qu'une chose à faire. Je déboutonnai mon pantalon et m'allongeai sur le lit.

— Paul ? (Elle fit irruption, vêtue d'un manteau de cuir noir qui la couvrait des genoux au menton. Elle avait l'air gêné plus qu'autre chose. Elle fit un signe par-dessus son épaule.) Je crois que tu connais Marc.

Marc ? Mon Marc du bureau ? Je remontai ma braguette pour essayer de cacher mon caleçon et prévenir une scène embarrassante.

Mais non, le Marc qui entra sur les talons d'Élodie était petit et coiffé à la punk, vêtu d'une veste de camouflage et d'un jean six fois trop large pour lui. Jamais vu ce type. Ses lunettes de soleil étaient si noires qu'il ne me voyait probablement pas non plus.

— Marc le Dark ? C'est un DJ connu, m'expliqua Élodie d'un ton d'excuse. Que fais-tu dans mon lit ?

— Ah, oui. J'espérais que... mais tu as déjà... bon je m'en vais.

Je me levai, cédant sportivement la place au nouveau prétendant.

— Avec Alexa, vous avez... ?

Elle fit le geste de déchirer un papier.

— Non, c'est juste que j'étais tout seul ici, et je me suis dit, tu comprends, mais non, t'as raison, je vais...

Élodie me dévisageait avec suspicion. Son regard fit l'aller-retour de mon jean à demi boutonné à la porte du dressing. Pourvu qu'elle n'aille pas relever les empreintes de cils sur la serrure, je me ferais prendre les yeux dans le sac.

— Non, Paul, tu peux rester nous aider.

Horrifié, je m'écartai vivement du lit.

— Pas à baiser. Je n'ai pas amené Marc pour ça. Viens voir.

Elle ouvrit son manteau, prit une clé dans sa poche de jean et marcha vers la porte du dressing.

Le bois tiède pivota en révélant son secret et je faillis retomber sur le lit.

— Shit !

Elle éclata de rire en voyant ma tête. L'ami Marc retrouva la vue et s'approcha avec un sifflement admiratif du petit jardin tropical qui envahissait les étagères à habits.

L'une des parois du cabinet était réservée aux vêtements. Le reste, une surface de un mètre sur deux, était occupé du sol au plafond par des lampes et des plants de marijuana.

— Oui Paul, comme tu dis. Du très bon shit.

C'était donc ça, la raison de la colère de Jean-Marie. Pas étonnant. Même en France, où la fumette est plus ou moins tolérée, il y en avait assez pour l'envoyer en prison.

— C'est ça, ton projet marketing pour l'école ? demandai-je, incrédule.

— Non, je ne vends pas. C'est pour les amis. (Elle cessa de badiner et prit son ton de businesswoman.) Marc a sa Jeep dans la rue, tu vas l'aider à porter les plantes.

— Quoi ? Pas question.

— Si tu refuses, je dis à Alexa que tu étais dans mon lit et à mon père que tu m'as baisée.

Comment un gentleman anglais pourrait-il refuser son aide à une demoiselle en détresse ?

Il y avait vingt pots au total, de plusieurs tonnes chacun. On ne pouvait pas utiliser l'ascenseur et risquer une panne qui nous laisserait en rade avec notre butin jusqu'à l'arrivée d'un voisin – un juge, peut-être – le lendemain matin.

Ça signifiait dix allers-retours de quatre étages par l'escalier pour Marc et moi, avec Élodie à nos basques pour ramasser les feuilles qui tombaient chaque fois qu'on heurtait le mur ou la rampe.

Dans la rue, la Jeep, garée en triple file, se remplissait peu à peu de végétaux illégaux. Elle avait des vitres fumées, bien sûr, sur lesquelles se détachait nettement, à contre-jour, la silhouette caractéristique des feuilles de marijuana.

— Pas de problème, m'assura Marc. Y a pas de flics.

Élodie profitait de la grève pour régler sa petite affaire.

— Tu sais ce qui est drôle ? me demanda-t-elle tandis que je ahanais en descendant le dernier pot.

— Non.

Une hernie multiple, je ne trouvais pas ça drôle.

— En français, on dit « herbe » pour marijuana. Ou « thé ». Thé, ça tombe bien, non ? Tu vas ouvrir des salons de thé pour mon père et tu transportes du thé pour sa fille.

Elle rit de bon cœur. Pas moi. Désormais, la fille comme le père m'utilisaient comme couverture pour leurs activités criminelles.

Deux jours plus tard, je reçus un coup de fil de Jake, le poète fangeux. J'avais dû lui donner mon numéro dans un moment d'égarement.

— Hey Paul, je suis, euh, vraiment désolé, de, tu sais...

— De m'avoir dit d'aller me faire foutre ?

— Ouais, bon, je sais, mais on peut pas, euh, se moquer d'un poète, sans...

— Sans qu'on te dise d'aller te faire foutre ?

— Je répète, je me regrette.

— Je m'excuse, tu veux dire.
— Ouais, c'est ça, je m'excuse.
— Tu as réussi à te faire une Albanaise ?
— Ouais.
— Sans payer.
— Évidemment. Enfin, presque. Elle mendiait dans le métro. Tu les vois, avec toutes ces jupes ? OK, elle m'a dit qu'elle était albanaise, mais à mon avis elle devait être roumaine.
— Et ça te fiche en l'air ton poème, c'est ça ?
— Ouais, je ne sais pas trop quoi écrire.
— *C'était une fille de Roumanie,*
Qui disait venir d'Albanie...
— Écoute, bon, je n'ai pas l'intention de parler poésie avec toi, mec. Tu ne peejes rien.
— Je peeje ?
— Ouais, piger, comprendre. Non, je t'appelais pour m'excuser et te proposer un coup de main.
— Un coup de main ?
— Ouais. Dis-moi : tu dis quoi au serveur pour commander un café au lait ?
— « Un café au lait s'il vous plaît. »
— Bien ce que je pensais, t'as besoin d'un coup de main, mec. On se retrouve au café habituel, demain à 11 heures.

Contre toute sagesse, j'allai au rendez-vous. J'arrivai à 11 h 15 (je commençais à me faire à la ponctualité française) et je le trouvai assis à une table près de la fenêtre, gribouillant dans son carnet. Même costume lustré, même coiffure luisante, mais il avait remplacé le T-shirt d'université par un truc plus de saison, mais moins séduisant, un pull noir à col roulé qu'il avait dû voler à une pieuvre géante, à en juger par sa forme.

Une cigarette roulée charbonnait dans le cendrier, ajoutant ses milligrammes de fumée au brouillard bleuté du café bondé.

— Ne dis rien, chuchota-t-il en me serrant la main. Regarde, et écoute.

Il leva le menton d'un cran, tourna la tête jusqu'à capter le regard d'un serveur et cria : « Un crème s'il vous plaît. »

— Un crème, un ! aboya le serveur en direction du bar.

Jack se retourna vers moi, l'air satisfait sous sa barbe pas rasée.

— Un crème ? Comme *cream* ? demandai-je.

— Oui, c'est le mot des serveurs pour « café au lait ». Il faut leur parler leur langage. Personne ne te l'a dit ?

— Non.

— Merde. Sinon tu te fais avoir. Un espresso se dit « express », OK ? Un espresso avec une goutte de lait, une « noisette ». Du café noir pas fort un « allongé ». Etc. Si tu parles leur langue, ils voient que tu n'es pas un touriste.

Il avala une gorgée péremptoire de son « crème ».

Je lui fis répéter tous ces noms et les notai sur une page qu'il arracha du carnet.

— Même chose pour la bière, reprit Jake. T'as pas déjà vu des touristes en terrasse avec, quoi, des pintes de deux litres ?

— Ouais, avouai-je humblement.

Quelques semaines auparavant, entré dans un bar des Champs pour boire un verre rapide, j'avais mis une heure à vider un verre de la taille d'un gratte-ciel.

— C'est parce que tu avais demandé « une bière ». Il faut commander « un demi ». Ça te fait un verre normal, vingt-cinq centilitres. Une demi-pinte. Tu dis ça et tu n'as pas l'air touriste.

— Génial ! Un demi.

J'ajoutai le mot à ma liste.

— Si tu connais pas le truc, si tu leur montres pas qu'ici tu es chez toi, tu vas droit à l'arnaque.

— C'est quoi, arnaque ?

— Bon Dieu je viens de t'expliquer. Ils te dépouillent, mec. C'est comme pour l'eau. Dans tous les cafés et restaurants, si tu le demandes, on te donnera un pot d'eau du robinet. Mais il faut demander « une carafe d'eau ». Si tu demandes juste « de l'eau », ils t'apporteront de l'eau minérale. Carafe, c'est une espèce de passeport, indispensable pour éviter l'arnaque. La dépouille. Bon Dieu.

— Et voilà.

D'un geste ample comme un coup de faux, le serveur posa devant moi un café de taille normale et une note normale.

— Merci !

Je fis tourner mes deux morceaux de sucre dans le café frangé d'écume et observai mon reflet dans la vitre du bistrot. Oui, j'avais presque l'air aussi content de moi qu'un Parisien.

Noël approchant, les boutiques d'alimentation devinrent encore plus cérémonielles qu'à l'ordinaire. Certaines donnaient à penser qu'elles avaient été le théâtre de sacrifices rituels. Des lièvres entiers, écorchés, pendaient tête en bas aux crocs de boucher, comme s'ils s'étaient vidés de leur sang par le nez. Un jour, j'aperçus même un sanglier allongé sur le trottoir, comme s'il était en pleine sieste. Quand je repassai devant la boutique deux heures plus tard, la vitrine exposait des quartiers velus. C'était tout ce qui restait de la bête, avec la tête accrochée au mur, qui souriait d'un air approbateur.

Les supermarchés installaient des stands dans les rues, où l'on vendait des paniers d'huîtres, des montagnes de crevettes et d'énormes filets de saumon, couchés sur des lits de glace pilée. Les employés des stands frissonnaient et pestaient, les mains bleuies par le vent d'hiver.

Mêmes scènes devant les brasseries spécialisées en fruits de mer. Même par les soirées les plus froides, je voyais des hommes en tablier de caoutchouc se geler les fesses en plein air. Leur travail : perdre des doigts pour cause d'engelures, ouvrir des huîtres, démantibuler des crabes. Pourquoi fallait-il faire ça en pleine rue plutôt qu'en cuisine, mystère. Sans doute les crabes ont-ils meilleur goût avec un léger nappé de pollution, ou bien veut-on laisser sportivement aux langoustes une chance de s'échapper. Fuir par les égouts et cavaler jusqu'en Bretagne...

Cette frénésie alimentaire d'hiver m'apparut le bon moment pour mon test. Une dégustation d'authentiques plats anglais. Sans pudding de Noël, d'accord.

Jean-Marie et Stéphanie étaient revenus de Londres avec toutes mes commandes, sauf la boîte de corned-beef que j'avais ajoutée à la liste par provocation.

J'achetai sur le Web un certain nombre d'ingrédients britanniques, empruntai un micro-ondes et, un midi, organisai un buffet dans la salle de réunion. Objectif : créer l'évènement. La longue table de travail était dissimulée sous quatre nappes de papier aux couleurs de l'Union Jack. J'avais loué chez un traiteur des plats en porcelaine blanche. Il y avait des petits drapeaux en décoration, et j'avais acheté un pack-soirée de tasses et assiettes en carton, avec des serviettes imprimées de motifs typiquement londoniens : bus rouges à étage, taxis noirs et policiers souriants.

Au moins, personne ne risquait de confondre avec une démo de bouffe allemande.

Mes collègues entrèrent dans la pièce. L'odeur de saucisse grillée leur crispa les narines. À moins que ce ne fût la vue de mon tablier de ménagère sexy.

Leur attitude respirait la méfiance. Les hommes avaient les mains dans les poches, les femmes les bras croisés. Je surpris des expressions inquiètes, celles des gens dans la salle d'attente du dentiste.

J'avais invité toute mon équipe, plus une dizaine de juniors de l'entreprise. Ma cible principale, c'était eux, les jeunes.

Ils tournaient en rond devant la table, se demandant si cet étalage était là pour être mangé ou simplement regardé comme au musée. Jean-Marie en retard, la glace tardait à se briser.

Je les accueillis avec un bref exposé sur la façon de remplir le questionnaire que je leur avais distribué, et les invitai à se servir.

Avec Christine, j'avais passé une matinée entière à taper pour chaque plat des étiquettes bilingues. Pas facile de traduire des trucs tels que « pomme de terre en robe des champs avec haricots étuvés et garniture de fromage râpé ». Avant de trouver les mots correspondants, il m'avait fallu lui expliquer le pourquoi et le comment de la cuisine anglaise.

Nicole fut la première à se lancer.

— Hum, petits pains à la saucisse, dit-elle en croquant une première bouchée. Je me souviens, mon mari avait l'habitude de...

Elle interrompit brutalement sa séquence proustienne en recrachant dans sa serviette, puis empala avec férocité une chipolata sur un bâtonnet à petits fours.

— What my god iz zis ?

Marc reniflait un bol fumant de gâteau au steak et aux rognons qui avait échappé aux douaniers. Il frimait devant une fille, du département informatique elle aussi, à en juger par sa coiffure négligée et son badge sur la hanche.

Il déchiffra l'étiquette devant le bol.

— Un gâteau au steak ? You ave sucrée sauce wiz ze steak and steak au dessert ? Berk !

Il fit une grimace exagérée pour amuser sa groupie.

— Quand tu étais au Texas, je suis sûr que tu expliquais à tes amis cow-boys qu'ils doivent cesser de manger des patates douces avec leur viande, pas vrai, Marc ? Sans oublier le cours sur le Coca, en boire pendant les repas est une monstruosité gastronomique, non ?

Marc grogna et s'en alla rouspéter plus loin.

— Hé, Bernard, sers-toi, criai-je à mon ami le morse hongrois qui approchait de la table en traînant les pieds.

— Plosh man lernsh, répondit-il.

Ce n'était pas le salut du morse, mais une louable tentative pour prononcer « ploughman's lunch ». Déjeuner de laboureur : l'excuse traditionnelle des pubs pour charger la note des sandwiches sans se fatiguer à mettre le fromage dans le sandwich.

À l'intention de mes respectables laboureurs, j'avais laissé les ingrédients à l'air, un choix de fromages (cheddar, stilton), les pickles, une salade verte avec la sauce idoine. Je m'étais débrouillé pour obtenir des pains de campagne qui ressemblaient à une petite bouse de vache sur une grosse, je me disais que ça ferait résonner une fibre subliminale chez mes Parisiens. L'étiquette expliquait que le « ploughman's » était le repas traditionnel des « vieux fermiers anglais ». Je sentis Bernard se demander comment ils faisaient pour emporter la salade dans les champs sans renverser la vinaigrette.

— Essaie un peu de stilton anglais, lui dis-je en détachant les mots. Ça va te plaire, ça ressemble au roquefort.

— OK.

Il s'empara d'une demi-livre de stilton et s'éloigna avant que j'aie pu dire qu'il était censé n'en couper qu'une mince tranche pour goûter.

La pièce était pleine maintenant, une vingtaine de personnes s'affairaient autour de la table. Les grands tendaient le bras par-dessus les autres pour atteindre les plats. Devant la fontaine à thé, c'était un troupeau plutôt qu'une queue, et les gens s'amusaient avec beaucoup de fraîcheur de voir couler du thé infusé au lieu d'eau bouillante.

— Ah, garotte quèque ! (Une petite brune du service commercial en T-shirt noir collant et pantalon encore plus collant dansait de joie devant les cubes glacés de gâteau aux carottes.) Ayav zis at kant herbory.

— Oui, super.

J'ignorais absolument de quoi elle parlait, mais c'était mon premier client satisfait.

— You know kant herbory ?

Elle avait maintenant la bouche pleine de gâteau aux carottes, ce qui n'aidait pas à décrypter ses propos.

— Non, je ne crois pas. C'est quoi ?

— It iz city. Next Douvres.

— Quoi ? Excusez-moi...

— You know ! Next ze tunnel. You go aout ze tunnel, it iz caty drole. Kant herbory.

Un déclic se fit en moi.

— Ah, Canterbury ? La cathédrale, oui, bien sûr. Vous connaissez ?

— Yes, aille go ouiz maille classe ouen aille ouaz school. Nous, comment dire, nous voler many CD in shops. Fun. Ayav garotte quèque in ze café. Aille love !

Elle en était déjà à son troisième cube, et son T-shirt était semé de miettes dorées.

— Super.

— Aille love inegliche food. Aille eat chips now.

Pour les chips, j'avais disposé des étiquettes marquées A, B, C, etc., et la liste des différents assaisonnements. Le jeu consistait à deviner ce qui était quoi, puis à cocher ses préférés. Mes collègues lisaient les traductions et s'esclaffaient : pourquoi se compliquer la tête à ce point avec des pommes de terre ? Qui diable, s'interrogeaient-ils, a envie de manger des chips parfumées à la sauce Worcestershire, aux oignons marinés ou au hérisson ? Dans sa traduction, Christine expliquait que le coup du hérisson était une blague et qu'en fait les chips contenaient un arôme artificiel à la viande, ce qui ne faisait que conforter leurs préjugés. Après tout, manger n'est pas une blague.

Et pourtant, ils goûtaient, et ils aimaient. Très vite, le tas de chips au hérisson s'était aplati comme si cette pauvre bête avait essayé de traverser la route.

— Zis iz goude, me dit Stéphanie comme je traînais devant mes petites pommes de terre.

J'avais arrosé les minipatates de garnitures typiques. Elle avait choisi celles au fromage.

— Tu aimes ça ?

— Non. (Elle désigna le fromage râpé.) Zis tchize, it iz fifty pour cent hair.

— Hair ? (Cheveux ?)
— Oui, pfff, pfff.
Elle fit le geste de respirer.
— Oh, de l'air ! C'est juste que ça fond mieux quand c'est râpé.
— Oui, vendre air iz goude business hein ?
Pauvre fille. Mais la pauvre fille avait raison. Vendre du fromage râpé pas cher sur une patate micro-ondée pas chère, ça peut rapporter gros.

J'aperçus alors une émeute à l'autre bout de la table et m'excusai auprès de Stéphanie. Christine m'envoyait des signaux de détresse oculaires, aux prises avec une horde de cannibales acharnés à lui arracher des lambeaux de chair.
Elle était responsable de la machine à toaster les sandwiches, qui s'avérait le grand succès de la dégustation. Elle s'évertuait à couper le pain grillé en petites bouchées, mais les autres lui arrachaient les toasts entiers dès qu'ils sortaient de la machine.
— Te voilà enfin convaincu par la cuisine anglaise, Marc ?
J'avais courageusement glissé la main entre un toast fromage-jambon et les doigts rapaces de Marc.
— Pas anglaise. Zis iz french. You not know croque-monsieur ?
Il avait beau mépriser mes efforts culinaires, il prenait le risque de s'empaler sur le couteau de Christine pour s'emparer des toasts.

Plus tard, avec Christine, nous fîmes l'inspection des restes. Les restes, tous les cuisiniers vous le diront, c'est le plus important, plus même que ce qui a été mangé.

Le gâteau viande-rognons était un flop absolu. Quasiment intact. Bon, après tout, c'était du bœuf anglais. La tarte au porc ? Peu d'amateurs, et je savais pourquoi. D'un point de vue français, c'était une imitation anémique et maladroite d'une assiette de viande froide. Les pommes au four ? Pas très populaires non plus, mais c'était de ma faute : elles étaient peu pratiques pour un buffet sans fourchettes.

Pourtant, les rangées d'assiettes vides et les piles de questionnaires tachés semblaient prouver que la dégustation avait été un succès. Ils aimaient la cuisine anglaise. Malgré eux.

Je serrai Christine dans mes bras et, en guise de merci, lui posai un bisou mouillé sur la joue.

— Ah ! Tu deviens très français, dit-elle. Pour toi, la bouffe et le sexe, c'est la même chose.

Pour la première fois sans doute dans l'histoire de l'humanité, une assiette de chips au hérisson venait d'être déclarée sexy.

Jean-Marie ne vint pas à la dégustation, mais le récit de sa réussite déclencha son enthousiasme, quoiqu'un peu mécanique.

Il parcourut les réponses au questionnaire et mes suggestions pour faire apprécier la cuisine anglaise par les consommateurs français. Il arborait un look encore plus glamour (si possible) que d'habitude. Une chemise violette lustrée à boutons de manchettes en or monogrammés, un costume tellement bien coupé qu'il semblait liquide. Bronzage à la lampe parfait. Il était assis dans son vaste fauteuil en cuir, sa décoration encadrée suspendue bien en vue derrière son épaule, comme s'il posait pour un portrait.

— C'est bien.

Il mit le papier de côté et sourit d'un air vide.

— Des problèmes ? Une autre manifestation ? demandai-je.

— Oh non. Les paysans ne nous embêteront plus.

— Vos interviews aux télés les ont convaincus ?

— Non, je leur ai donné la liste des fast-foods qui n'achètent pas leur bœuf chez nous. Ils vont vérifier qu'ils ne se fournissent pas à l'étranger. (La collaboration avec l'ennemi, bonne vieille tradition française, apparemment.) Et je vais envoyer Stéphanie refaire d'autres photos avec leurs vaches.

— Ça devrait leur faire plaisir.

— Hein ?

Il semblait soucieux. Pourtant tout avait l'air sous contrôle.

— De toute manière, Paul, vous allez fêter Noël en famille ?

— Oui, je pars ce soir.

À mon tour d'avoir le blues. Cinq jours enfermé dans la maison nickel de mes parents à manger de la dinde sans sauce et à faire semblant de m'exciter avec mon père sur des matches de foot. Avec Alexa, j'avais prévu de partir quelques jours dans le chalet de ses parents, feu de bois dans la cheminée, bien au chaud sous la couette, mais elle avait annulé à la dernière minute. Son père avait rompu avec son nouveau petit ami, et il ne voulait pas rester seul en cette période d'agapes familiales. La mère, de son côté, était à la colle avec un fabricant ukrainien de DVD pirates.

— Je viens de vous envoyer un mail qui fait le point sur l'avancement du projet, dis-je à Jean-Marie.

— Ah, oui, bien.

— C'est pas long.

— Ah.

— Je vous ai prévenu. Mon équipe n'est pas exactement une force de production. Plutôt un cours d'anglais hebdomadaire. Il va falloir faire des changements radicaux après Noël, vous ne croyez pas ?

Avant que Jean-Marie puisse répondre, Christine glissa la tête par la porte et annonça que l'inspecteur était en bas à la réception.

— La police ? Ils ne sont plus en grève ? demandai-je.

— Non non. Un inspecteur du ministère de l'Agriculture.

— Ah, oui ? Il vient vous féliciter pour...

D'un signe de tête, je montrai le certificat. L'expression de Jean-Marie me fit comprendre mon erreur. Peut-être son hypocrisie revenait-elle le hanter, comme un morceau de bœuf anglais mal digéré. Il se leva et resserra son nœud de cravate pourtant impeccable.

— En tout cas, Paul, merci. Ne vous inquiétez pas pour le projet. Et si vous vous dépêchiez d'aller prendre votre train ?

Il se dirigea vers la porte. Il me virait du bureau.

— OK Jean-Marie. On se voit après Noël. Je vous rapporterai du pudding.

— OK.

— OK. La preuve qu'il ne m'écoutait plus. Il sourit faiblement, me serra la main et retourna à son bureau.

J'étais perplexe : avais-je eu raison de réserver un billet de retour ?

Janvier

Une maison in the campagne

Hors de France, fort peu de gens connaissent l'histoire secrète de la création de l'Union européenne.

La famille de Gaulle possédait semble-t-il une maison à la campagne près d'une petite ferme qui fabriquait les saucisses les plus tire-bouchonnées du pays. Ce que les Français appellent des « saucissons secs » : de longs salamis étroits, difformes, qu'on suspend pour les faire sécher jusqu'à ce qu'ils deviennent aussi durs qu'une bouteille de vin. Ils sont même si coriaces qu'il existe des boutiques uniquement consacrées à la vente des dangereux couteaux pliants indispensables pour les couper en tranches suffisamment fines pour être consommées.

Bref, de Gaulle était un grand amateur de saucisson. Après la Seconde Guerre mondiale, la paix régnant dans le pays (à part deux ou trois guerres coloniales), le Général avait le temps de passer des week-ends à la campagne. Chaque fois, il insistait pour accompagner son apéro de la spécialité locale.

Mais un vendredi soir, à son arrivée, horreur, pas de saucisson. « Pourquoi ? » demanda le général. On lui répondit que la ferme, en difficultés financières, ne fabriquait plus de saucisson.

De Gaulle ne fit ni une ni deux. Il proposa au parlement une loi accordant des subventions aux petits paysans. Hélas, la grande industrie avait le gouvernement dans sa poche et la loi fut rejetée. De Gaulle se rabattit sur une brillante idée. Pourquoi pas, se dit-il, créer un gouvernement paneuropéen pour subventionner nos saucissons ? Ne pouvant révéler ses vrais motifs, il vendit un concept assez flou, du genre « protéger les producteurs européens contre la concurrence mondiale », aux chefs d'État italien, allemand et espagnol (tous pays fameux pour leur charcuterie, remarquez) et illico presto, le Marché commun naissait. Bientôt, la petite porcherie du Général pataugeait dans l'eurofric et produisait tellement de saucisson qu'il fallait en remettre la moitié dans la nourriture des cochons.

Bon, l'histoire n'est peut-être pas *entièrement* vraie, mais c'est la seule façon d'expliquer l'immuable hostilité de la Grande-Bretagne à l'égard de l'Europe : nos saucisses sont tragiquement blafardes et molles comparées au salami, au wurst, au chorizo et au saucisson sec.

Aujourd'hui, bien sûr, l'Union est pour la France beaucoup plus qu'une source de subventions pour éleveurs de cochons. Désormais, la source abreuve aussi les éleveurs bovins, les horticulteurs, les fromagers, les vignerons, les producteurs d'huile d'olive et toute la gamme imaginable des activités champêtres.

Je n'ai rien contre. C'est ce qui rend la campagne française aussi géniale à parcourir. À quelques kilomètres à peine de Paris, on tombe sur des arpents d'authentique France rurale, peuplés de vrais paysans pour qui Dior n'est qu'un ordre pour chasser les chiens errants.

« Allez le chien ! Dior ! »

Aux premiers jours de janvier, l'idée me vint de participer moi aussi à un grand classique parisien : m'offrir une petite place dans la capsule à remonter le temps, une maison de campagne. Dérangé, direz-vous, pour quelqu'un avec un contrat de un an. Mais je touchais désormais mon salaire entier, je ne payais pas de loyer, et on peut acquérir un petit château en Normandie pour la somme que les Londoniens déboursent pour une niche de chien.

Ma motivation était la même que celle des Parisiens de souche. D'abord j'en avais marre de l'asphalte. Comparé à Londres, il n'y a pas un pouce carré de verdure dans Paris.

Comme la plupart des Parisiens également, j'en avais par-dessus la tête des voisins. Je connaissais à la seconde près l'emploi du temps matinal de la famille qui vivait au-dessus de ma tête. 7 heures, le réveil sonne, braoum, Madame saute du lit, enfile ses godillots ferrés et martèle mon plafond pour aller réveiller les gosses au mégaphone. Les gosses laissent tomber plusieurs caisses d'obus sur le plancher puis foncent vers la cuisine en traînant des enclumes. Ils prennent leur morceau de baguette puis vont s'asseoir devant la télé, qui diffuse forcément un dessin animé où les personnages braillent et explosent. Une fois par minute, l'un des gamins repasse par la cuisine en mode char d'assaut, laisse tomber quelques obus puis repart vers la télé suivi par une famille de kangourous surexcités. Entre-temps, ils ont tiré la chasse une cinquantaine de fois par goutte d'urine. Le raffut culmine avec dix minutes de hurlements intensifs et, à 8 h 15, ils se ruent comme une tornade hors de l'appartement, direction l'école.

À peine ai-je absorbé une infusion calmante de thé que Madame est de retour et lance à l'assaut du désordre une équipe d'hippopotames domestiques, qui claquent du sabot (ou ce qui en tient lieu chez les hippos) au rythme des beuglements nasaux d'un crooner français au stade terminal du chagrin d'amour. Un jour, j'ai osé monter l'escalier pour demander si les hippos avaient réellement besoin de porter des talons aiguilles, mais une snobinarde en collier de perles m'a claqué la porte au nez.

Cela aurait pu être supportable si les gosses n'avaient pas eu école le samedi aussi. Pour ne pas m'abîmer dans des projets d'incendie ou de massacre à la hache, je n'avais plus qu'une solution : me chercher un toit pour le week-end.

N'est-ce pas là ce qui détraque les Parisiens ? Chez eux, ils sont assaillis en permanence par les bruits déplaisants des voisins. Dehors, le seul endroit sûr où marcher est le macadam. Ce double martèlement, par les oreilles et par les pieds, doit à la longue leur taper sur le système et leur décentrer le cerveau.

Ne vous méprenez pas : j'étais heureux de revenir à Paris après Noël. Le simple fait de sortir du train et de m'enfoncer dans le métro avait rechargé mes batteries. Paris est une ville qui vous tire vers l'avant. Je savais que désormais, j'arriverais à me faire servir dans les cafés, à truander dans les files d'attente, à exaspérer les gens d'un simple haussement d'épaules. Comme si j'étais enfin devenu bon à un jeu vidéo particulièrement retors.

Quand je retournai au bureau, le premier lundi de la nouvelle année, tout semblait normal. Ni tas de bouse à la réception ni policiers ouvrant les sacs à la recherche de viande illégale. Comme tout le monde, je trouvai plaisant de passer la matinée à embrasser les collègues, boire des cafés et discuter des prochaines vacances.

Une bonne partie de l'après-midi fut consacrée à une tea-party dans le bureau de Jean-Marie en l'honneur de la « galette ». La galette est un gâteau fourré à la frangipane. Stéphanie découpa la galette en parts, puis Christine, étant la plus jeune, dut se cacher sous la table et annoncer à qui revenait chaque part. Cela fait, chacun se mit à mâcher avec précaution, curieux de savoir qui se casserait une dent sur une « fève » de porcelaine cachée dans la pâte. Ce fut Jean-Marie, qui retira de sa bouche une petite vache gluante de frangipane. Ça me paraissait combiné d'avance, sauf qu'il fut obligé de porter jusqu'à la fin de la fête une couronne de papier qui lui donnait l'air idiot.

Sous le vernis des vœux de Nouvel An, Jean-Marie avait l'air un peu tendu. Sa médaille ornait toujours le mur, ce qui signifiait que l'inspecteur du ministère n'était venu que pour une petite discussion sur l'épaisseur des tranches de bœuf. Et quand je fis allusion à mon projet d'acheter une maison à la campagne, en Normandie peut-être, Jean-Marie se proposa illico de m'emmener dans « le plus joli bourg de France », et ce dès le week-end suivant.

Alexa refusa de se joindre à nous – son père venait d'arrêter le Prozac et se sentait « fragilisé » – et à 9 heures le samedi matin je retrouvai Jean-Marie dans le parking souterrain de la société, où il avait laissé sa luxueuse Renault argentée au lavage, et en route pour la campagne.

— Pas de temps à perdre, dit-il. (Il sortit du parking, coupa la priorité, klaxonna des piétons et se faufila dans la folle ruée des Champs-Élysées.) Tout Paris va être sur la route.

Visiblement, tout Paris s'était donné rendez-vous autour de l'Arc de Triomphe.

L'Arc est beaucoup plus impressionnant en vrai que sur les cartes postales. Loin d'une modeste arche, il s'agit plutôt d'une double tour de cinquante mètres de haut. Napoléon l'avait commandé pour célébrer sa victoire sur les Russes et les Autrichiens lors de la bataille d'Austerlitz en 1805 (d'après mon guide, et je n'ai aucune raison de ne pas le croire), et aujourd'hui il se dresse majestueusement, jambes écartées sur un îlot au milieu d'un des plus grands ronds-points d'Europe, connu sous le nom d'Étoile. Le rond-point a douze sorties et mesure un quart de *mile* de diamètre, ce qui laisse aux voitures assez de place pour foncer effectivement dans douze directions à la fois. En tant qu'étoile, ça ressemble plus à un mélange de trou noir et de supernova. Ça aspire les voitures, ça les précipite les unes contre les autres puis ça les recrache par les sorties.

Jean-Marie accéléra dans la mêlée, frémit à peine quand sa superbe voiture neuve faillit être tronçonnée par une Kawasaki kamikaze. Puis il enfonça son klaxon, comme si cela pouvait l'empêcher de percuter le flanc d'une minuscule Smart surgie de nulle part à cinquante centimètres sous notre nez. Il avait oublié qu'il avait des freins. En slalomant, il rata de peu quatre ou cinq bolides. Combien de secondes restait-il avant que sa chance l'abandonne et que je me retrouve à mâchouiller mon air-bag ?

Je dois l'admettre : je m'amusais, comme peut s'amuser un suicidaire. Stupéfait devant cet étalage de tactiques d'évasion, j'étais pris d'une poussée d'adrénaline expulsée par les nerfs de tous ces conducteurs contraints de zigzaguer au ras des capots pour trouver la sortie. Parfois ils s'arrêtaient pile au milieu du maelström, même si le véhicule d'assaut de Jean-Marie les chargeait sur leur flanc.

— Les compagnies d'assurances ne font jamais d'enquête sur les accidents à l'Étoile, m'expliqua Jean-Marie. Ce serait comme demander à un boxeur comment il s'est cassé le nez.

Il se mit à rire, ce qui lui fit fermer les yeux. Pendant au moins trois secondes.

— Super, dis-je.

Je fermai les yeux moi aussi et attendit l'inévitable.

Miracle, l'inévitable se révéla évité et nous fûmes recrachés hors de l'attraction gravitationnelle de l'Étoile. La folie de Jean-Marie se limita désormais à parler dans son portable, à surfer entre les files pour gagner de précieuses microsecondes et brûler les feux rouges.

— Les feux rouges, c'est comme les queues, dit-il avec mépris. C'est pour les gens qui ont du temps à perdre.

Nous arrivâmes à un carrefour marqué « Nord ». Il prit à l'ouest.

— La Normandie n'est pas dans le nord ? demandai-je avec stupéfaction.

— Non, c'est au nord-ouest, dit-il en virant, cette fois vers le sud-ouest. Mais on ne va pas aller vers la côte. Y a trop de Parisiens. On appelle ça le 21e arrondissement. Trop cher pour vous.

Mon sort était scellé.

Nous nous éloignions du soleil à environ deux fois la vitesse limite. Jean-Marie conduisait si vite qu'il donnait l'impression de vouloir nous emporter vers la nuit. Il n'était pas le seul. Nous roulions en quatrième ou cinquième position dans une colonne de grosses voitures lancées sur l'autoroute à la même vitesse, profitant de leurs puissances combinées pour effrayer les lents et les faire dégager de la voie rapide. Dans la pratique, on ne se sentait pas forcément en sécurité, car on longeait le chaos de la file de droite d'où surgissaient sans prévenir des gens qui doublaient des camions et se collaient à quelques centimètres du type de devant. On comprend pourquoi la France a les pires statistiques routières d'Europe. Une écharpe de brouillard, une goutte de pluie, et cette conduite devient au sens propre meurtrière.

Ce jour-là il faisait sec, avec un peu de gel. Une petite nappe de verglas nous aurait envoyés déraper jusqu'à l'Atlantique, mais Jean-Marie avait décidé de courir le risque. Pour nous propulser à travers la campagne, il gardait les yeux rivés sur la voiture de devant, guettant le moindre ralentissement pour essayer de doubler. Tout en râlant contre ces ingrats de paysans. Le ministère avait reçu un tuyau, dit-il, et il avait fallu prouver à l'inspecteur que toute la viande était bien d'origine légale.

— Aucun problème, évidemment.

— Évidemment.

Et maintenant il fallait qu'il aille voir « quelqu'un qui a de l'influence sur les paysans », et « leur lécher les pieds comme un esclave face au caïd ».

Je voyais mal ce qu'était un caïd, mais à la tête de Jean-Marie, sûrement un type qui ne se lavait pas entre les orteils.

On sortit de l'autoroute avant Chartres pour nous enfoncer dans une zone de collines et de bois, semée de fermettes et de hameaux à quatre maisons.

On émergea des collines dans une grande plaine baignée de soleil, et Jean-Marie baissa sa vitre pour se remplir les poumons d'air frais.

— Nous y sommes, dit-il en pénétrant sur la place centrale d'un bourg pittoresque et délabré nommé Trou-sur-Mayenne.

C'était jour de marché. Des camions blancs étaient garés pêle-mêle dans tous les coins. Les gens tournicotaient, chargés de sacs énormes au bord de l'explosion, prêts à asperger les rues de laitues et de miches de pain croustillant. Des vieux en salopette et casquette, appuyés contre le mur de la halle, bavardaient dans des nuages de fumée de cigarette. C'étaient des paysans, sûrement en train de commenter les nouvelles subventions qu'ils allaient toucher pour peindre leurs cochons aux couleurs du drapeau européen.

La halle du marché se résumait à un toit de tuile posé sur de lourds piliers de pierre. Le toit était maintenu par un enchevêtrement de poutres massives, grossièrement équarries, et des solives métalliques à peinture écaillée. À l'intérieur s'alignaient des rangées de stands tenus par des gens aux doigts rougis, sous plusieurs couches de vestes, qui se réchauffaient en aboyant au nez des badauds pour les décider à acheter leur quota d'opulence française. Certains stands ne vendaient que des pommes de terre et des légumes verts, d'autres uniquement des pommes et des poires. Il y avait un camion de boucher entouré de clients et un autre camion de boucher avec zéro clients, et un stand de poissons à toit bleu d'où pendait une énorme tête de thon décapité qui fascinait les enfants. J'aperçus encore une longue rôtissoire de porcelets à côté d'une monstrueuse marmite de patates en train de mijoter : un snack-bar pour ogres.

— Beaucoup plus typique que la Normandie, me dit Jean-Marie. Et maisons nettement moins chères. C'est par là.

Il désigna, de l'autre côté de la place, une maison de pierre avec un nom peint en doré, que je ne pus lire, au-dessus d'une petite vitrine à rideaux.

— C'est un notaire, dit Jean-Marie. Il s'appelle Lassay.

— Lassay, répétai-je en m'efforçant de ne pas penser à une fidèle colley.

— Il vend aussi des maisons. Il vous attend.

— Vous ne venez pas ?

— Non, j'ai des choses à faire. Il va vous faire visiter, puis vous ramènera à Chartres, où il y a un train pour Paris. Mettez le billet en note de frais.

Une minute plus tard, j'étais sorti de la voiture et Jean-Marie avait disparu dans la foule du marché. C'était sa façon de m'aider. Me conduire où je ne voulais pas aller et m'abandonner. Et si ce fameux Lassay était parti en week-end ? Y avait-il des taxis dans ce trou paumé ? Ou bien devrais-je rentrer en stop à l'arrière du camion de poissons ?

Mais Lassay était chez lui, et ce ne fut pas une vision très encourageante. Dans sa petite boutique surchauffée, il se rôtissait le dos à la cheminée. Plafond bas, avec pour tout mobilier un épais bureau en bois tendu de cuir, une chaise pivotante high-tech et deux placards à dossiers en métal rouge sombre. Une photo grisâtre du marché d'avant l'ère automobile pendait au-dessus de la cheminée de marbre, comme si M. Lassay venait de s'en éjecter pour atterrir dans le présent.

Imaginez un personnage de Dickens ne sachant pas comment s'habiller avec des vêtements « modernes ».

La cravate nouée de travers enjambait le col de chemise, le pantalon bouffant était serré à la taille par une fine ceinture de cuir, et il avait enfilé une grosse veste de laine qui faisait penser à un patchwork de vieux paillassons. Ses longs cheveux blancs, clairsemés, étaient vigoureusement brossés en arrière pour ne pas lui retomber sur les yeux.

— Vous êtes M. Lassay? demandai-je en français.

— Oui.

Il me serra la main avec amitié.

— Vous vendez maisons?

— Si je vends des maisons? Non.

— Non?

— Les maisons à vendre, c'est pas ce qui manque. C'est le bon moment pour acheter, mais je n'en ai qu'une. La mienne. Vous pouvez l'acheter si vous voulez, dit-il en gloussant.

— Mais M. Martin me dit que vous avez maisons pour vendre.

— M. Martin? Vous le connaissez?

— Oui.

— Oui, bien sûr!

Je me retournai. La dernière phrase venait d'un escalier en colimaçon caché derrière la porte. Un homme d'une trentaine d'années déguisé en gentleman-farmer fringant, pantalon de velours kaki, gilet jaune et veste de velours brun, s'approchait avec un grand sourire, main tendue.

— Guillaume Lassay, dit-il. Voici mon père. Maman n'est pas encore revenue des courses? demanda-t-il à papa.

Papa grommela. Qu'on le laisse passer le temps tranquille pendant que sa femme arpentait le marché !

Je me présentai à Guillaume et tentai de répéter ce que Lassay senior venait de dire sur l'opportunité d'acheter.

Lassay junior se mit à rire.

— Il y en a peut-être beaucoup à vendre mais... pas forcément ce que vous cherchez. Ce ne sont pas toutes des maisons de campagne. J'en aurais bien une. Un cottage. Très beau, et pas cher. Allons voir ça tout de suite.

Il se pencha sur le bureau, ouvrit le tiroir du milieu et en sortit un imposant trousseau de clés. Il arracha une étiquette de l'anneau et fourra les clés dans la poche de sa veste en me poussant vers la sortie.

— On va visiter la maison, puis je vous emmènerai dans le meilleur restaurant de la région.

— Oh, mais...

Méfie-toi des agents immobiliers, surtout quand ils sont trop généreux, me dis-je, ils ne sont pas différents du tueur en série qui te propose d'essayer des menottes pour voir si elles te vont.

— M. Martin tient à vous inviter, pour s'excuser de son absence, insista Lassay.

— Il vient pour déjeuner ?

— Non, mais il réglera l'addition.

— Ah, OK, bien.

Et je me laissai escorter vers une Mercedes d'un bleu océanique.

À la sortie du bourg, plusieurs maisons affichaient des pancartes « À vendre » sur la façade.

— Ces gens ont envie de quitter la ville et de vivre à la campagne. Comme vous, monsieur Veste.

— Mais, euh, c'est ici la campagne là, déjà, non?

Ces pavillons soi-disant urbains étaient entourés de jardins qui donnaient sur des champs jusqu'à l'horizon. Comparé à Paris, on était en pleine jungle.

— Oui, mais là où nous allons, c'est la *vraie* campagne.

Après cinquante arrêts à des ronds-points et vingt minutes de route à travers des forêts obscures et froides, à monter et descendre des mamelons abrupts, nous arrivâmes dans une vallée, au bord d'une rivière bordée sur chaque rive de hauts arbres squelettiques. À intervalles d'une centaine de mètres on apercevait des petites fermes, jusqu'à un méandre de la rivière, qui coupait la vue.

— Voilà.

En sortant de la voiture, je fus cueilli par un silence assourdissant. On pouvait presque entendre la fumée s'échapper d'une cheminée à deux champs de là. Des petits oiseaux gambadaient partout. Un corbeau battit des ailes au faîte d'un arbre et c'était comme s'il venait de tirer un coup de fusil. M. Lassay avait raison : c'était la vraie campagne.

Nous étions garés sur une rive herbeuse devant une merveille de cottage, une bâtisse de pierre, carrée, sans étage, à toit de tuiles moussues et fenêtres jaune clair. Des pelouses épaisses et des arbres fruitiers dénudés entouraient la maison. À côté s'élevait une grange transformée en garage et en appentis, avec un portail neuf et une lucarne dans le toit de planches.

— Vous possédez les champs jusqu'à ces arbres là-bas, dit M. Lassay comme si j'étais déjà propriétaire.

Il montrait du doigt, au-delà des arbres fruitiers, deux prairies en pente. Sur l'une il y avait un tracteur, sur l'autre des moutons. La maison était livrée avec sa ferme joujou.

Lassay sortit les clés et me fit entrer. L'intérieur avait été rénové avec goût. Dans le living, une cheminée de pierre montait jusqu'au plafond et des poutres apparentes menaçaient de vous casser la tête à chaque pas, mais la cuisine était flambant neuve, comme la salle de bains, les toilettes et la chaudière électrique d'un gabarit impressionnant. Le living et les deux chambres étaient meublés comme il se doit par d'élégantes reproductions de mobilier rustique.

— Tout est inclus dans le prix, dit M. Lassay.

C'était les premiers mots qu'il prononçait depuis qu'on était entrés. Pas de pression, il tenait juste à me faire sentir quelle bonne affaire j'avais dégottée. Une résidence de vacances déjà cent pour cent fonctionnelle, vendue au prix d'une ruine sans toit.

— Pourquoi c'est, euh, pas du tout cher ? demandai-je.

Question idiote pour un acheteur, mais j'avais besoin de savoir.

M. Lassay haussa les épaules, pas d'un air excédé comme les Parisiens, juste pour signifier son ignorance.

— Ce sont les prix par ici. On est loin de Paris.

La grange était aménagée moitié garage moderne, moitié serre primitive. La moitié garage avait un sol de béton et un petit local fermé à clé, pour les vélos j'imagine. La moitié serre avait un sol de terre et des murs en mauvais état. Ça sentait le pétrole et le bois sec.

— Bonjour.

Un petit personnage à casquette se tenait dans l'entrée de ma grange. Mon premier cambrioleur ?

— Bonjour.

Visiblement, M. Lassay le connaissait et il alla lui serrer la main. C'était un paysan, la soixantaine, un nabot avec d'énormes paluches et des joues rouge brique.

Ils se mirent à parler de moi dans le patois local, mélange impénétrable de français et d'égyptien ancien.

M. Lassay semblait confirmer que j'étais susceptible d'acheter les lieux. L'expression du fermier suggérait la surprise. N'avais-je pas le type gentleman farmer ? Non, pas vraiment. Je baissai les yeux sur mes baskets coagulées en sculpture de boue. La campagne était encore plus sale que les trottoirs de Paris et mes pieds renvoyaient l'image même de mon irréalisme.

Les deux hommes discutaient toujours. Le fermier agitait le bras vers les champs d'une façon menaçante. N'étant pas expert ès mœurs agricoles françaises, je me demandais si l'homme était livré avec les murs. Étais-je en train de l'acheter lui aussi ? Et les années de moissons pourries, serais-je obligé de le nourrir ? Quand il serait trop vieux pour travailler, serait-ce à moi de l'emmener dans les bois et de lui tirer une balle dans la tête ?

M. Lassay multipliait les gestes apaisants et le fermier s'éloigna, non vers la route mais dans mon verger. Le culot de ce type. Il se prenait pour le proprio ou quoi ?

— C'est M. Augème. Il habite la ferme voisine. Il travaille dans ces champs, il voulait être sûr qu'il pourra continuer.

— Ça dépend, euh, comment, euh, qu'est-ce que..., fis-je.

Comment dire en français « de grâce, pas de rituels sataniques ni de tas de bouse devant ma cuisine » ?

— Il paie pour cultiver un champ et mettre ses moutons dans l'autre.

— Il paie ?

— Oui, une somme symbolique.

Tiens tiens, ainsi je percevrais un revenu de mes terres ? Et après tout, si le vieux bonhomme se met à labourer à 6 heures du matin, au moins, en tant que suzerain, je pourrai lui ordonner d'arrêter. Pas comme avec la dame du dessus dans mon HLM.

— Ça vous plaît ?

— Oui, dis-je prudemment, à la recherche de mes restes de sens commun.

Même si le prix demandé était ridicule, il n'y avait pas de mal à le faire baisser.

— C'est petit. Et puis... (Que diable pouvais-je critiquer ?) Il y a beaucoup de... euh, vert, euh... broum-broum. (Je mimai un pousseur de tondeuse à gazon.)

M. Lassay hocha la tête d'un air compréhensif :

— Vous pouvez demander à M. Augème de couper l'herbe, et la lui laisser pour ses moutons. Il peut aussi envoyer les moutons brouter de temps en temps.

— Hum, fis-je, comme si j'hésitais entre un paysan et une horde de brebis pour faire le sale boulot à ma place.

— Pourquoi ne loueriez-vous pas la maison, le prochain week-end mettons, pour voir si vous vous sentez bien dedans ?

— On peut louer au week-end ?

Vision d'étrangers vautrés dans le lit rustique avant que je l'étrenne avec Alexa.

— Non non. Mais si vous pensez sérieusement à acheter, vous pouvez louer pour presque rien et faire l'essai.

— Et je ne garantis pas acheter ?

— Bien sûr que non. Jusqu'à la signature, il n'y a pas de garantie.

— OK, excellent. Prochain week-end, OK ?

— Oui. Parfait. Voici les clés.

— Déjà ?

— Bah, vous m'avez été présenté par M. Martin. Il me dit que vous êtes un jeune homme honnête.

Venant de Jean-Marie, fallait-il y voir un compliment ou une insulte ?

Je n'allais pourtant pas me plaindre de Jean-Marie, qui se montrait si serviable. Élodie était partie aux États-Unis, passer un trimestre à Harvard à l'occasion d'un programme d'échange. Deux fois par an je crois, les enfants des grandes écoles de commerce françaises doivent passer trois mois à l'étranger pour claquer l'argent de leurs parents. Jean-Marie me donna les clés de la voiture d'Élodie et me dit que je pouvais la prendre si nécessaire pour aller à la campagne.

Il me demanda par ailleurs si ça me dérangeait de payer le loyer en l'absence d'Élodie, vu que j'avais l'usage complet de l'appartement. Quand je protestai (ou plutôt : m'étranglai d'incrédulité), il capitula sur-le-champ et déclara qu'il me filerait un bonus pour couvrir un trimestre de loyer. Ces écoles de commerce doivent vraiment coûter une fortune aux parents.

Je rapportai à Alexa cet arrangement financier, et ajoutai qu'à mon avis, il espérait que je bousille la voiture pour toucher l'assurance, mais Alexa rétorqua que j'étais beaucoup trop cynique à l'égard d'un si gentil patron.

Entre Alexa et moi, tout roulait. Élodie partie, elle pouvait rester chez moi sans craindre les exhibitions de cuisine nudiste ou des concours de glapissements à 3 heures du matin. Et puis nous étions désormais capables d'enchaîner une soirée et une nuit sans déclencher de débat philosophique sur « la vraie nature des relations hommes-femmes interraciales dans un monde postféministe ».

Son père avait remonté la pente depuis sa rencontre avec un beau Danois designer d'argenterie. Ce qui nous permit, le week-end suivant, une mission d'exploration vers l'ouest dans la Peugeot 206 d'Élodie. Le temps avait tourné au gris depuis le week-end précédent, avec menace de pluie, et les autres voitures semblaient résolues à garder de l'avance sur les nuages (ou à périr). Une sacrée course d'autos tamponneuses.

Je conduisais (ou plutôt : tremblais de peur agrippé au volant), Alexa nettoyait l'intérieur. Ce n'était pas une cinglée de l'hygiène, mais elle était tombée sur un étrange comprimé à tête de mort dans la boîte à gants. Elle m'expliqua que, si on se faisait arrêter pour excès de prudence, on risquait d'être embarqués pour possession de substances illégales. Tout ce qui lui paraissait suspect, elle le jetait par la fenêtre. Une petite bouteille en plastique, un débris végétal noir, une pochette plastique vide. Profitant d'une pause-pipi-café près de Chartres, elle passa à l'arrière et se mit à fourrager sous les sièges. Toutes les cinq minutes je sentais un courant d'air glacé sur ma nuque, et un objet volait par la vitre arrière. J'imaginais un pauvre policier promenant son chien renifleur à la sortie de Paris, la bestiole flairant notre piste et le tirant au pas de course sur deux cents kilomètres.

On était presque arrivés au cottage quand j'entendis Alexa jurer.

— Qu'est-ce qui se passe ? L'appui coude est bourré d'héroïne ?

— Tu n'as pas entendu la radio ?

— Non.

La radio diffusait un bulletin d'infos, gargouillis incompréhensible pour moi.

— Grève d'électricité.

— Bah, on n'a qu'à s'arrêter et acheter des bougies. Je crois qu'il y a une cuisinière à gaz dans la maison.

— Gaz et électricité, c'est les mêmes.

— Ah.

Au marché de Trou, j'achetai de quoi manger pour le week-end, un assortiment de bougies et deux lampes torches. J'eus aussi la brillante idée d'acquérir du charbon de bois et du bois pour pouvoir cuisiner, quoi qu'il arrive.

Un week-end chandelles et feu dans la cheminée à la campagne avec une Française sexy ? Au diable gaz et électricité !

À l'instant où je me garais devant le cottage, il se mit à pleuvoir. Les nuages bouchaient la vallée et les arbres semblaient les retenir pour qu'ils douchent longuement notre week-end de retraite. Pourtant, même sous cette luminosité mouillée, la maison était belle. Alexa ronronnait. J'étais plus que jamais décidé à acheter.

Ma seule envie, c'était de la balancer sur le lit. Je rassemblai mon self-control, résolu à me rendre utile et démarrai le barbecue. C'était un édicule de brique devant la porte de la cuisine, bourré de cendres, ce qui m'obligea à aller chercher une pelle dans la grange et à remplir un sac plastique en salissant mon jean, avant d'allumer le feu. La pluie redoubla. Au moins, ça m'évitait d'avaler la cendre.

Une sorte d'auvent protégeait le barbecue mais la pluie tombait à l'oblique et noyait le feu avant qu'il prenne. J'étendis les bras comme un crucifié pour protéger le foyer avec mon anorak. J'inhalais un maximum de fumée et je sentais le carbone passer dans mes bronches.

Toussant comme un damné, j'aperçus M. Augème, le paysan, à cinq pas de distance, qui me dévisageait par-dessus un muret. Sous l'averse, sa cigarette dansait au coin de sa bouche et il s'adressa à moi en égyptien ancien.

Je devinais le fond du propos.

— Vous êtes taré ou quoi ? Vous les gens des villes, vous savez pas qu'on fait pas de barbecue en plein hiver sous le déluge ?

J'opinai avec gratitude pour cet excellent conseil et m'efforçai de ne pas tousser sur les flammes, déjà en danger de mourir de froid. Quand je relevai la tête, il avait disparu.

Je partageai avec Alexa un maigre repas de viande, salade et fruits, et on décida de finir la cuisson des steaks le lendemain. Alexa n'apprécia que modérément sa viande, crue sous une croûte de charbon à la cendre.

L'après-midi se passa au lit. (Que faire d'autre dans une maison sans lumière et sans chauffage ?) Puis, à la lueur des torches, on se rhabilla pour sortir dîner. Il pleuvait toujours.

Comme vache qui pisse, disent les Français, si poétiquement.

Au lieu de foncer directement à Trou, on alla chez M. Augème. Je piquai un sprint sous la pluie avec une carte pour lui demander s'il connaissait une petite auberge dans les parages.

Il resta sur le seuil et se mit à me haranguer avant que j'arrive à le faire taire et qu'il m'écoute. Il me regardait comme si j'étais un débile mais consentit à me recommander un restaurant. Il ne s'y connaissait pas trop en petites auberges, mais pointa du doigt une autre ville, quelques kilomètres à l'ouest, et m'assura que je pourrais y dîner au casino.

Beaucoup trop chic pour moi. J'aurais préféré un boui-boui de campagne, avec cuisine mitonnée par la même famille que sous les Romains, quand ils traversaient la vallée pour aller se battre contre Astérix, et où je serais tombé sur cette sauce divine que les gastronomes professionnels recherchent en vain depuis des années. À défaut, un dîner dans un casino élégant serait toujours mieux qu'un sous-produit de barbecue.

— Il conseille quoi ? demanda Alexa quand je revins dans la voiture tout dégoulinant d'eau.

— Tu verras. C'est une surprise.

C'est ici, je crois, que j'appris la règle de base des relations hommes-femmes interraciales dans un monde postféministe. La voici : ne promettez rien, surtout pas une surprise, à moins d'être sûr à cent pour cent que ce sera une bonne surprise.

Alexa, voyez-vous, en tant que Française, aurait dû savoir que les casinos français sont situés en bord de mer ou dans une station thermale. Ne me demandez pas pourquoi : se tremper dans la mer ou dans l'eau de source anesthésie sans doute la douleur d'être dépouillé à la roulette. Alexa aurait donc su qu'on n'avait aucune chance de trouver un casino au bout de cette route.

En réalité, on allait dans un Casino. Casino, la chaîne de supermarchés avec parfois, dans ses magasins, une cafétéria.

Alexa aurait dû m'avertir que faire la queue pour voir un employé en uniforme de supermarché jeter un steak-frites sur votre assiette n'est pas le plus sexy des rituels culinaires, même si beaucoup de Français en sont « fans ».

Dans le parking, elle refusa d'abord de sortir de voiture. D'accord, on aurait pu fuir la zone industrielle et filer au centre-ville, mais on n'apercevait pas une lumière à des kilomètres à la ronde. Le supermarché possédait en revanche son propre générateur pour empêcher les frigos de décongeler.

Le bon côté de l'affaire, c'est que je réussis finalement à la persuader d'entrer dans la cafétéria et que nous mangeâmes chaud. Le mauvais côté, c'est que tous les gens du coin avaient eu la même idée et qu'on se retrouva assis à la même table qu'une famille avec un bébé qui crachait partout, un autre qui jouait de la batterie avec ses couverts (et qui crachait partout) et un corniaud adolescent qui ignorait qu'on ne bourre pas de coups de coude les côtes d'un gentleman anglais.

Même ma théorie préférée, d'après laquelle le self reflète parfaitement le comportement français, ne dérida pas l'atmosphère. Plutôt l'inverse, en fait.

Inutile de le préciser, le retour fut silencieux. Déjà heureux qu'on ait passé l'après-midi au lit. Les câlins nocturnes n'étaient pas au programme.

On se coucha avec des bouquins, chacun avec sa lampe torche. Je me plongeai dans une traduction anglaise d'un roman d'Émile Zola, *Le Ventre de Paris*, qui racontait la vie dans le vieux quartier des Halles.

Alexa lisait une traduction française : *Les femmes viennent de Vénus, et les hommes d'une planète têtue où on leur apprend qu'il ne faut jamais demander aux femmes où elles ont envie de passer la soirée.*

Soudain, une séquence brutale et incompréhensible d'événements vint troubler notre lecture allongée. D'abord une moto, qui d'après le bruit pénétrait dans la grange. Cela eut pour effet de rétablir le courant. La lampe de la chambre s'alluma. Quelques secondes plus tard, quelqu'un (le motard égaré, probablement) tapait violemment à la porte.

J'enfilai un pantalon et une veste et partis aux nouvelles. Dans le cottage non chauffé, l'air était glacial, mais désormais tous les interrupteurs, de la chambre à l'entrée, fonctionnaient normalement. La grève de l'électricité était bel et bien terminée, excellente chose. Mais la moto rugissait toujours dans la grange. J'ouvris la porte pour demander au conducteur d'emporter sa Yamaha ailleurs.

C'était M. Augème, tout emmitouflé, qui se mit à palabrer. Je devinai un ou deux mots : je m'améliorais en égyptien ancien.

— Grange, dit-il.

Tiens, du français normal.

Avant que j'aie le temps de lui demander pourquoi il prenait ma grange pour son garage, il m'avait bousculé et se trouvait dans la cuisine, à farfouiller sous l'évier. Je fus surpris plus qu'embêté. Vu qu'il est impossible de bricoler sous un évier sans se retrouver trempé d'eau sale, autant qu'il le fasse lui-même.

Il se releva, s'approcha de la cuisinière et alluma le gaz.

— Que se passe-t-il ?

C'était Alexa qui débarquait dans la cuisine, rhabillée de pied en cap, heureusement.

Le temps que M. Augème vienne à bout de ses explications, j'avais compris deux nouveaux mots clés, après grange.

En y repensant, il avait déjà utilisé ces expressions auparavant, fondues dans son obscur patois, pendant que je m'évertuais à allumer le barbecue, et aussi quand je lui avais demandé où on pouvait manger chaud. Ces deux expressions étaient : « générateur d'urgence » et « bouteille de gaz ».

— OK, je connais mal la vie dans la France profonde, mais toi aussi, avoue-le.

Alexa gigota sous les draps.

— Je veux dire, on aurait pu tous les deux relever les indices, non ? Tiens, quand on est passés chez M. Augème par exemple, pourquoi n'avoir pas remarqué que sa baraque était illuminée comme pour un 14 Juillet ? Ils ont tous des générateurs par ici, c'est ça ?

La gigoteuse émergea, au moins jusqu'au nez, qui se plissa d'une manière adorable quand elle se mit à glousser, de nouveau ouverte à la plaisanterie depuis qu'il y avait du café chaud sur la table de nuit et de l'air chaud pour soulever la poussière des radiateurs.

La paix était revenue et, comme toujours, avait donné un élan neuf au marché immobilier.

— Tu dois acheter cette maison, dit-elle. C'est un refuge idéal loin du monde. Il faut faire quoi pour acheter une maison ?

Tout en parlant, elle s'assit dans le lit et saisit à deux mains le bol de café fumant, la poitrine couverte par une de mes chemises.

— Je ne sais pas. Une étude, je suppose.

— Une étude ? Comme une étude de marché ?

— Non, une étude structurelle pour voir si la maison ne risque pas de s'écrouler ou de s'enfoncer dans la boue.

— Oh, dit-elle avec un haussement d'épaules, pour moi elle a l'air OK.

Cela me fit rire, mais je n'allais pas tarder à constater que l'attitude d'Alexa recoupait celle de tous les Français quand ils se mêlent d'immobilier.

M. Lassay m'avait dit que je pourrais l'appeler n'importe quand pendant le week-end, et c'est ce que je fis, ce dimanche matin, depuis notre lit.

— Est-il possible d'organiser une inspection de la maison ? Pour la structure, vous voyez ? Si elle tombe...

— Une inspection ?

M. Lassay semblait troublé par mes initiatives architecturales.

— Oui, de la structure ? Les murs, le toit, par terre...

Il interrompit l'énumération pour montrer qu'il comprenait mon propos.

— Il y a déjà un certificat comme quoi vous n'avez pas de termites, et pas de plomb, dit-il.

— Pas de plomb ? Attendez une seconde.

Je couvris le combiné et demandai à Alexa s'il était normal que l'évier, la baignoire et les WC ne soient pas inclus dans le prix. Elle me prit l'appareil des mains et eut un échange bref, mais efficace, avec M. Lassay. Scène troublante car elle était nue de la taille aux pieds, tenue qui ne l'autorisait normalement à parler à personne d'autre qu'à moi ou son gynécologue.

Elle masqua le combiné et m'expliqua.

— Il ne parle pas de *plomberie*, idiot, dit-elle. Il veut dire qu'il n'y a pas de *plomb* dans la peinture.

— Du plomb ?

— Comment vous dites ça en anglais, on en mettait dans la peinture, avant ? On fait des balles de revolver, avec.

— Aoh, *lead* ?

— C'est ça, quand on vend une maison, il faut un certificat disant qu'il n'y a pas de plomb dans la peinture. Et pas de termites. Et pas d'*amiante*.

— *Ants* ? Des fourmis ? J'en ai vu plein dans la cuisine.

— Non, *amiante*. Le truc, là, qui ne brûle pas.

— La laitue ?

— Non, idiot. On s'en sert pour les plafonds.

— Oui, la laitue.

— Crétin. Parle-lui.

Elle me rendit le téléphone.

— Il faut signer une *promesse de vente*, me dit Lassay. C'est la promesse d'acheter à un certain prix.

— Une promesse pour acheter ?

— Après vous avez sept jours pour changer d'avis. Je peux vous apporter une promesse de vente tout de suite, si vous voulez la parcourir.

— Tout de suite ? C'est que...

Comme pour me convaincre d'accepter, une troupe de guérilleros immobiliers en position autour de la maison ouvrit le feu sur le jardin.

Alexa hurla.

— OK, venez tout de suite, dis-je à M. Lassay. Avec la police, vite. Ils nous attaquent au boum-boum.

Le temps de trouver le courage de nous habiller (qui a envie de se faire descendre à moitié à poil ?) et de jeter un œil par la fenêtre, une accalmie se fit dans la fusillade. Par la fenêtre de la chambre, j'apercevais le coin de la grange, une grande partie du verger et les champs derrière le flanc de la vallée. Le verger semblait hérissé d'une végétation nouvelle, des troncs orange fluo et des branches en forme de fusils.

Des chasseurs ! Une bande de six ou sept individus munis d'armes à pompe écoutaient M. Augème qui agitait les bras et montrait la maison.

— Pourquoi sont-ils en veste orange ?

J'avais toujours cru que les chasseurs avaient intérêt à se rendre invisibles, pour ne pas annoncer à tous les êtres vivants à la ronde qu'arrivaient des tueurs en liberté.

— Parce que sinon ils se tirent dessus, expliqua Alexa. Ils sont connus pour tirer sur tout ce qui bouge. Chats, chiens, promeneurs, et surtout autres chasseurs.

Alors maintenant ils se mettent en orange. Et puis, c'est plus facile de les retrouver, en pleine forêt, quand ils s'écroulent en plein coma éthylique.

— Viens, allons voir ce qui se passe, dis-je, non sans courage.

Avec Alexa, on fit le maximum de bruit en ouvrant la porte de derrière et on sortit en parlant fort pour que les chasseurs entendent qu'on n'était pas des lapins.

Je criai un grand bonjour et on avança sans se presser du côté du verger.

M. Augème en était à la distribution de cigarettes. À notre vue, il fit signe aux chasseurs de décamper, et ils se mirent en marche en direction des champs.

Augème vint à notre rencontre, nous serra la main et annonça que c'était une belle matinée. En effet : le ciel affichait un gris lugubre, avec des nuages bas, mais l'air n'était pas glacial. Maintenant que les fusils s'étaient tus, les oiseaux relevaient la tête dans leurs tranchées et osaient chanter à nouveau.

— Quoi ici, e-euh, arrive pourquoi ? demandai-je au vieux fermier.

Alexa traduisit la réponse : les chasseurs croyaient la maison vide. Ils ne viennent jamais ici d'habitude. Ils voulaient nous protéger des lapins.

— Parce qu'il y a des lapins géants carnivores dans le coin ? demandai-je.

— Oui, ils dévorent les moutons et tous les légumes qu'on plante.

— Mais nous, nous aimons le lapin, dis-je à M. Augème d'une voix sévère.

Le vieil homme eut l'air d'approuver. Alexa traduisit.

— Il dit qu'il est content d'entendre ça et que les chasseurs nous en donneront deux pour le déjeuner si la chasse est bonne.

— Dis-lui que je ne mange jamais d'animaux que je dois écorcher moi-même.

— On ne peut pas refuser. Nous allons être ses nouveaux voisins.

Je sentis une petite décharge de bonheur. C'était la première fois qu'Alexa parlait d'elle et moi en disant « nous ». C'était toujours « ma maison » qu'on essayait, et quand nous allions chez ses amis, c'était parce qu'ils avaient envie de me connaître, pas parce qu'ils avaient invité le couple.

— OK, on pourra toujours enterrer les lapins quand il fera nuit.

— Pas du tout. Je vais les faire cuire.

Alexa remercia M. Augème pour son offre et nous nous éloignâmes dans les champs sur la piste des chasseurs, qui déjà atteignaient la ligne d'arbres et se dispersaient à nouveau en formation de combat, leurs vestes fluo dansant comme des gilets de sauvetage sur une mer de boue. Dans le champ voisin, les moutons s'éloignèrent d'instinct et en masse à l'approche des hommes en armes. Qui a dit que les moutons sont stupides ?

M. Lassay débarqua une heure plus tard et les négociations s'engagèrent autour de la table de la cuisine. Il faisait encore plus british que l'autre jour, avec sa veste cirée et ses bottes à élastiques reluisantes.

Il avait apporté sa promesse de vente, un petit livret avec de grands espaces blancs pour la description de la maison, du terrain, des propriétaires présents et futurs. Il avait commencé à remplir avec soin les réponses à l'encre bleue, et m'expliqua les différentes étapes. Il fallait signer le formulaire, déposer un chèque de dix pour cent du prix, puis réfléchir tranquillement pendant une période de sept jours pendant laquelle je pouvais me rétracter sans perdre mon dépôt. Si je changeais d'avis après le délai, le vendeur gardait les dix pour cent. D'ici là, il n'avait pas le droit de vendre à quelqu'un d'autre, même s'il recevait une offre supérieure. Le formulaire fixait une date, à deux mois de là, pour signer la vente définitive (l'acte de vente). Tout paraissait clair, sauf une chose.

— Vous êtes l'homme légal, ou l'homme qui vend ? demandai-je.

Il hocha la tête – bonne question.

— Dans les petites villes, nous sommes souvent à la fois notaire et agent immobilier. Les gens nous demandent de vendre leurs maisons parce qu'ils savent que nous le ferons dans les règles.

Il me poussa sous le nez les certificats de termites, de plomb et d'amiante, puis une liasse de papiers agrafés qui listaient les surfaces exactes de la propriété – chaque pièce, la grange, le jardin, le verger, les champs, tout mesuré au millimètre carré par un arpenteur agréé.

— Je trouve, euh, notaire aussi, moi ?

— Si vous voulez. Je peux aussi m'en occuper pour vous. Il n'y a pas beaucoup de notaires par ici, et un Parisien ne voudra jamais se déplacer.

Il renifla de rire à l'énoncé d'une idée aussi ridicule.

— Vous pouvoir faire quoi pour moi, les choses légales ?

— Oh, je peux m'assurer que la commune, le bureau du maire, ne veut pas acheter la maison pour y faire un logement municipal. Mais il n'y a aucun risque... (Il posa une main rassurante sur mon bras.) Je m'assure que la SNCF n'a pas l'intention de construire une nouvelle voie ferrée dans la vallée – aucun risque non plus. Il y a déjà le TGV qui ne passe pas loin au sud. Et je prépare l'acte de vente définitif.

— Je paie vous combien pour ça ?

Il ne parut aucunement offensé par la question.

— À moi personnellement, pas beaucoup. À l'État, pas mal. Il y a cinq pour cent du prix en taxe.

— Cinq pour cent ?

— Oui, et c'était encore dix récemment.

Même avec un rajout de cinq pour cent, l'affaire restait excellente. M. Lassay dévissa un stylo Montblanc noir ultrachic et je signai deux copies du formulaire, une pour le vendeur, une pour moi. Je rédigeai un chèque et l'agitai dans l'air tiède de ma nouvelle cuisine pour faire sécher l'encre. Alexa me fit un sourire d'encouragement. M. Lassay arborait la mine satisfaite de l'homme qui reçoit un chèque.

— Pouvons-nous venir aussi prochain week-end ? demandai-je.

— Oui, aucun problème à mon avis. Après tout, cette maison est déjà presque à vous. Vous laisserez M. Augème s'occuper des champs ?

— Pourquoi pas ? dis-je en haussant les épaules.

— Parfait. Je vais aller le voir pour le rassurer. Il aimerait pouvoir commencer à planter.

— Planter quoi ?

— Je ne sais pas. Ne vous inquiétez pas, ces vieux fermiers sont tous bio, en fait.

— Bio ?

— *Organic*, traduisit Alexa.

On se souhaita tous un bon dimanche puis M. Lassay sortit ses clés de voiture.

— Vous avez de la chance avec votre générateur, dit-il. En ville nous n'avons pas d'électricité. Comme au Moyen Âge. On ne peut plus lire après 6 heures du soir.

J'étais le roi du monde.

Le week-end qui suivit aurait pu être programmé par une boîte de software dans un film interactif titré *Cent raisons de prouver votre intelligence en achetant une part de France rurale*, conçu avec le temps idéal – air vif qui sèche la boue et donne envie d'aller gambader sur les sentiers sinueux. Les concepteurs auraient zappé les chasseurs (qui en fait, d'après M. Augème, ne cherchaient pas à tuer des lapins mais s'étaient retrouvés dans ce coin de vallée à la poursuite d'un sanglier qui ravageait des plantations de jeunes arbres). Les programmeurs auraient doté Alexa d'une libido débordante et du désir inédit de cuisiner d'énormes repas avec les produits locaux du marché (reconstitué à partir d'images pittoresques fournies par le ministère français des Clichés alimentaires). Les concepteurs auraient même rétabli l'électricité, en injectant un accord entre les syndicats et Électricité de France, laquelle se serait engagée à réactiver ses projets de vente d'énergie nucléaire au tiers-monde, garantissant ainsi l'emploi à vie aux travailleurs français.

J'aurais été fou de lâcher l'affaire. Je sirotais du vin blanc de Loire, en me demandant à quel endroit encore embrasser Alexa, et le délai de sept jours s'en alla sans bruit par la fenêtre, direction le bureau de Lassay.

L'achat d'une parcelle de France déclencha un glissement subtil de ma mentalité. Je comprenais mieux, maintenant, l'attitude des Parisiens au travail. Les jours ouvrables devinrent pour moi cette période de souci tolérable comprise entre deux week-ends. Le vendredi après-midi n'était plus qu'une petite heure de bureau après le déjeuner, pendant laquelle on repère sur Internet les bouchons aux sorties de Paris.

Le projet Salons de thé hiberna tout au long de janvier, sans que je me tracasse. Je m'intéressais beaucoup plus à la progression de M. Lassay dans la jungle de la paperasse légale. Chaque fois que j'appelais pour prendre des nouvelles, il me répondait sur la même ligne qu'Alexa : tout est OK.

Un samedi après-midi, j'étais avec Alexa au cottage, que je louais désormais tous les week-ends, quand

Jean-Marie passa le nez par la porte de la cuisine pendant qu'on buvait le café. Il passait dans le coin « pour embrasser le caïd ».

— Le caïd ? demanda Alexa.

Jean-Marie était trop intéressé par les attraits d'Alexa pour daigner répondre. Il demanda qui était « cette belle jeune fille » et lui serra la main assez longtemps pour imprimer ses empreintes digitales sur sa paume. Il la surplombait tel le héron guettant le moment propice pour embrocher la pauvre carpe innocente.

Le pire : Alexa lui souriait, le regardait dans les yeux et avait l'air d'aimer ça.

— Vous voulez jeter un œil sur la maison ? demandai-je à Jean-Marie.

Je le voyais bien commencer par le verger puis marcher dans les champs jusqu'à ce qu'il s'enlise dans la boue.

— Prenez plutôt un café, proposa Alexa.

— Non, c'est pas l'envie qui manque, mais je dois y aller, dit-il en s'arrachant d'Alexa avec un bruit de viande déchirée quasi audible. Le caïd a un caillou à la place du cœur.

À ce trait poétique, Alexa minauda d'admiration, puis Jean-Marie décampa, laissant un nuage de testostérone dans son sillage.

— Qu'est-ce qu'il veut dire ? demandai-je.

— Je ne sais pas. Que le caïd a un cœur de pierre, dit Alexa avec un regard éperdu vers la porte. Il est très sympa, ton patron.

— Sympa ? Non, aujourd'hui il fait la gueule. Quand il est sympa, il se met à genoux et c'est parti pour le sexe oral.

— Ah, tu es jaloux ! dit-elle, comme s'il était pervers de ma part de réprouver l'attitude libidineuse de Jean-Marie.

— Oui, je suis jaloux. Qui ne le serait pas ?

Je me disais qu'Alexa serait flattée d'entendre ça, et j'avais raison.

Je mentais, pourtant, je n'étais pas jaloux, j'étais fou de rage. Quelle crapule, draguer ma petite amie, devant moi ! Si j'avais été dans le jardin en train de planter des pommes de terre, sûr qu'il l'aurait embarquée faire un tour dans sa baisemobile de fonction. Au minimum, il lui aurait soutiré son numéro de téléphone.

Un rappeur aurait rameuté sa tribu pour organiser une expédition punitive. Mais j'étais un gentleman farmer (enfin presque), aussi décidai-je de représailles moins radicales.

J'eus le plaisir de constater que Stéphanie n'avait pas changé son mot de passe, et qu'elle avait gardé la délicieuse habitude de jeter ses messages sans vider la corbeille. Mieux : elle n'avait pas encore compris que le dossier « messages envoyés » stockait toute sa correspondance, pour le plaisir des indiscrets. On devrait interdire à ce genre de personne de s'occuper d'importations illégales de viande.

Un soir, je restai tard à la boîte pour inspecter son courrier récent. C'était un mercredi, quand les bureaux sont plus vides que d'habitude parce que les mamans prennent leur journée pour s'occuper des enfants.

Un silence de mort régnait à l'étage tandis que je me faufilais de mon bureau dans celui de Stéphanie.

Les premiers indices signalant l'existence du « caïd » étaient apparus un mois plus tôt, dans un mail de Jean-Marie qui disait : « je m'en occupe » en réponse à Stéphanie : « il faut absolument calmer le jeu avec pn ». Calmer le jeu avec PN ?

Je fis une recherche de messages contenant PN, curieux de savoir de qui il, ou elle, s'agissait. Dans l'un d'eux, Stéphanie prévenait Jean-Marie qu'ensemble, PN et Pêche et Patrie pouvaient causer de « graves ennuis » dans la « circonscription » de Jean-Marie, et à la société aussi. La pêche pouvait-elle vraiment faire mourir d'ennui Jean-Marie pendant l'ablation de son prépuce ? J'avais besoin d'Alexa pour traduire.

J'imprimai le message et remontai le temps, jusqu'à un mail expédié la veille de la manifestation devant la boîte. Le jour où j'avais découvert le trafic de Jean-Marie.

C'était un long message, tapé avec soin, avec tous les accents, une sorte de circulaire. Stéphanie l'avait transféré à Jean-Marie, puis supprimé. Il émanait d'un représentant du Parti National, un nom que même moi je pouvais identifier. PN, bien sûr. Le parti d'extrême droite qui s'était propulsé jusqu'au deuxième tour de l'élection présidentielle en 2002. Le mail était un tissu d'euphémismes, mais j'en devinai le sens. L'heure était au patriotisme, pas à l'internationalisme. La globalisation était un cancer qui dévorait les traditions françaises. Un message que le PN rappellerait avec force aux prochaines municipales en mai, de concert avec ses associés de Pêche et Patrie. Toute entreprise française, surtout celles impliquées dans l'économie rurale, devait se le tenir pour dit.

Il aurait pu s'agir d'un simple appel à acheter français, si Stéphanie n'avait ajouté un petit additif en le transférant à Jean-Marie : si je comprenais bien, elle lui demandait s'il avait l'intention de se représenter aux élections de mai. Représenter ? Élections ? Jean-Marie, vendeur de viande hachée, futur propriétaire de cafés, était-il donc aussi un politicien ?

J'imprimai encore plusieurs mails que je tenais à relire et sortis du bureau.

Il me fallait faire très attention avant d'entreprendre Alexa sur mes problèmes de traduction. Si ça se trouvait, la technique Jean-Marie de séduction par hypnose avait des effets à long terme.

Nous étions au cinéma, attendant le début d'un documentaire sur les conditions de travail des ouvrières chinoises qui fabriquent une certaine marque fort connue de poupées pour filles.

Nous venions d'acheter des ice-creams hors de prix à une ouvreuse sous-payée quand je demandai d'un ton naturel, à brûle-pourpoint, ce qu'était Pêche et Patrie. Pêche et Patrie s'avéra être un parti politique rural, créé par des chasseurs et des pêcheurs pour défendre leur droit d'ignorer les lois européennes sur le massacre des espèces protégées assez imprudentes pour traverser la France lors de leurs migrations. Apparemment, ces types-là mettaient dans le même sac immigrés humains et à plume : du gibier bon à tirer.

— Il paraît, dis-je à Alexa pendant une pub pour un volumineux 4 × 4 diesel, que Pêche et Patrie pourrait s'allier au PN aux élections municipales de mai.

Cela ne la surprit pas, et elle mordit d'un air indifférent dans son cône chocolat.

— On élit qui exactement, aux municipales ? demandai-je.

— Ma mère, dit-elle.

— Hein ?

— Ma mère pour les villes, les villages et les arrondissements.

Mon incompréhension l'énervait, même si la musique de cette interminable pub pour monstres dévoreurs de gas-oil rendait toute conversation, même entre gens parlant la même langue, quasi impossible.

— Les maires ! me cria-t-elle juste au moment où la musique s'est arrêtée.

— Oh, les maires ! répétai-je en frottant mon oreille endolorie, tandis qu'un pressentiment me tordait l'estomac.

Je me calai dans mon siège et me préparai à apprendre pourquoi il ne faut plus que j'achète des poupées fabriquées en Chine.

Sitôt de retour chez moi – seul, car Alexa n'avait pas vraiment envie de galipettes après un film aussi déprimant (pourquoi aller voir ça avec moi, alors ?) –, je fonçai sur le site du gouvernement français et trouvai la preuve que je cherchais.

Le maire de Trou était un certain Jean-Marie Martin, entrepreneur et propriétaire foncier local. Il avait été élu comme candidat indépendant mais, en cliquant sur d'autres résultats électoraux de la région, je constatai qu'il avait profité des scores extrêmement bas des listes PN et Pêche et Patrie, qui réalisaient de gros pourcentages dans les communes voisines.

Sans être paranoïaque, je me posai désormais des questions sur le sympathique Jean-Marie. Il pouvait être 1 heure du matin. À l'étage du dessus, Mme Hippo rêvait de galopades dans des roselières d'Afrique centrale. On n'entendait que de rares cris et rires de fêtards qui passaient dans la rue, et le bourdonnement lointain de la musique du bar gay au carrefour. Ce silence relatif m'aidait à assembler les fragments de soupçons qui voletaient dans mon esprit comme les lambeaux d'un journal déchiré.

Quel genre d'homme, me demandais-je, peut proposer une avance de plusieurs centaines d'euros, remboursable sous forme de loyer ? Pour un homme d'affaires aussi riche que Jean-Marie, ça devrait être des clopinettes. Sauf, bien sûr, si ce type était complètement obsédé par l'argent.

Question suivante : que penser du fait que c'était Jean-Marie qui m'avait si gentiment présenté à M. Lassay ? Et prêté une voiture – sans obligation – pour aller visiter la maison ?

Ces pensées m'empêchèrent de dormir une bonne partie de la nuit.

Le lendemain matin, j'appelai Lassay pour savoir comment les choses avançaient. Comme d'habitude « tout se passait bien », « vous n'avez aucun souci à vous faire », etc. Quel souci, d'ailleurs ? Je pris rendez-vous avec lui pour faire le point détaillé de la situation le dimanche suivant à l'heure du déjeuner.

Puis j'invitai Nicole – la contrôleuse de gestion de VianDiffusion – à déjeuner dans un restaurant qui venait d'ouvrir près du bureau, où le service confinait à la servilité. Un agréable changement, enfin un peu de respect.

Récemment, je n'avais pas beaucoup vu Nicole, qui n'assistait guère à nos « comités ». Pour deux raisons à mon avis : un, nous n'en étions pas au stade où on commence à dépenser les budgets, et deux, elle avait par ailleurs du vrai boulot sur le dos.

Un jeune serveur grassouillet nous tendit les menus, écrits à la craie sur des ardoises. Nicole m'expliqua que j'avais tout faux sur le point numéro un. My Tea Is Rich pompait déjà du fric. La création du logo avait coûté une petite fortune – la sobriété graphique étant sans doute ce qui se paie le plus cher, car il se limitait à ce nom fumeux en Times Roman italique beige. Et les emprunts pour les futurs locaux n'étaient pas donnés, vu le quartier où ils étaient situés. Mais ça n'avait pas trop d'importance, dit Nicole, car lesdits locaux avaient été loués à une chaîne de boutiques de chaussures discount en leasing à court terme.

Locaux ? Emprunts ? Chaussures discount à court terme ? Jean-Marie avait été nettement plus actif que je ne pensais.

Je ne tombais pas des nues non plus. Si Nicole m'avait affirmé que Jean-Marie avait acheté l'État de

Darjeeling et napalmé toutes les autres plantations de thé d'Asie, ça ne m'aurait pas fait bouger un sourcil.

Je mangeai des huîtres, que je pouvais maintenant ingurgiter sans penser à une bronchite, un filet de cabillaud épais de trois centimètres à la sauce moutarde, servi avec du tian. Tout cela, rincé par un vin blanc de Sancerre, pour le prix d'un mauvais sandwich dans un pub de Londres.

Nicole commenta la promesse de vente qui traînait, presque oubliée, sur la table de ma chambre depuis trois semaines.

Procédure standard, dit-elle, même si le délai de deux mois pour l'achat définitif était plus court que d'habitude, probablement parce que je n'étais pas obligé de vendre pour financer la transaction, ce qui simplifiait les choses.

Y avait-il un moyen d'arrêter l'affaire si je changeais d'avis ? lui demandai-je.

Nicole avala sa bouchée de morue et étudia la question.

Les sourcils froncés, concentrée à fond, elle était attirante, au fond, comme une femme d'une autre époque. Elle tripotait son fin collier en or, posait un ongle verni sur ses lèvres qui portaient des traces de rouge à moitié effacé par le déjeuner. C'était une femme qui prenait soin d'elle, un être de chair, même s'il fallait l'observer de près pour s'en rendre compte.

Une lueur d'humour creusait les petites rides de rire (ou de souci) au coin de ses yeux discrètement maquillés.

— Tu veux te payer un petit manoir, c'est ça ? demanda-t-elle.

— Je n'en suis plus très sûr.

— Dans ce cas, dit-elle, en se penchant plus près comme si la businesswoman de la table d'à côté pouvait l'entendre malgré son portable, la façon classique d'arrêter la procédure d'achat d'une maison, c'est avec ta banque. Si elle refuse de t'accorder ton crédit.

— Mon crédit ?

— Oui. Si ta banque refuse le crédit, tu peux récupérer les dix pour cent.

— Ah.

Même une gorgée de vin fruité ne pouvait me remonter le moral. Je n'avais aucune chance de me faire jeter par la banque. Quand le directeur d'agence avait vu mon salaire, mon loyer et le prix de la maison, non seulement il m'avait proposé le prêt, mais il avait tenté de me refiler un crédit automobile, demandé pourquoi je n'achetais pas un petit appartement à Paris et suggéré de profiter du service « mille euros instantanés en liquide pour les petites urgences ».

— C'est la seule façon de sortir du deal ? répétai-je tandis que le serveur remplissait nos verres.

— Oui, si la maison ne s'écroule pas.

Elle gloussa, avec un regard timide autour d'elle pour vérifier que son rire ne gênait pas les autres clients.

— Parfait, je n'ai plus le choix. Je cours acheter des explosifs.

À la façon dont mon verre à moitié plein se renversa sur la table, il était clair que le garçon avait compris ce que je disais.

Le week-end suivant, Alexa ne put m'accompagner. Son père s'était fait lâcher par son designer de cuillères et menaçait d'attenter à ses jours avec un couteau.

Je partis quand même revoir la maison. J'avais besoin d'y retourner, pour m'imprégner de l'endroit avant de prendre une décision.

J'arrivai tard, après le déjeuner. La France rurale déployait son charme habituel : la courbe de la vallée, les lignes d'arbres nus, les toits clairsemés, le tracteur rouge de M. Augème tirant une semeuse sur la pente labourée.

Je garai la voiture devant la grange et me dirigeai vers lui. Dans le verger, la rosée perlait encore sur les hautes herbes et mes baskets de Parisien furent aussitôt trempées. Comme j'arrivais à la lisière du champ, M. Augème fit demi-tour et se mit à redescendre vers moi.

Pour une si petite ferme, c'était un gros tracteur. Bien neuf aussi, pour un si vieux fermier. La cabine était assez grande pour deux et les roues arrière aussi hautes que le bonhomme. Il roulait, imperturbable, calé dans les profonds sillons, sans dévier d'un centimètre en dispersant ses graines.

Il avait parcouru vingt mètres depuis le sommet de la colline quand il leva les yeux et me vit émerger du verger. Je n'étais pas précisément en tenue de camouflage : un pull orange vif et un bonnet de laine blanche pour protéger du froid humide mes fragiles oreilles citadines.

À ma vue, il changea de direction et fila vers l'entrée du champ, qui donnait sur sa propre ferme.

Là il fit halte, descendit de son perchoir et ramassa trois ou quatre sacs plastique qu'il fourra dans la cabine. Puis il regrimpa lestement au volant et repartit en cahotant à toute allure vers son hangar.

Ce n'était sûrement pas parce qu'il avait oublié de mettre une veste propre ce matin.

À travers la clôture de barbelés, j'observai les sillons ensemencés. La machine avait rabattu la terre pour protéger les graines des corbeaux affamés, mais je distinguai des points blancs dans la boue, des grains de maïs tombés hors du sillon.

Sur la droite, dans le second champ, les moutons se tenaient regroupés en deux amas, perplexes devant l'irruption de ce type en orange. Près de la clôture électrique qui les séparait du labour, il y avait deux grands sacs plastique semblables à ceux que M. Augème avait ramassés en toute hâte.

Je m'approchai des sacs abandonnés. Les moutons en conclurent que je devais être un chasseur et s'éparpillèrent dans le pâturage.

C'était des sacs de graines, tout froissés dans la boue. On y lisait le nom de la céréale (maïs), un numéro de série et le logo d'une transnationale agrochimique bien connue, célèbre dans l'univers extrarural pour son acharnement à convaincre que tout irait mieux si on admettait que l'avenir de l'agriculture résidait dans les moissons génétiquement modifiées.

Ainsi, non content de pomper des subventions européennes, Augème se faisait également payer pour tester des OGM ? Pas étonnant qu'il ait de quoi s'offrir un tracteur neuf.

Je me détournai des moutons effrayés et aperçus le vieux paysan, debout sur la roue arrière de sa machine, qui m'observait depuis sa cour.

Le lendemain matin, je m'éveillai au bruit d'une pétarade qui rappelait un peloton d'exécution. J'avais mal au crâne, conséquence des deux bouteilles de vin que j'avais descendues la veille au dîner, plongé dans mes réflexions.

C'était le retour des chasseurs, beaucoup plus pressants que la dernière fois. Les silhouettes en orange maraudaient devant la grange, dans le verger, jusque devant la porte de la cuisine, là où je comptais faire mon carré de fenouil.

L'un d'eux, un gros lard rougeaud, flanqué d'une moustache de la taille d'un rat adulte, se tenait debout jambes écartées dans ses guêtres et fusil à l'épaule, image parfaite pour une couverture de fanzine sur Rambo. Il regardait fixement la fenêtre de ma chambre.

Ne disposant ni d'un gilet pare-balles ni d'un lance-roquettes, je jugeai préférable de ne pas résister à l'assaut. Je préférai m'accroupir et appeler du renfort.

— Quoi ? dit M. Lassay d'une voix embrumée, arraché comme moi à un sommeil profond. Des chasseurs ? Ils doivent penser que la maison est vide aujourd'hui.

— Non non. Un regarde dans la fenêtre de ma chambre, arguai-je dans mon mauvais français réservé aux situations d'urgence.

— Je vais appeler M. Augème, il leur dira de partir, dit Lassay avec le flegme de qui n'est pas cerné par une bande d'égorgeurs.

Je risquai un œil par la fenêtre. Rambo était toujours là, à me dévisager. Il s'était rapproché de deux bons pas et avait dégainé un couteau qu'on aurait qualifié de sabre dans la plupart des pays du monde. Pas le genre de gars à se laisser effrayer par un petit vieux.

— Je suis pas sûr de ça, dis-je. Venir vite s'il vous plaît ?

— J'arrive tout de suite.

Lassay semblait exaspéré d'avoir à se bouger, ce qui était pour moi une petite consolation.

Je raccrochai, convaincu que le sifflement que j'entendais émanait d'un pneu de la voiture d'Élodie rendant son dernier souffle, éventré par le couteau de chasse.

Pour être franc, j'étais mort de trouille. Je fis le tour de la maison à quatre pattes en verrouillant les portes, bien qu'un chasseur résolu puisse aisément s'introduire en tapotant gentiment une vitre avec la crosse de son fusil.

Je pris le parti de m'asseoir dans la cheminée, assez sombre et profonde pour me dissimuler, et tirai un fauteuil pour me cacher. Par chance, une tiédeur résiduelle montait des braises éteintes, qui calma ma chair de poule, car j'étais en T-shirt et caleçon.

Accroupi dans ma cachette, je discernais des rires de triomphe, ceux-là mêmes qu'entendaient les Musulmans bosniaques quand les paramilitaires arrivaient pour la rafle.

Il y eut un coup de feu, un bruit de vitre qui s'effondre, un second coup de feu suivi d'un crépitement de plombs sur un mur.

Enfin on frappa à la porte. Lassay.

Je rampai hors de la cheminée, courus dans l'entrée et ouvris la porte.

Face à moi, une moustache de rat et un pif d'alcoolique. Rambo.

Il ne m'était jamais venu à l'idée qu'ils pourraient venir frapper chez moi. Psychologue, le Rambo.

Mes couilles déjà ratatinées remontèrent d'un cran dans mon caleçon tandis que nous nous dévisagions à bout portant. Il avait rejeté son fusil sur son dos et rengainé son poignard, mais ça ne le rendait pas rassurant pour autant, surtout avec sa portée de copains en arrière-plan.

— Bonjour, dit-il.

Peu soucieux d'être impoli envers un groupe de gentlemen aussi lourdement armés, je répondis sur le même ton.

— Ça va ? demanda-t-il.

— Oui, et vous ?

On se serait cru entre collègues de bureau dans un ascenseur. Les armes en plus, bien entendu.

— Tu veux acheter la maison ?

Il me disait « tu », le mot réservé aux amis, à la famille, aux enfants, aux animaux et aux représentants des races inférieures.

— Je ne sais pas. C'est une bonne idée ?

Il éclata de rire avec force exhalaisons alcoolisées. Si j'avais allumé un briquet devant sa bouche, ce type serait parti en orbite.

— Vous savez que si vous achetez, on a accès légal, on peut chasser où on veut ?

Il s'exprimait lentement, en contrôlant son patois nasillard pour m'aider à capter les implications de chaque mot.

— Dans ma chambre ?

Il rit à nouveau et baissa les yeux sur mes jambes nues.

— C'est toi le petit ami de Martin ?

Insulte à ma virilité, à laquelle il convenait de ne pas répondre.

— Jean-Marie Martin ? Il est mon patron. Pourquoi ?

— Si vous achetez la maison, vous prolongerez les accords ?

— Accords ?

— Avec le vieux Augème, par exemple.

— Ah, le maïs ?

— Par exemple. (Il hocha lentement la tête, comme pour me féliciter de comprendre des points aussi complexes.) Il y a des manifestants qui ont tenté de nous barrer la route. Ils ont arraché des plants et essayé de nous causer des tas d'emmerdes. Ce sont des gens de la ville. Nous, on est juste des cultivateurs qui essaient de s'en sortir. Et les gendarmes savent qu'il vaut mieux être de notre côté.

Il eut une grimace menaçante. Tout ça parce que j'avais surpris la vieille canaille en train de semer des OGM ?

— Vous dites moi les accords sont avec M. Martin. Pourquoi M. Martin ?

— C'est sa maison, non ?

À la mine de Rambo, j'étais censé être au courant. Il avait raison. J'aurais dû être au courant. Mais sur la promesse de vente, le nom du vendeur était celui d'un autochtone.

— Elle est sa maison ? Merde.

Le chasseur sourit et se détendit. Il se retourna et fit un clin d'œil à l'un de ses co-Rambos. Dire merde, admettre publiquement que vous êtes en plein dedans, semble attendrir les cœurs français les plus endurcis.

— Si elle est sa maison, dis-je, alors non, je n'achète pas.

Au fait, j'aurais dû demander aux gars de mettre le feu à la baraque, histoire d'annuler la vente, mais ils ne m'en laissèrent pas le temps. Satisfaits de leur stratégie de terreur, les chasseurs s'éloignaient déjà.

Rambo se retourna et sourit :

— Bon dimanche, lança-t-il.

Les bourreaux d'antan devaient probablement dire « bonne guillotine » avant de couper la tête des gens.

— Non, la maison n'appartient pas à M. Martin, répétait Lassay une demi-heure plus tard. Il en a fait la donation au vendeur, un cousin à lui, qui ne veut pas la garder.

— Donc Jean-Marie reçoit zéro euro si j'achète ?

Lassay hésita une fraction de seconde de trop avant de dire oui.

Convenablement habillé désormais, je me renversai en arrière dans le fauteuil qui avait servi à me cacher des chasseurs. Un feu de bois craquait dans l'âtre où je m'étais accroupi et remplissait le petit salon d'un fin brouillard de fumée odorante.

Je regardai Lassay dans les yeux et secouai la tête. J'avais du mal à y croire. Pas tant d'avoir tout gobé depuis le début. Après tout, Jean-Marie avait embrouillé le ministère de l'Agriculture. C'était un politicien français, autant dire qu'il jouait en première division du championnat du monde des faux derches. Cette année-là, la France entière gobait le cirque pacifiste de son président – nous étions à la veille de la guerre en Irak –, pacifisme que des sources informées mettaient au compte de contrats pétroliers signés avec le régime de Saddam.

Je n'avais nulle honte de passer pour un blaireau. Je n'en voulais pas aux Français de prendre au mot leur président. Il n'y a pas de honte à se faire avoir par un maître hypocrite, cela peut arriver à chacun d'entre nous.

Non, ce que je n'arrivais pas à croire, c'est que Jean-Marie me fasse ça à *moi*. Pourquoi ne pas vendre la maison par petite annonce ? À ce prix-là, il aurait forcément trouvé un client, non ?

Sauf si...

— Monsieur Lassay, j'ai une très importante question.

Il se recala imperceptiblement dans son fauteuil, et je détectai un authentique effort physique pour se donner l'air honnête. Yeux écarquillés, tête inclinée.

— Cette maison a un problème ? demandai-je. Un problème caché, et c'est pour ça que personne n'achèterait normalement ?

— Un problème caché ?

Il tenta le haussement d'épaules à la parisienne, mais il était trop provincial pour réussir son coup. Un haussement d'épaules à la parisienne aurait détruit l'hypothèse, comme stupide, pathétique. Le sien se contentait de la détourner.

— Vous êtes notaire, dis-je. Je pose question légale maintenant. Je trouve autre notaire si vous répondez pas. D'abord, c'est pas normal vous être notaire pour les deux personnes dans ce contrat, si ?

Cette fois, pas de haussement d'épaules.

— Alors, monsieur Lassay. Oui ou non Jean-Marie a un problème caché avec cette maison ?

Les épaules s'effondrèrent.

— OK, dit-il. Mais je ne crois pas que ce soit une raison légale pour rompre le contrat.

— Quelle raison ?

— En France, nous avons des vues différentes sur ces choses.

— Quelles choses ?

— Pour beaucoup de gens, c'est une création d'emplois, un moyen d'attirer des entreprises.

— Quelle création ?

— La nouvelle centrale nucléaire.

Février

Faites the love, not the war

Il est une chose en amour que vous devrez apprendre si vous vivez en France. Une chose capitale. Une chose qui fait de nous, anglophones, de grotesques ignares dans l'art de la séduction.

Cette chose, la voici : le mot « lingerie » ne se prononce pas comme nous le croyons.

Expliquez donc à une Française que vous aimeriez lui acheter de la lon-jeree : elle sera larguée. Au mieux, elle croira que vous voulez lui payer un truc à la boulangerie. Qu'aimerais-tu pour la Saint-Valentin, chérie ? Une miche de pain ?

Alexa n'était pas une fille à lingerie. Plutôt le genre nu intégral, ce qui m'allait parfaitement.

Début février, mois de l'amour, la question se posait : quel cadeau lui offrir pour la Saint-Valentin ?

Un week-end romantique à Venise ?

Une nuit que nous étions pelotonnés dans mon lit à imaginer le vacarme que ferait Élodie si elle était rentrée, je demandai à Alexa si elle était déjà allée à Venise.

— Non.

— Tu aimerais y aller ?

Je posai un baiser de papillon sur sa tempe pour invoquer les puissances du romantisme italien.

— Je n'ai pas envie de voyager avec ce climat.

De toute évidence, le baiser n'était pas assez vénitien. Il aurait fallu faire plus humide, plus « Grand Canal ».

— Trop froid, tu veux dire ?

— Non. (Elle se déplia dans le lit et s'assit.) Je parle du climat politique, évidemment.

Le monde, il est vrai, allait résolument à la guerre. Plus exactement, certains pays anglophones essayaient de convaincre l'ONU d'embarquer le monde entier dans cette galère.

— Ça va devenir trop dangereux de voyager, dit-elle. Une guerre en Irak, ça va faire croire aux musulmans qu'on les déteste et il y aura des terroristes partout.

— T'as raison. Dommage que Chirac ne puisse pas se faufiler dans Bagdad et persuader Saddam de devenir un mec sympa, fis-je rêveusement.

Alexa gigota pour se débarrasser de mon bras et me dévisagea.

— C'est censé être ironique ?

— Non.

Ce qu'elle prit évidemment pour un oui.

— Je ne comprends pas les Anglais ! soupira-t-elle. Soutenir les Américains. Qui ne pensent qu'à une chose : défendre leurs intérêts.

J'avais entendu cette rengaine tant de fois ces dernières semaines que j'avais besoin de me défouler.

— Et alors, Chirac ne défend pas les intérêts de la France, peut-être ? Le fait que Saddam doit des milliards à la France et que les Américains vont annuler la dette si le régime s'écroule ? Et la France, elle n'envoie jamais ses troupes en Afrique pour protéger ses intérêts, peut-être ? Cette crise soudaine de pacifisme, c'est comme vouloir le croissant et l'argent du croissant.

— Des croissants ? Qu'est-ce que les croissants ont à voir là-dedans ?

Je tentai d'expliquer mon astuce, mais elle m'interrompit.

— Au fond, tu es anti-Français.

— Hein ?

— Oui, comme tous les Anglo-Saxons.

— Pourquoi les Français nous traitent-ils d'Anglo-Saxons ? Les Anglo-Saxons sont une tribu de blonds chevelus avec des casques à cornes qui ont envahi les îles Britanniques à l'âge des ténèbres. J'ai un casque à cornes, moi ?

— En esprit, oui. Vous êtes des Vikings. Des envahisseurs.

— Ah ouais ? Et ce ne sont pas les Français peut-être qui ont démarré toute cette haine entre l'Islam et l'Occident en massacrant je ne sais combien d'Algériens dans une guerre coloniale ? Et qui se sont tellement bien enfoncés en Indochine que ça a donné vingt ans de napalm, de massacres de civils et quelques-uns des pires films d'Hollywood ? Des meilleurs aussi, cela dit *Apocalypse Now*, *Né un 4 juillet...*

Mais Alexa n'était pas disposée à conclure nos différends politiques par une plaisanterie. Elle sauta du lit, enfila son jean, ses baskets et sortit de la chambre. Je l'entendis empoigner sa veste sur le portemanteau et la porte claqua.

Une protestation sourde tomba du plafond : la voisine arrogante.

— Trop de bruit, c'est ça ? (Je sautai du lit et tapai des pieds dans l'entrée.) Une petite porte qui claque et vous râlez ?

Je pris un balai dans le placard et fis le tour de l'appartement, cognant au plafond comme si je jouais à la marelle la tête en bas en chaussures à talons.

— Et là, ça va le silence ? hurlai-je au plafond. (Et de sauter encore plus fort.) Je vous ai réveillée ? (Boum boum boum.) Ça ne vous dérange pas de faire du bruit, mais ça vous dérange d'en entendre, pas vrai ? (Bong, bang, bam.) Vous aussi, vous voulez le croissant et l'argent du croissant ? (Boum, bam, BOUM.)

Mesquin, je sais, mais jouissif et déstressant surtout quand votre petite amie vient de vous prendre la tête.

J'évitai quand même le coin des enfants. Même les envahisseurs vikings ont un cœur.

La lingerie n'est pas la seule pièce intéressante du vocabulaire amoureux français.

En anglais, la signification du mot « rupture » est brutale, mais simple : il s'agit d'une hernie, d'une déchirure douloureuse de la paroi abdominale qui se répare en quelques points de suture. En français, « rupture » veut dire, entre autres, la séparation d'un couple. Et ça ne se répare pas en trois points de suture.

Très franchement, je n'avais pas l'énergie mentale pour me lancer dans l'opération de microchirurgie nécessaire pour ramener Alexa. J'appelai deux ou trois fois et laissai des messages apaisants. Je crois même avoir admis partiellement que les Anglais et les Américains se comportaient comme des Vikings. Sans cesser de gamberger : « Eh, mais quelle est cette relation qui te pousse à laisser des messages politiques ? » Pour finir je reçus un billet d'adieu : « N'appelle pas. Tu n'arriveras pas à me persuéder. »

Persuéder ? Quel rapport avec la Suède ? C'était en Italie que je voulais aller, moi. L'inconstance des femmes !

Quoi qu'il en soit, je commençais à penser qu'Alexa était trop sérieuse pour moi. Elle plaçait les principes politiques au-dessus de l'affection. Du jamais vu. Quand j'étais étudiant, notre seule raison d'entrer dans des groupes militants, c'était pour tirer un coup.

Je repensai à notre première rupture (au sens français). Elle avait dit que deux personnes de cultures différentes n'avaient aucune chance d'arriver à vivre ensemble. Peut-être avait-elle raison, après tout. Surtout entre Français et Anglais, en cette période de l'histoire.

Il existait un autre moyen d'aggraver les relations franco-britanniques : assassiner Jean-Marie. Hélas, je n'arrivais pas à mettre la main sur lui. Cherchait-il à m'éviter ? En tout cas, on ne le voyait plus au bureau.

« Il est en rendez-vous à l'extérieur », c'est tout ce que Christine consentait à me dire.

En attendant, bien sûr, ma promesse de vente tictaquait comme une bouteille piégée dans une caisse de vieux bourgogne.

J'apportai le contrat à un notaire recommandé par Nicole. Il avait son bureau dans un immeuble chic de l'autre côté des Champs. Un bouclier doré était apposé au-dessus de l'entrée, comme pour annoncer qu'ici, on louait des gladiateurs.

J'expliquai au mieux le but de ma visite. La secrétaire sembla intéressée, jusqu'à ce qu'elle comprenne que je ne venais pas voir son patron pour lui confier l'affaire mais seulement pour lui demander conseil. « Attendez ici », dit-elle, et elle me laissa admirer l'épaisseur du tapis et la complexité des gravures XVIIIe, des vues de Paris, accrochées aux murs lambrissés. Ça avait l'air de rapporter, le droit.

La secrétaire reparut au bout de deux minutes, ses hauts talons s'enfonçant sans bruit dans le tapis.

— Je suis désolée, maître Rondecuir ne peut se charger de cette commission, dit-elle avec un sourire de regret.

Elle resta debout à se presser les mains à hauteur de corsage jusqu'à ce que j'accepte ma défaite et prenne le chemin de la porte.

— Bonne journée, lança-t-elle, ce qui me parut déplacé dans la bouche de quelqu'un qui venait de me confirmer ma ruine.

Il ne me restait qu'une solution pour sortir de mes ennuis juridiques. La bonne vieille solution anglaise aux dilemmes qui requièrent jugeote et organisation : se soûler.

C'était le samedi d'avant la Saint-Valentin. Quel meilleur jour pour s'enfoncer un poignard dans le cœur ? Un poignard trempé dans l'alcool, je veux dire.

Je filai rue Oberkampf, où j'avais rendez-vous avec trois compatriotes. Trois Anglais rencontrés dans un pub près du bureau, où nous avions tremblé ensemble pendant qu'à la télé l'Angleterre tentait d'arracher un 0-0 poussif contre une équipe de foot amateur d'Asie centrale.

Mes trois types avaient plus l'esprit sport de combat que mes habituels compagnons de beuverie, ils étaient bruyants et expansifs, mais au moins ils préféraient blaguer et parler foot qu'embêter les gens avec la position de leur président dans la crise du Moyen-Orient. Ils étaient à Paris pour le compte d'une boîte de télécommunications et développaient un programme de paiement sécurisé qui m'échappait complètement, même quand plusieurs pintes de bière contribuaient à m'ouvrir l'esprit.

La soirée était déjà bien engagée quand je débarquai dans le bar de la rue Oberkampf, un bistrot tout ce qu'il y a de plus normal que, pour une raison inconnue, une petite foule de jeunes avait élu l'endroit branché du moment. À côté, un bar frimeur à lumière tamisée était quasiment vide.

— Paul ! Tu arrives juste à temps pour ta tournée !

Bob, le braillard en chef, hurlait, bien que je ne sois qu'à deux mètres de lui. C'était un géant blond, encore plus grand que moi, avec des sourcils presque blancs. Il se tenait avec les autres près du mur nicotinisé, à mi-chemin entre l'entrée et le comptoir.

Je plongeai dans la cohue enfumée, la main sur le portefeuille.

— Vous prenez quoi ?

Je serrai les mains de Bob, Ian (un type du Yorkshire prématurément chauve) et Dave (un Londonien poupin qui souriait tout le temps).

— Des demis pour tout le monde, et pour les dames ce qu'elles veulent, hurla Bob.

— Les dames ?

Bob se poussa de côté pour me faire voir trois filles, coincées contre le mur par les trois Anglais.

— Mesdames, Paul, annonça Dave avec emphase. Paul...

Il laissa les filles se présenter elles-mêmes, probablement parce qu'il avait oublié leurs noms.

— Florence.

Une petite bien roulée, à moitié indienne, avec de longs cheveux soyeux et un nombril séduisant.

— Viviane.

Une grande Blanche aux traits vaguement asiates et aux pétillants yeux couleur cognac.

— Marie.

Une Black à la peau très sombre, fortement charpentée mais à la taille mince.

C'était un cocktail ethnique typiquement parisien. Et en Parisiennes typiques qu'elles étaient, elles me tendirent la joue pour les bisous rituels.

— Hé les filles, you are not interested par Paul, quand même ? dit Dave, qui semblait en pincer pour Marie.

— Il est gay, hein Paul ? gueula Bob à la cantonade. Il vit dans le Marais.

On entendit des gloussements dans la colonie britannique, vite coupés par la voix de Marie.

— No, i iz not gay. L'autre jour, he fuck me.

Nul ne fut plus étonné que moi. Bob insista avec un rire épais.

— Allez Paul, dis-nous tout !

Je levai les mains en signe d'ignorance.

— Je... e-euh...

C'était tout ce que je savais.

— Pourquoi toi foutu ze camp zat morning, Paul ? You not English gentleman ?

Marie murmura quelques mots à ses deux copines, qui éclatèrent de rire.

Déclic ! Bouche bée, je regardai ses cheveux, aussi noir corbeau ce soir qu'ils étaient blond citron le jour où je m'étais réveillé dans son lit, trois mois auparavant.

— Il t'a tirée puis il s'est tiré, c'est ça ?

Dave posa une main protectrice sur l'avant-bras musculeux de Marie.

— Ça, baisée ? Ten minouts, zen lui dodo.

Maintenant ils étaient six à se foutre de moi. Ce qui renforçait mon envie de picoler.

— Sorry, Marie. J'étais... j'étais...

— Véri rapide, et maintenant you not reconaïze mi.

— Je suis désolé, je ne t'avais pas regardée en face.

Cela provoqua des hoquets scandalisés chez les filles, et des rires gras chez les garçons.

— Tu vois ce que je veux dire ? tentai-je désespérément.

— Ah ouais ? Alors Paul, on se contente de l'entrée de service, pas vrai ? mugit Bob.

— Touche tes orteils et serre les dents ! rajouta Dave.

Il était temps de passer commande et je taillai la route jusqu'au comptoir. J'étais perplexe : quel instinct suicidaire m'avait donc poussé à noyer ma peine si près du lieu de ma première embrouille avec Alexa ?

— Les Français, ils sont efféminés, braillait Bob quand je revins avec le plateau chargé de verres – bière pour les hommes, vin pour Florence, gin-tonic pour Viviane et, détail inquiétant, double rhum pour Marie.

Bob était assez costaud pour ne pas avoir à craindre la présence éventuelle d'un Français qui aurait compris son anglais. Deux types en tenue gangsta rap de marque semblaient pourtant assez du genre à le prendre mal, mais Bob était parti et il insistait.

— Il y en a même qui ont des sacs à main.

— Des sacs à main ? demanda Marie en fronçant les sourcils.

Les filles se concertèrent pour savoir qu'en penser.

— Ouais, comme des petits attachés-cases, avec une poignée et un rabat. Juste pour mettre leur passeport, un camembert et un paquet de Gauloises.

— Surtout chez les types plus vieux, glissai-je. En province. J'en ai vu pas mal dans la campagne.

— Ah oui !

Florence, qui avait capté la discussion, décrivit à ses copines le sac à main pour hommes.

— Yes, zat iz old men, dit Marie. Iz not féminine, iz old. Old Inegliches av nénés comme moi. But zey are not as féminine que moi.

Elle posa les mains sur ses seins et bomba la poitrine dans ma direction. Je détournai poliment le regard. Aucune envie de me retrouver une deuxième fois dans son lit. Je fus content de voir que Dave, dont le nez arrivait de toute façon à hauteur desdits nichons, se pressait pour avoir une vue rapprochée du sujet.

Bob engloutit la moitié de sa bière et reprit son cinéma.

— Et leurs noms, alors ? Ils ont des noms de filles comme Michel et, et... il s'appelle comment, ton boss, Paul ?

— Jean-Marie.

— Ouais, un type qui s'appelle Marie ! Pas net, ça !

— Ouais, opina Dave. Vous trouverez pas un Anglais qu'a un nom de fille dans son nom. Comme si Bob s'appelait Bobby Jane.

— Bobby Sue, suggéra Ian, hilare à l'idée d'une créature aussi massive et velue affublée d'un prénom de fille.

Les filles, de leur côté, commençaient à se fatiguer d'entendre des étrangers débiner leurs concurrents locaux.

— Et Sean Connery ? Connerie, ça veut dire *bull-shit*, protesta Marie.

— And maille ex, he ouaz not féminine, dit Viviane. Zat ouaz big problème, d'ailleurs. He avait two, sri girlfriends.

— Yes, quand ze French voit une woman, she souri lui, he want fuck direct, allez hop ! soupira Florence.

— OK les mecs, l'important, c'est que les Françaises sont plus féminines que les Français, dis-je, suggérant à mes camarades qu'il serait peut-être dans leur intérêt de changer de conversation.

Je visais Florence en débitant mon compliment, mais c'est Marie qui releva.

— Ah, enfin ! One of you say a thing agréabeul. (Elle saisit mon bras et me fit carrément une clé pour m'obliger à me lever et à l'embrasser.) Paul, lui savoir, petty flattery, zat iz good to attrap' French girls.

— Yeah, say a flattery, plize, dit Florence à Ian avec un regard allumeur.

Ian avait enfin capté.

— C'est vrai, les Françaises sont féminines sans être trop féministes. Par exemple, au bureau, elles arrivent à se faire respecter sans accuser les hommes de sexisme. On a une fille, la DRH, qui...

— Quoi, Sandrine ? interrogea Bob.

— Ouh là !

Le cri de désir de Dave révéla tout ce qu'il fallait savoir sur Sandrine.

— Oui, mais elle ne s'en cache pas, poursuivit Ian. Si tu lui dis qu'elle est belle, elle te dénonce pas au juge pour harcèlement sexuel. Elle dit merci et te demande si tu serais intéressé par un jour de stage en organisation du travail.

— Un stage avec Sandrine, pas besoin d'organiser ! lâcha Bob.

Ian et Dave lui tapèrent dans la main en signe de vive connivence mais moi, je me sentais tel l'entraîneur de rollers qui voit ses élèves foncer nez en avant sur un réverbère. Bob ne s'en rendait pas compte, mais il faisait tout ce qu'il fallait pour rentrer se coucher tout seul. Chemise à manches courtes, nombril poilu, voix forte et biéreuse, conversation dépourvue de ces mignardises diplomatiques (« phrases de meufs », il dirait) qui affolent les Parisiennes. Comme mec il n'était pas mal, mais trop lourdement anglais pour embarquer une locale. Sauf s'il avait été riche et célèbre, auquel cas elles lui auraient toutes couru après, évidemment.

Tout cela était déprimant.

— Bon les amis, je vais vous laisser, annonçai-je.

De toute façon, prendre une cuite devenait risqué, avec Marie sur le sentier de la guerre. Mieux valait rentrer pendant que j'y voyais assez clair pour être sûr de rentrer seul.

— Oh, oui! We go different bar. Ouiz music, dance!

La hanche chaloupeuse de Marie faillit m'expédier par la fenêtre.

— Ouais, ferme-la et bois un coup, Paul, j'ai besoin de toi pour traduire mes déclarations.

Le bras de Bob s'abattit sur moi comme une matraque et me ramena gentiment sur terre.

Tandis que notre petite troupe se bousculait vers la sortie, vers l'air frais, sans fumée et revigorant de la rue, je sentis la poigne de Marie se refermer sur ma fesse, et je connus dans ma chair l'angoisse de l'escargot qu'on va jeter sur le gril.

Aussi fus-je soulagé, une dizaine d'heures plus tard, de me retrouver assis seul dans mon lit, un café noir à la main et sans mal au crâne.

Je me sentais bien un peu mou sous les draps, mais c'était normal après les épreuves que mon pauvre zizi avait endurées pendant la nuit. Je risquai un œil : oui, aussi ridé que le saucisson favori du général de Gaulle. Mais pas aussi rigide.

— Un toast ou deux ? cria une voix dans la cuisine.

— Deux !

J'entendis le craquement du toast qu'on tartine, puis une femme nue entra dans la chambre, un plateau sur les bras. Il y avait quelque chose de comique dans la façon dont le plateau divisait l'image en deux : au-dessus, des seins nus, en dessous un pubis bien peigné, comme un essai raté de pudeur.

— Toast, more café, un œuf à la coque.

— Merci, Marie.

Oui, j'avais passé la nuit avec Marie. À ma demande, cette fois.

Dans le second bar où elle nous avait traînés, un club obscur décoré en faux style colonial, j'avais jugé plus honnête de lui avouer qu'elle jouait le mauvais cheval, et d'expliquer pourquoi : Alexa, Jean-Marie, la maison. Au lieu de me tirer sur la piste, elle m'avait fait asseoir et raconter mes problèmes.

— Oh, itiz no problèm', dit-elle à la fin quand j'en vins à la centrale nucléaire. I am travailling in a bonk, you see.

— Dans un bonque ?

— Oui, au Crédit de France.

— Ah, une banque ! (J'entendis presque l'ampoule s'allumer dans ma tête.) Tu travailles dans une banque ?

Mon moral remonta d'un coup, stimulé par la vision d'un coffre béant crachant assez de billets pour me rembourser mes dix pour cent, financer un candidat pour battre Jean-Marie aux élections et construire une ferme écologique à éolienne du côté de Trou.

— Oui. I can give you... comment vous dites : un conseil ?

— Oh, *advice*.

Pas d'argent, donc. Mes espérances se dégonflaient comme un pneu poignardé par un chasseur ivre.

— Oui.

Elle m'expliqua son truc. Ça sonnait juste. Je commençais à adorer cette fille.

Il ne me restait qu'une chose à vérifier :

— Tu vas demain à la manif antiguerre ?

— No. Pourquoi ? You think zi Americans and zi Inegliches stop war bicauze we manifest in Paris ? Ze Parisians do not want war, alors oui stop war !

Elle imitait fort bien le stratège américain n'ayant rien à battre de l'opinion des Français sur l'Irak.

— Mais tu es plutôt d'accord avec ton monsieur Chirac ou avec mon mister Blair ?

— Pff ! Ouate différence ? All ze politishians, zey are just different colours of merde. Ptss ! dit-elle avec un sifflement de mépris.

Je me mis à rire et déclarai qu'il était un peu tôt – dans les 11 heures – mais que si le cœur lui disait de passer chez moi faire un petit peu l'amour...

Ça lui disait. C'était parti.

Une fois chez moi, elle se déshabilla sans perdre une minute et insista pour qu'on prenne une douche ensemble. Après les exercices habituels savon-mousse-sexe, serrés comme des harengs dans la cabine de douche, elle me montra pourquoi elle tenait à ce qu'on soit tous les deux bien propres. Une fille bourrée d'imagination, cette Marie, et pas seulement pour la stratégie bancaire.

Je passai voir mon directeur d'agence à la première occasion : 8 h 45, le mardi suivant. Ma banque, comme nombre de commerces, fermait le lundi.

J'expliquai pourquoi la maison n'était pas un si bon investissement après tout, et que j'attendais de lui qu'il me refuse mon crédit. Il m'avertit qu'il y aurait des frais de dossier à payer, mais quand il interrogea son ordinateur, lesdits frais n'excédaient guère le prix d'une bonne bouteille de champagne. Pas grave, me dis-je, j'arroserai ça avec une bouteille au lieu de deux. Le banquier vérifia la date limite de la promesse et me dit qu'il allait prévenir le représentant du vendeur que le dossier était clos.

Sourires, serrage de mains, et quand je ressortis dix minutes plus tard, j'étais redevenu un homme libre.

Restait un problème : arranger le coup avec Jean-Marie.

Enfoncer la porte de son bureau avec un sourire triomphal? Non, il me traiterait d'hystérique.

Lui demander pourquoi il m'avait trahi, moi, son loyal protégé anglais ? Non, il me traiterait de pauvre naïf.

Balancer mine de rien que j'avais décidé de ne pas acheter la maison que son ami Lassay m'avait dégottée ? Non, Lassay lui rapporterait notre conversation, et mon hypocrisie serait dévoilée.

Jean-Marie revint enfin de ses voyages mystérieux et n'aborda pas le sujet. Je fis ce que tout bon Parisien aurait fait à ma place après avoir échappé de peu aux griffes d'un maître magouilleur et seigneur de la mauvaise foi : je haussai les épaules et fermai ma gueule. « C'est la vie. » La vie parisienne pleine de fourberies suivait son cours, avec sa discrétion courtoise.

À la limite, nos rapports ne s'en portèrent que mieux. Il se montrait moins paternaliste quand je le croisais, plus respectueux apparemment envers l'homme qui l'avait battu à son propre jeu.

Le mot clé dans ce paragraphe était *apparemment.*

Avec Marie, on ne s'offrit pas de cartes pour la Saint-Valentin. Comme elle disait, nous n'étions pas amoureux, juste amants. Nous étions l'un pour l'autre des « cinq à sept » : nouvelle et intéressante expression pour moi. Même si de nos jours, avec les horaires flexibles, on peut faire du cinq à sept n'importe quand.

Le cinq à sept, m'apprit Marie, n'était qu'une tradition sexuelle française parmi d'autres. Par exemple, un sac de voyage s'appelle un « baise-en-ville ». Et sur les factures de téléphone, seuls les premiers chiffres des numéros appelés apparaissent : pour protéger les gens mariés assez imprudents pour appeler leur amant de chez eux. Véridique.

Et puis, il y avait le porno.

Bien sûr, il m'était déjà arrivé de louer de ces films spéciaux. Dans mes moments de solitude, j'avais surfé sur le Web à la recherche de vidéos gratuites. Mais en France tout se passe au grand jour. Les magazines pornos s'étalent ouvertement dans les vitrines des maisons de presse. On vend des BD obscènes dans toutes les librairies. Des pornos hardcore, avec pénétrations et éjaculations, passent à la télé, au moins une fois par semaine sur l'une des six grandes chaînes hertziennes.

Marie possédait toute une collection de vidéos enregistrées à la télé. Avant le film, elles comportaient une séquence news où l'on apprenait qui allait tourner quel film, ou quelle nouvelle porno-starlette faisait ses débuts à l'écran. Suivaient des portraits de réalisateurs glauques (qu'on visionnait en accéléré), des clips d'une demi-douzaine de films en production et des interviews de stars en train de se masturber pour garder la main entre les prises de vues.

Garder la main, c'est au fond ce que Marie demandait au porno. Avec l'effet capote, après une ou deux parties de jambes en l'air, ma volonté était intacte mais la chair était faible. Bon, faible n'est pas le mot exact, disons moins motivée. Marie glissait donc une vidéo dans le lecteur et on la regardait ensemble.

Si ma chute de motivation survenait à l'heure du porno à la télé, on regardait le direct. C'est comme ça qu'un samedi vers minuit, en allumant le poste, on tomba sur une interview groupée avec tous les acteurs habituels, et le mot « Liberté ! » clignotant sur l'écran.

Les acteurs étaient nus, et leur porte-parole semblait peu troublé par le fait qu'on le suçait pendant qu'il lisait son prompteur. Une douzaine de pornostars françaises étaient affalées sur un immense lit à baldaquin. Les filles exhibaient leurs piercings les plus intimes, les hommes qui ne parlaient pas avaient leur outil de travail en travers de la cuisse, ou pointé vers le nombril.

La voix du porte-parole se dévidait sur un ton monocorde (il était probablement plus doué pour la copulation publique que pour le discours). Il en ressortait que les acteurs se mettaient en grève pour deux semaines parce que le comité de surveillance de la télé avait annoncé la prochaine interdiction du porno sur les chaînes non spécialisées.

— It is terribeul, déclara Marie en débranchant mon pénis de son corps.

Elle était assise sur mes genoux et me massait indolemment avec son ample postérieur.

Le porte-parole déclara que l'interdiction du porno télévisé signifierait la fin de la « liberté d'expression » en France. La fille penchée entre ses cuisses fit une expressive mimique d'approbation. Pour des raisons évidentes, elle n'était pas libre de s'exprimer oralement.

Fin du discours, écran blanc, Marie éteignit la télé. Elle décréta d'un ton grave qu'en solidarité avec les acteurs, elle ne regarderait plus aucune vidéo enregistrée sur cette chaîne jusqu'à la fin de la grève.

Pour être franc, j'étais soulagé.

Au fond, ces films étaient le contraire de sexy. Le problème réside en ceci que, comme dans tous les secteurs de la société française, le porno est une affaire de clique, et qu'on retrouve sans arrêt les mêmes gens qui s'enfilent mécaniquement. Vous avez tout le temps de voir leurs têtes pendant les longues et ennuyeuses scènes « jouées », assez pour les reconnaître. (En tant que Français, il leur fallait dégoiser interminablement avant de passer à l'acte.) Au bout d'un moment, on a l'impression de voir des cousins partouzer, ce qui ne passe pas pour très érotique dans le pays d'où je viens.

L'un dans l'autre, j'aurais préféré que les acteurs restent habillés et diffusent des spots d'information sur la politesse dans les files d'attente et le respect dû à la clientèle. Voilà qui eût été nouveau, et sexy.

De toute façon, Marie n'avait pas besoin des pornos pour soutenir l'intérêt d'un homme. Un vendredi, après une courte séance de cinq à sept dans mon appartement, elle m'embarqua dans un restaurant martiniquais du Marais. Sa famille était originaire des Antilles françaises, me dit-elle, et l'endroit faisait de la cuisine familiale, aussi bonne que chez sa mère.

Le décor était des plus kitsch, avec une fresque criarde où des bateaux de pêche survolaient une mer agitée. On entendait une musique créole cacophonique, une sorte de reggae ultrarapide et dansant qui vous prenait les épaules et vous obligeait à gigoter, même un petit Blanc anglais comme moi qui n'a aucun sens du rythme.

Le garçon, un jeune Black, s'approcha et lança plusieurs allusions obscènes, mais nullement menaçantes, sur le fait que je sortais avec une Antillaise. C'était son baratin, sa façon d'attirer le pourboire. Si je voulais satisfaire ma femme, dit-il, il fallait que je prenne le boudin (une petite saucisse au sang épicée). Et si je prenais un cocktail avec le boudin, ma virilité serait aussi dure que le verre du cocktail. (OK pour moi, tant qu'on ne l'avait pas d'un parasol en papier.)

Nous nous sommes donc gavés de boudin, de gratin de christophine (une sorte de légume grillé proche de la courgette), d'acras (des beignets de morue épicés), de haricots rouges, de riz, de porc au curry, de poisson grillé et de crème glacée à la noix de coco, et je me disposais à rentrer pour une partie de digestion horizontale quand Marie m'annonça que je l'emmenais au dancing.

Elle me trimballa vers le miniquartier chinois du 3e arrondissement. Sur quelques rues, on avait l'impression d'évoluer dans un Shanghai médiéval. Entre les vieilles bâtisses parisiennes se succédaient des restaurants aux menus exclusivement rédigés en chinois, des épiceries où rien ne ressemblait à de la nourriture connue (à part les bouteilles vertes de bière Tsing Tao), et des grossistes en sacs à main encombrés de caisses tout juste débarquées de l'avion. À 10 heures du soir, ils étaient encore en train de faire leurs comptes et de déballer les stocks.

Au milieu de ça, sous une façade délavée de tuiles émaillées, se cachait une discothèque afro-caribéenne.

La chaleur à l'intérieur était tropicale, l'espace étroit et biscornu. La musique ressemblait à celle du restaurant. Un beat rapide, léger, syncopé, avec des guitares suraiguës lâchées sur des mélodies entraînantes. Des gens dansaient, tous par couples. Ils me rappelaient les rockers que j'avais vus dans ce bar avec Alexa, mais ceux-là ne laissaient pas entre leurs ventres la place d'une feuille de papier à cigarette. Des Blacks très sapés (des « sapeurs », appris-je) cognaient à gros coups de fesses en béton des filles qui ne s'en formalisaient pas. Tant qu'ils cognaient en rythme... Chez les femmes, c'était des Noires et des Blanches à cinquante-cinquante. Les types étaient presque tous africains. J'aperçus quelques Blancs, aux prises avec de délicieuses bimbos blackettes. En moi, une voix cynique souffla qu'il devait sûrement y avoir des BMW quelque part dans l'équation.

On se débarrassa de nos manteaux puis Marie me remorqua vers la piste.

— Je ne sais pas danser ça, arguai-je.

— It is simpeul, you imagine you have sex with ze music, dit-elle sans me lâcher.

Elle avait raison. Au lieu d'essayer de sauter sans perdre le rythme, il suffisait de faire passer le poids du corps d'un pied sur l'autre – un-deux, un-deux – en poussant du pelvis contre sa partenaire. Autour de nous les bons danseurs exécutaient des figures plus complexes, mais la technique sexe de Marie faisait merveille.

Super, cette boîte, je me disais. Et quelle bonne idée d'avoir mis un caleçon serré, c'est le genre de club où un gars a besoin du renfort de ses sous-vêtements.

Seul problème, le dîner épicé, rudement secoué, se transformait en cyclone tropical déchaîné dans ledit caleçon. Au bout de deux ou trois danses, une pause s'imposa.

Marie nous obtint une table et commanda à boire, moi je filai soulager la pression qui s'accumulait sous la ceinture.

À mon retour, cinq minutes plus tard, les verres étaient servis mais Marie avait disparu.

C'était fée Clochette son surnom ou quoi ?

Non, elle était toujours là, sur la piste, en train de se faire secouer par un grand félin black équipé d'une chemise argentée et des fameuses fesses en béton.

Je regardai autour de moi : y avait-il une fille désireuse de se faire bousculer par une belle paire de fesses plates et britanniques comme les miennes ?

Rien. Pas une fille seule. Le long du comptoir, une rangée de types guettaient l'instant de foncer sur toute dame abandonnée, ne fût-ce que quelques secondes, par un partenaire au foie délicat. Car telle avait été mon erreur. Dans ce genre de boîte, tu restes avec ta femme. Si tu dois absolument faire un tour aux toilettes, tu la prends sur ton épaule.

Je lorgnai Marie qui me regardait, tout sourire, ravie de s'éclater, avec tout de même un jeu de sourcils pour s'excuser du kidnapping.

Je mimai le désespoir devant le manque de femelles disponibles et crus remarquer qu'elle faisait un signe de tête vers le coin le plus reculé du dancing.

Je scrutai les ténèbres enfumées. Là-bas au fond, il y avait quelques couples en train de boire ou de se peloter et, si, une fille seule. Une Black, avec des extensions blondes plantées comme un bouquet sur le haut du crâne. Elle regardait la piste d'un air morne en sirotant un cocktail cuivré avec une paille à rayures. Il n'y avait pas d'autre verre sur sa table.

Je l'examinai de loin, à la recherche d'indices expliquant cette solitude.

Elle était lourdement maquillée, rouge à lèvres noir et paupières peintes en violet. Le décolleté paraissait trop bulbeux pour être tout à fait naturel, compressé dans un T-shirt trop court qui craquait aux coutures. Une pute ? Je n'avais aucune envie de coucher avec elle, mais c'était ma seule chance. Je m'approchai en slalomant entre les tables.

— Voulez-vous danser avec moi ?

Elle laissa la paille tomber de sa bouche, me dévisagea de haut en bas, froidement, puis fit oui de la tête.

— OK.

Quand elle se leva, je découvris une minijupe qui avait autant de mal à contenir les fesses que le T-shirt en avait avec les deux globes. Je parie que si la jupe avait été plus courte, on aurait pu lire les mots « À » et « louer » tatoués sur chaque fesse.

Bon, me dis-je, trop tard maintenant.

Elle tendit la main et je la guidai vers la piste. Elle se trémoussait théâtralement et les couples attablés levaient la tête pour la regarder passer. Un Blanc qui invite une prostituée noire à danser, était-ce un événement si rare ?

Elle se colla à moi et on se frotta le ventre en rythme. Pareil que Marie avec son félin. Je croisai son regard et elle me sourit, visiblement étonnée de mon habileté à lever une cavalière.

Elle n'était pas la seule. Les danseurs noirs m'adressaient signes de tête et sourires, comme pour me féliciter, avec un brin de paternalisme, de rallier le camp des échangistes. Il me vint brusquement à l'esprit que j'étais peut-être tombé dans un de ces clubs spécialisés qui font la renommée de Paris. Dans ce cas, il me fallait mettre les voiles dès la prochaine danse. C'est une règle chez moi : toujours choisir avec qui je baise.

À la fin du morceau, Marie se libéra de son corps à corps et se dirigea vers moi.

— Allez, now we drink.

Dur pour ma cavalière, me dis-je.

— Une minute, encore une danse, dis-je fermement.

Pour être franc, j'avais l'impression de mieux capter le truc avec la prostituée, qui visait haut et m'entraînait dans des figures compliquées.

Surtout, c'était une frotteuse de première.

— No, we drink mow, insista Marie.

Avec un sourire d'excuse, elle m'arracha des bras de sa rivale.

— Au revoir, dis-je.

La fille se contenta de secouer la tête d'un air résigné et grimaça un au revoir.

— You no see ? demanda Marie tandis que je suivais des yeux la pute qui regagnait sa place en tanguant.

— Voir quoi ?

— You no feel?

— Sentir quoi?

Aussi sec, Marie tendit le bras et me mit la main au panier, encore tout chaud du souvenir de la minijupe déchaînée.

— Bien sûr que j'ai senti, dis-je. Mais toi tu ne faisais pas beaucoup d'efforts pour éviter les coups de bide de ce type.

Elle éclata de rire.

— You feel but you not savoir.

— Savoir quoi?

Marie lança un regard vers la fille.

— He have zizi.

— Non!

J'examinai les jambes minces de la fille, son dos fin et souple. Je me souvins de la douceur de ses joues.

— Un homme? Impossible.

— You have feel iz zizi, no?

Je revis la scène. Les sourires de Marie, ceux des danseurs. Ils n'admiraient pas mon attitude ni ma virtuosité, ils me regardaient me faire masser les couilles par un travesti.

Après coup c'était évident, ma partenaire était équipée d'un pelvis plutôt protubérant pour une fille. Dans l'art du frotti-frotta, j'étais encore un novice.

— Mais c'est toi qui me l'as montrée! accusai-je.

— I was blaguing, stioupide Inegliche!

— OK, concédai-je, à partir de maintenant, la seule qui me masse le pantalon, c'est toi, OK?

Elle était d'accord, et pas seulement sur la piste. Entre les morceaux elle faisait jouer ses mains baladeuses, surtout quand une Africaine se levait pour faire l'« hélicoptère », une danse traditionnelle où la femme se penche en avant et remue le postérieur pour offrir à son homme un assis debout. Marie, remarquant mon intérêt pour cette curieuse tradition, m'encourageait avec ses doigts.

De retour dans l'appartement, je savais que j'aurais beaucoup de mal à m'endormir tout de suite.

Une heure de gymnastique plus tard, je m'abandonnai enfin au sommeil, pendant que Marie promenait un ongle sur mon ventre.

— You see, même ze Inegliches can learn l'amour, dit-elle. And février, ze mois of amour.

Encore heureux que ce ne soit pas une année bissextile, pensai-je, je n'aurais plus qu'à me faire bonne sœur.

Mars

Suppositoires, mode d'emploi

Les Français ont peut-être la réputation d'être faux derches, ça ne les empêche pas d'être parfois plus directs que nous, Anglo-Saxons (à casque cornu). Dans leur façon d'appeler les choses, par exemple.

« Soutien-gorge » évoque un gadget chirurgical destiné à empêcher les lolos des vieilles dames de leur tomber sur les genoux. « Pompier » veut dire teneur de pompe (d'autres sens en découlent tout logiquement). Et après février vient mars, comme la planète. Le dieu de la guerre. Cette année-là, le mois mérita particulièrement bien son nom.

Puisque c'était le mois de la guerre, je décidai qu'il était temps d'appeler un chat un chat. Cela faisait maintenant six mois que j'avais démarré mon travail à Paris. J'avais mis au point les menus types, les modèles d'uniformes, les offres d'emploi. En toute justice, l'opération Salons de thé aurait dû être dans les starting-blocks.

Pourtant, on se contentait toujours de bavarder.

Cela ne m'avait pas empêché de dormir tant que j'avais été occupé par la maison, mais à présent, quand j'arrivais au bureau, je commençais à sentir un léger relent de gangrène flotter sur mon projet.

Détail révélateur, il me fut impossible de rassembler tout le monde dans la même pièce avant la fin de la première semaine de mars.

— OK, regardons la check-list, leur dis-je.

Je distribuai à la ronde des graphes qui pointaient en cinq couleurs les trous béants dans notre stratégie.

Marc, Bernard, Nicole et Stéphanie poussèrent de côté leurs tasses de café et se plongèrent dans l'organigramme des cases remplies (barrées d'un trait) et des vides. Jean-Marie empoigna sa feuille comme un volant de voiture et se renversa dans sa chaise. Je remarquai qu'il n'avait pas touché à son café. Il revenait tout juste d'un déjeuner de travail au ministère de l'Agriculture, et notre machine à café était probablement très en dessous des standards ministériels.

Marc releva la tête. Il avait l'air soucieux. À juste titre, me dis-je. Les cases vides étaient deux fois plus nombreuses que les cases barrées.

— Where do you imprimèd zis ? demanda-t-il.

— Pour imprimer ? Si tu fais allusion à la confidentialité, pas de problème. Ce sont les seuls exemplaires.

— Hinhin. Look zis.

Il pointa le retard honteux du plan de recrutement.

— Oui ?

— It is very disgueusting.

— Disgueusting ?

— Yeah. Ze red is no red, it is marron.

— Peut-être que quelqu'un s'est servi de l'imprimante pour ses lettres de Saint-Valentin et a vidé l'encre rouge.

— No. Ze niou printeur iz no good.

Il se désintéressa de moi, se tourna vers Jean-Marie et se lança dans un prêche sur la nécessité de renvoyer les imprimantes au fournisseur. Un tas de merdes américaines, disait-il, surfant ici sur le sentiment anti-US généralisé en France, même si son passage aux États-Unis était probablement le point fort de son CV.

Tout cela était très intéressant du point de vue sociologique, et pour la technologie des imprimantes, mais ce n'était pas l'objet de ma réunion.

— C'est tout ce que tu as à dire ? Que les couleurs ne sont pas assez vives ?

Jean-Marie semblait d'accord avec Marc. Il grimaçait devant son graphe comme si les couleurs avaient tiré vers le fécal.

Un sifflement étrange, asthmatique, se fit entendre du côté de Bernard.

— Ziis, siffla-t-il, comme s'il testait les capacités musicales d'un nouveau dentier.

Il leva sa feuille et en montra la partie supérieure, où un faisceau de traits montrait les rares tâches réellement accomplies.

— Oui ?

— What iz zis ?

— De quoi tu parles ?

— What iz zis ?

Il fit le geste de tirer un trait.

— Un trait, ça se voit.

— Un *trey* ?

— *Trey* !

Tiens, voilà Stéphanie qui s'entraînait à la prononciation.

— Un trait, expliqua Nicole. En Angleterre, on met des traits quand c'est bon. En maths, le prof trace un trait quand vous avez juste, une croix si c'est faux.

Bernard et Stéphanie semblaient fascinés. Ils se lancèrent dans une batterie de questions annexes sur notre façon de remplir les formulaires, où et comment on mettait les croix et les traits. Marc leur fit remarquer que sur Internet, sur certains sites, quand on coche une option, c'est un trait qui apparaît.

— Ah yes. Very ineteresting, conclut Bernard.

À cet instant précis, je dégainai une Kalach imaginaire et leur lâchai des rafales dans le crâne, avec des petits trous bien alignés. Comme des traits.

— Jean-Marie ? implorai-je.

Il était toujours affalé sur sa chaise, l'air vaguement affligé par notre discussion. Il se concentra un instant avant de réagir, puis brandit sa feuille et l'agita dans l'air comme une clochette.

— Bernard a raison, tout cela est très intéressant, déclara-t-il. Mais, vous savez, avec une guerre à l'horizon, le mieux est de... comment vous dites, « faire le dos rond » ?

— Faire le dos rond ?

— Oui, vous ne voyez pas ? Comme un homme sous la pluie, *the rain.*

Jean-Marie mima une danse étrange.

— Quel rapport ?

Sa mine affligée s'accentua.

— Je veux dire, la France et l'Angleterre ne sont pas en bons termes. S'il y a la guerre, on aura l'air malin, avec notre « bonne *cup of tea* anglais ».

Il haussa les épaules d'un air résigné. Il capitulait.

— Minute Jean-Marie, qu'est-ce que vous racontez là ?

L'assistance attendit qu'il explicite sa réponse. Elle attendit un moment.

— Ce que je veux dire, lâcha-t-il enfin, c'est qu'il vaudrait mieux pour nous que MM. Blair, Bush et Chirac se mettent d'accord. Tant qu'on ne sait rien, impossible d'avancer. *Wait and see.* Prenez des vacances, Paul. Allez en Angleterre *one week* ou *two*.

Je n'arrivais pas à y croire. J'étais au chômage technique.

— Vous dites que vous suspendez tout le projet, au cas où il y aurait une guerre ? C'est une vision à court terme, non ?

Il ignora mes questions, j'en posai d'autres.

— Et vous ferez quoi s'il y a la guerre ? Vous jetterez tout le projet à la poubelle ? Vous vous rappelez combien de temps ça a duré, la guerre du Golfe ? À peine le temps de faire infuser une théière.

Pour toute réponse, une grimace.

— Et même s'il y a la guerre, les Parisiens s'en fichent, vous ne croyez pas ? Le printemps arrive et ce qui va compter, c'est d'avoir la bonne marque de lunettes noires enfoncées sur le haut du crâne.

Marc, Bernard et Stéphanie en comprirent juste assez pour émettre un faible « oh » de protestation. Mais ils n'intéressaient pas Jean-Marie plus que moi.

— Si vous allez en Angleterre, dit-il, vous pouvez me fédexer des comprimés pour la digestion ? J'ai une crise de foie.

« Crise de foie », c'est l'expression qu'emploient les Français quand ils ont trop bu ou trop mangé et qu'ils se sentent mal. Quand vous avez été tellement vorace que votre foie pète les plombs.

— Vous fédexer ?

— Oui. En France, on ne trouve ces comprimés qu'en pharmacie, et les pharmaciens ont annoncé une grève à partir de ce soir. Je vais en manquer. En ce moment, j'ai sans arrêt des repas officiels. (Il se frotta le ventre.) En Angleterre, dit-il aux autres, vous trouvez la plupart des médicaments dans les *supermarkets*.

La réunion se termina en commentaires, en français, sur les vertus de la dérégulation appliquée au marché pharmaceutique. De quoi refiler à n'importe qui une bonne indigestion.

Bien entendu j'expédiai immédiatement un mail à MM. Blair, Bush et Saddam pour les informer qu'une nouvelle guerre du Golfe risquait d'être catastrophique pour l'emploi des techniciens anglais mâles de la branche alimentation dans la zone Paris centre.

En l'absence de réponse, je retournai chez mes parents profiter de mes vacances forcées. Et je découvris avec horreur à quel point j'étais devenu français.

D'abord, comme Jake, mon pote américain, j'avais oublié en anglais les mots les plus simples. Les mots, c'est comme les stylos-feutres. Quand on ne s'en sert pas, ils sèchent.

Je courus d'abord au Marks & Spencer local. Ils avaient tout changé depuis mon dernier passage à Noël et je m'approchai d'une petite vendeuse pour lui demander : « Où sont les... ? »

Le trou. Le premier mot à apparaître dans le lobe linguistique de mon cerveau fut slip (prononcer sleep) comme dans la phrase préférée de Marie : « Enlève ton sleep, Pol. »

Le second mot fut culotte, mais ça c'est pour les femmes. Souvent entendu chez Marie, lui aussi : « Tu sais, Pol, que tu speakes à une girl qu'a no culotte ? »

À ce stade, la petite vendeuse de M&S, convaincue que j'étais frappé de transe catatonique, fronça les sourcils comme si elle s'attendait à me voir lui tomber dessus.

Je faillis dire « Knickers ! », mais ce n'était pas ça non plus. Quel était le mot, bon Dieu ?

— *Underpants !* criai-je enfin joyeusement.

La pauvre fille recula d'un pas.

— Premier étage à gauche, répondit-elle.

Elle semblait nerveuse et elle fila, probablement pour avertir la sécurité qu'un maniaque des sous-vêtements était sur l'escalator. Signe distinctif : un fort bégaiement.

Même quand je me souvenais des mots, mes parents disaient qu'ils entendaient un léger accent français. Mes vieux copains de fac ne mettaient pas de gants : « On dirait une grenouille ! »

Dans mon ancien patelin, que je n'avais pas revu depuis mon départ à Londres il y a deux ans, avoir l'air français n'était pas vraiment une bonne idée. Avec la guerre qui approchait, et l'opposition de la France qui déchaînait les tabloïds, il y avait ici des gens qui auraient détruit leurs meubles à la hache si on leur avait dit que la laque était française.

Mes vieux potes étaient plus politiquement corrects, mais tout de même, je faisais de mon mieux pour avoir l'air du coin.

Malheureusement, j'étais largué. J'ignorais le nom de l'entraîneur de l'équipe de foot locale (crime de haute trahison, puni par autant de tournées générales que de potes présents).

Quand ils passaient à des sujets plus internationaux, tout allait bien jusqu'à ce qu'ils se lancent dans l'analyse sérieuse des origines de la guerre du Golfe 2. Depuis quand les Anglais étaient-ils tous devenus inspecteurs d'armes onusiens amateurs ? Où avaient-ils suivi des cours accélérés de haute diplomatie ? Discuter des magouilles en cours dans tous les camps en présence était aussi épuisant pour moi qu'un séminaire d'une semaine sur les règles du cricket pour un éleveur de porcs français et alcoolique.

Avec le recul, les Parisiens étaient peut-être fiers de leur posture antiguerre, mais ils n'analysaient pas autant. Dire « tout ça c'est pour le pétrole » était un tic de mode, comme le string apparent. Je n'étais pas pour la guerre, mais j'étais contre passer mon temps à dire que j'étais contre. Ma seule envie, c'était d'envoyer valser d'un coup de hanche toutes ces discussions pour en revenir aux sujets sérieux tels que le sexe, les projets de vacances et les adresses des meilleurs restaurants de fruits de mer.

Au fait, oui, manger. C'était le gros problème. Quand ma mère posa sa salade habituelle sur la table – feuilles de laitue entières, tomates entières, concombre en tranches, branches de céleri –, une pulsion irrépressible me poussa à ignorer les flacons de mayonnaise et de sauce salade et à me touiller une petite vinaigrette. Hélas, dans la cuisine, que du vinaigre au malt et de l'huile de cuisson d'origine végétale indéterminée. Je me débrouillai au mieux avec les ingrédients, revins à table avec mon bol d'assaisonnement et entrepris de déchirer une feuille de laitue avec les doigts. Il ne me vint pas à l'esprit que je faisais un truc bizarre, jusqu'à ce que mon père me demande :

— Ils n'ont donc ni couteaux ni fourchettes à *Paree* ?

— Si, mais...

J'abrégeai l'explication. Pas parce que j'avais oublié les mots, cette fois, mais je ne me voyais pas dire : « On ne coupe pas la laitue avec un couteau. »

Je coupai pourtant au couteau les autres feuilles, et posai un long regard sur le céleri. En France, je n'avais jamais vu personne en manger comme ça – ils ne mangent que la racine, qui a un goût très fort et qu'ils rapent, comme les carottes. Les branches de céleri appartiennent à une classe de légumes, comme les rutabagas et les topinambours, que les Français estiment juste assez bons pour les chevaux et le bétail.

En mâchouillant la chair dure et fibreuse, j'étais maintenant d'accord avec eux. Où était passé le goût ? Comme si j'avais le palais anesthésié. Que faire de cette bouffe fade, sinon chercher le premier cheval affamé pour m'en débarrasser.

L'autre problème, c'est que j'étais maintenant allergique à l'idée d'acheter du pain dans un supermarché. Je me demandais comment l'Angleterre, y compris moi, avait survécu si longtemps sans une boulangerie à chaque coin de rue. Cela me semblait une atteinte aux droits de l'homme.

J'étais devenu un étranger.

Je remplis donc mon sac de comprimés digestifs et de slips anglais et me repliai sur une ville où la bouffe était meilleure et les discussions moins stressantes. En repassant sous le Channel, je me demandai quand les Français allaient se décider à murer le tunnel, en doigt d'honneur à leurs belliqueux voisins.

N'ayant pratiquement rien à faire au bureau, j'entretenais par mail un flux régulier de cancans avec les copains d'Angleterre. Chris, celui qui s'était fait virer par une banque française, se sentait obligé de m'envoyer toutes les blagues antifrançaises qui tournaient sur le Web. En moins de trois jours, j'en accumulai une centaine, avec photos, dessins, chansons. La gamme allait de l'observation moyennement drôle que la position de Chirac venait de son nom qui se termine en « irac », à des suggestions antidiplomatiques sur l'endroit où il pouvait se mettre la tour Eiffel.

Inutile de dire que je faisais attention à ne pas laisser traîner ces odieux mensonges sur l'imprimante.

Je guettais toujours Jean-Marie, mais ne le voyais jamais. Le seul signe tangible de son existence fut la disparition de la tablette de comprimés que j'avais posée sur son bureau.

Nos « comités » ne se réunissaient plus, et tous sauf Nicole et Christine me traitaient comme si j'étais un ferry trans-Manche en train de sombrer.

Chaque fois que Bernard me croisait, il me serrait la main et m'adressait un sourire énigmatique. Le sourire énigmatique seyant mal aux morses, il avait surtout l'air d'avoir envie de péter.

Stéphanie me confia en français sa certitude que les diplomates français, avec leur expérience, gagneraient la bataille à l'ONU contre « les épais barbares anglo-saxons ».

— Tu as raison, répondis-je (en français). Les diplomates anglo-saxons parlent viking et ils ont des ailes sur la tête.

Ça la laissa perplexe. Je n'étais pas assez bon en français pour transmettre l'ironie.

Marc n'abordait jamais le sujet de la guerre en l'absence des autres. J'en déduisis qu'il soutenait secrètement les États-Unis et n'osait pas le dire. Il savait que ce n'était pas précisément une opinion à la mode.

Marianne la réceptionniste ne parlait jamais de la guerre non plus, elle n'en n'avait pas besoin. Chaque fois que j'entrais ou sortais de l'immeuble, elle me lançait un regard noir, apparemment persuadée que je rêvais d'aller personnellement bombarder l'Irak. Ou peut-être, maintenant que je n'étais plus le chouchou de Jean-Marie, laissait-elle son inimitié naturelle prendre le dessus. Elle m'informa, entre ses dents grises et grinçantes, que je n'aurais pas dû prendre de congé sans remplir un formulaire, et elle n'était d'ailleurs pas sûre que j'y aie droit, ayant moins d'un an d'ancienneté.

— OK, lui dis-je. Je te les rendrai, tes jours de congé.

Ça relevait de la basse diplomatie, mais à la guerre comme à la guerre.

Christine n'avait rien changé, toujours aussi amicale et belle, mais elle passait le plus clair de son temps au téléphone avec son fiancé ou sa mère. Le premier pour lui assurer une fois par heure qu'elle adorait toujours son « chaton d'amour », la seconde pour pinailler sur les détails d'un mariage qui, autant que je le sache, était fixé à un an de là. Un mariage qui allait être mieux planifié que toute notre chaîne de salons de thé.

Nicole était la seule de mes collègues avec qui je continuais d'avoir des discussions intéressantes. Cela tenait surtout, je le savais, à son envie de pratiquer l'anglais, mais c'était OK pour moi.

On prit l'habitude de déjeuner ensemble. Le temps allait vers le beau et on pouvait parfois s'asseoir en terrasse. Plusieurs brasseries proches du bureau avaient installé des réverbères chauffants entre les tables et quand le soleil brillait, on se serait presque cru en été.

Il fallait juste faire attention, en se levant, de ne pas prendre le réverbère pour un chapeau chinois et de mettre ainsi la tête dans le brûleur à gaz.

C'était Nicole qui me tenait au courant, jour par jour, des conséquences des mauvaises relations franco-anglaises sur mon projet. À chaque nouvelle embrouille entre gouvernements, mes salons de thé perdaient une chance de voir le jour, comme un arpent de vigne perd ses pousses une à une à chaque orage.

Les médias français reproduisaient tous les titres anti-Chirac de la presse anglaise, qui n'y va pas avec le dos de la cuillère, et on se doutait bien qu'on n'était pas la « fureur du mois » pour le public parisien. Mais hors du bureau, je n'en parlais jamais avec personne.

Quand j'achetais ma baguette, avec mon épouvantable accent flottant comme un énorme Union Jack au-dessus de ma tête, la boulangère s'en tenait à « Quatre-vingts centimes, s'il vous plaît ».

Et chaque fois que je passais dans un McDonald ou un Kentucky, l'endroit était complet. Les clients s'imaginaient-ils que le Happy Meal était un concept traditionnel français ?

Si l'ambiance était moyenne à Paris, cela ne devait rien à la politique internationale. C'était à cause de la grève des pharmaciens.

Mon fidèle guide me l'apprit : à Paris, il y a une pharmacie tous les dix mètres environ, avec une grande croix verte en néon qui appelle les Français à entrer et à se surmédicamenter. Pour paraphraser une vieille chanson, vous ne verrez jamais un pharmacien sur un vélo. Les licences pour acquérir une pharmacie coûtent les yeux de la tête, elles se vendent et s'achètent avec autant de férocité que des tableaux de Monet.

À présent, les vitrines des pharmacies étaient verrouillées par des grilles de fer. Sous les croix vertes désespérément éteintes, des groupes gémissants et renifleurs de pharmacodépendants espéraient un miracle. Je ne le savais pas encore, mais je serais bientôt des leurs.

Le premier coup porté à ma santé coïncida, ironiquement, avec le retour à Paris d'une équipe de médecins. L'un d'eux était le petit ami de Marie.

— Ton petit ami ?

Incroyable. Elle était au téléphone et m'annonçait qu'elle ne pourrait pas passer la nuit toute nue avec moi comme d'habitude.

— Tu as un petit ami ?

— Yes. He absent of Paris.

Ainsi cette femme, qui depuis un mois se livrait avec moi à toutes les excentricités sexuelles connues de l'humanité, éprouvait une sorte d'allégeance envers un autre homme !

— C'est qui ? Un moine ? Un eunuque ?

Quoi d'autre pouvait expliquer son insatiable libido ?

— No, he iz doctor.

Le petit ami, expliqua-t-elle, était membre de Médecins sans frontières. Il était en poste à Bagdad et on venait de les avertir que les bombes anglaises et américaines ne feraient pas la différence entre des

French doctors et des soldats irakiens. Ils avaient compris le message et quittaient le pays.

Une foule de questions, sur les performances sexuelles du docteur, l'aptitude de Marie à changer d'amants comme de chemises, sur mon rôle de godemiché géant, se bousculaient dans mon esprit, mais il me parut inutile de les poser.

— You have leave your capots in my apartment. You want I post zem tou you ?

— Non, garde-les. Tu risques d'en avoir besoin. Pour les après-midi où ton copain sortira et te laissera toute seule.

— Hein ?

— Garde-les. Je n'en ai plus besoin.

— You can telefon Florence. She is liking for you, suggéra Marie. (Florence, c'était la copine à moitié indienne que j'avais rencontrée dans ce bar.) I explaine her you are OK for French girls à présent.

— Qu'est-ce que ça veut dire ? Les Anglaises aussi aiment le sexe, tu sais. Si tu as besoin de te faire baiser quatre fois par nuit, c'est ton problème.

Marie eut un petit rire.

— You not cool. Telefon Florence, she is calming you.

— Tu veux dire que son copain est absent pour le week-end et qu'elle a besoin d'un service ?

Je raccrochai et proférai quelques malédictions contre la gent féminine française. Une seule chose pouvait encore aggraver la situation, un retour précipité d'Élodie, furieuse de l'hostilité des Américains envers la France. Mais, connaissant Élodie, elle était capable de vivre n'importe où tant qu'il y avait de la dope et des beaux mecs.

Résultat du lâchage de Marie, j'étais calme et détendu le jour où la guerre éclata. J'avais dormi huit heures. J'avais traversé des phases de semi-conscience où je me retournais dans le lit, soulagé de n'être pas réveillé par une main (ou pire, une bouche) titillant mes parties basses et je retombais dans un sommeil profond et sans rêve.

Ce matin-là, il fallut plusieurs minutes de gazouillis journalistique à la radio, et quelques bombardements en effets sonores, pour récupérer ma conscience. Je m'attardai au lit, ravi qu'au moins un endroit dans le monde, mon matelas, ne soit pas une zone de combat.

Le sexe est une chose merveilleuse, décidai-je, mais c'est comme le champagne. Si on vous oblige à en boire quatre coupes par repas, vous fantasmez sur un verre d'eau.

Ce ne fut donc pas avant d'être sous la douche, sous le picotement chaud de l'eau massant mes muscles raides (lesquels, bêtement, se plaignaient du manque d'activité nocturne), que je compris ce qui se passait.

La guerre ?

Je fermai le robinet et restai dans la cabine, tout dégoulinant, avec l'air froid qui s'insinuait et me faisait frissonner.

La guerre.

Nous savions tous (sauf les gens pulvérisés pendant les premières nuits de raids aériens) que c'était inévitable, mais ça faisait quand même un choc.

Pour moi aussi, c'était une condamnation à mort. Moins pénible, j'admets, que de recevoir une bombe perforante dans la tête ou une grenade à l'intérieur du char, mais néanmoins un sale coup.

Je retournai au bureau, sans me presser. Je lançai à Marianne mon « bonjour » le plus vibrant. Elle répondit d'un grognement. Plutôt rassurant. Si elle avait déjà préparé ma lettre de licenciement, j'aurais eu droit à un beau sourire jaune et gris.

Je montai dans le bureau de Christine et allai droit au but.

— Alors ?

— Alors quoi ? (Elle tira un mouchoir en papier d'une boîte posée sur son bureau et se moucha.) Ah, la guerre ? Oui, pauvres gosses.

Elle secoua la tête et mit fin à la conversation pour appeler sa mère, lui demander s'il lui restait des médicaments pour la toux et s'assurer que les hostilités au Moyen-Orient ne couperaient pas la route de la soie pour les robes de mariées.

J'allai jeter mon sac sur mon bureau et appelai Nicole.

— Alors ? dis-je en français.

— C'est qui ?

Elle ne reconnaissait pas ma voix : les gens changent de voix quand ils parlent une autre langue.

— Paul.

— Ah, Paul, ello. Zis war, it put ze moral to zero, no ?

— Tu as raison. La guerre c'est pas moral. Et que, e-euh...

Ce que j'avais à dire allait sonner absurde, mais comment le dire autrement ?

— À ton avis, quel impact la guerre va-t-elle avoir sur les salons de thé ?

— Ah oui. (Elle réfléchit un moment.) Je ne sais pas. Il faut que tu en parles avec Jean-Marie.

— Il n'est pas là. Il n'est jamais là.

— Je sais. Alors tu continues comme d'habitude, je suppose.

Je soupesai l'idée de continuer à glander, à lire des blagues antifrançaises et à boire des cafés. Ce n'était pas une perspective répugnante, mais elle ne collait pas tout à fait à mon plan de carrière.

Jean-Marie ne refit pas surface ce jour-là, ni le suivant. Ni le surlendemain. On aurait dit la drôle de guerre en 1939, quand la France, pendant des mois, continua à vivre comme si de rien n'était. Puis l'ennemi surgit et fit le ménage.

Il m'était difficile de juger ce que les autres pensaient des salons de thé. Il est toujours difficile de savoir ce que pensent des gens que vous ne voyez jamais.

Ce n'était pas tout à fait vrai. Je croisais parfois les membres de « mon » équipe. Je tombai sur Bernard à la machine à café, plongé dans la lecture des instructions sur un tube de crème qu'il venait d'emprunter à un collègue. Stéphanie se pointa pour demander qu'elle était l'ambiance à Londres (elle avait d'excellents souvenirs de son voyage avec Jean-Marie) et si par hasard je n'avais pas des antalgiques. Marc passa pour essayer d'échanger des patches antinicotine contre de la crème fongicide. Je n'osai demander pourquoi.

En admettant que mes collègues soient un baromètre fiable, la grève des pharmaciens faisait resurgir les bobos dormants et poussait lentement le pays vers son lit de mort collectif.

Enfin, un après-midi, Jean-Marie fit un retour triomphal, avec une pêche d'enfer, comme s'il avait fait le plein d'actions AK-47 la veille de la guerre. Il m'aperçut par la porte (ouverte) de mon bureau, ralentit à peine l'allure, frappa à la porte (nul besoin) et entra. Je fermai la caricature antifrançaise sur mon écran et me levai pour l'affronter en homme.

Il me serra la main en lançant un « Hello » éclatant. Je ne l'avais pas revu depuis mes vacances forcées.

— Ça va mieux ? demandai-je.

Il ne comprit pas l'allusion. Je me frottai le ventre.

— Ah, oui, *very good*, merci. Il ne vous resterait pas des médicaments, par hasard ?

— Non, désolé.

— Ça ne fait rien. Je vous suis très reconnaissant.

Cette gratitude envers un Britannique serait-elle suffisante pour la survie de mon projet ?

— Alors, la guerre, vous en concluez quoi ?

— La guerre, oui... Laissez-moi poser mes affaires et on en discute. (Il brandit son attaché-case.) Passez dans mon bureau dans cinq minutes.

Ça sentait mauvais.

Cinq minutes et trente secondes plus tard (en France, il ne faut jamais être à l'heure), je frappai à la porte de son bureau et le trouvai en train de servir du café. Christine était déjà là.

— Asseyez-vous, Paul.

Il poussa une tasse blanche devant moi.

Je m'assis en ignorant la tasse. Je fis un grand sourire, l'air de dire, allons-y, réglons le problème tout de suite.

Il se lança dans un long discours sur la guerre, la politique, la valse des cours en Bourse, le poids des charges patronales, l'état de son intestin (bon, ça peut-être pas, mais j'avais cessé d'écouter, j'attendais la chute).

— Et donc, conclut-il, je suggère que vous continuiez jusqu'à la fin de votre contrat, ou du moins jusqu'à la fin de la guerre. En tant que professeur d'anglais.

Il eut un sourire de triomphe, comme un magicien tirant un iguane d'une tasse de café.

— Pardon ?

— Ce sera parfait pour tout le monde. Nous envoyons pas mal de gens prendre des cours d'anglais. Maintenant, ils pourront aller vous voir. Bien sûr, vous gardez votre salaire.

Et bien sûr, je continuais de payer le loyer d'Élodie.

Le fait que l'enseignement de l'anglais ne figure pas dans mon contrat ne me vint même pas à l'esprit. La seule objection qui me traversa fut l'image de Marianne conjuguant des verbes irréguliers. Ou, pire, pratiquant avec moi une conversation en anglais.

— Non, dis-je, non.

— *Take your time.* Réfléchissez, dit Jean-Marie.

Mais plus je réfléchissais, plus je voyais Marianne et son sourire jaune.

Je revins chez moi par l'itinéraire touristique. Dans Paris, les itinéraires touristiques conviennent aux interrogations existentielles.

Des Champs-Élysées au Marais, vous pouvez concocter un parcours qui vous fait passer devant les plus beaux panoramas de la ville sans voir une voiture. Vous déambulez en rêvassant poétiquement : allez-vous tomber sur l'amour de votre vie au coin de la rue ? quel est le plus beau pont pour se jeter dans la Seine ?

Je descendis sur les bords du fleuve au pont de l'Alma – le soldat colonial avait toujours le caleçon sec –, puis le long des quais jusqu'au pont des Invalides. Juste en dessous du niveau de la rue, le long des vieux quais pavés, il y a des anneaux de fer qui rouillent, souvenir du temps où barges et péniches étaient amarrées tout le long des rives. Aujourd'hui, passé les bateaux-mouches, la plupart des navires à l'ancre sont des péniches aménagées dont la cargaison se résume à des meubles de jardin et des plantes en pot.

J'avais le soleil dans le dos, qui mettait des reflets sur les feuilles d'or du pont Alexandre-III. Quelque chose m'échappait : pourquoi personne ne vole-t-il cet or ? Du vrai or pourtant, dont on avait aspergé la couronne de Neptune sur l'arche centrale, à portée de scalpel des passants. Et si j'achetais un scalpel ? Après la fin de la grève des pharmaciens, évidemment.

En descendant vers la rivière et ses molles ondulations, il m'était facile d'imaginer un navire qui accostait, d'où la plus belle des femmes, la plus intelligente, la plus apolitique, ma moitié d'orange sexuelle, me hélerait pour une croisière au crépuscule.

Je ne vis qu'un SDF qui bricolait son abri de carton dans l'ombre humide d'un pont.

Place de la Concorde, je pris par les Tuileries et traversai les jardins, sous les rangées d'arbres droit sur la pyramide de verre au milieu du Louvre.

Là, je m'arrêtai boire un verre. Le café qui donne sur la pyramide avait ouvert sa terrasse et je m'offris un cocktail chargé. Aux autres tables, les touristes avaient le nez dans leurs guides. Il existe un type de touristes qui semblent ne jamais voir ce qu'ils visitent. Ils préfèrent étudier les adresses des autres monuments, qu'ils ne verront pas vraiment non plus. Une montgolfière pilotée par des danseuses nues aurait survolé le café que personne ne l'aurait vue, sauf moi.

Mais cela, j'en étais conscient, c'était l'amertume qui parlait en moi. Bientôt je deviendrais l'un de ces types qui s'assoient dans un café parisien et se mettent à taper leur jérémiades sur un ordi portable, dans l'espoir que quelqu'un s'approche et demande : « Qu'est-ce que vous écrivez ? », alors qu'en fait chacun manœuvre pour les éviter, terrorisé à l'idée que l'écrivain veuille à tout prix leur expliquer sa prose.

Je passai devant la pyramide, entre les ailes du Louvre, dans la Cour carrée vide et venteuse, et me retrouvai dans la rue. Après un petit détour par les grands magasins de la Samaritaine, j'étais de retour sur les quais, cap sur les îles où les cousins d'Astérix avaient construit le premier Paris. Et pas un seul immeuble en vue pour vous sortir du Moyen Âge.

Je trouvai un banc et m'assis jusqu'au soir, les yeux vers l'amont, pour contempler Notre-Dame.

Que diable allais-je faire pendant la guerre ?

Dit comme ça, ça faisait un peu mélo, mais c'était pourtant une vraie question. Concrètement, mon boulot s'était volatilisé. Même si la guerre finissait vite, il n'était pas réaliste de penser que Jean-Marie remettrait aussi sec sur les rails le projet Salons de thé. On avait pris beaucoup trop de retard. Rien ne me retenait à Paris. Pas de femme, peu d'amis, des compagnons de bar plutôt que des âmes sœurs, et un appartement que je payais à la personne à qui j'avais le moins envie de donner de l'argent.

J'étais franchement in the merde.

C'est sûrement pendant cette heure passée sur un banc devant la Seine que j'ai attrapé froid. Enfin, quand je dis froid, il s'agit plutôt d'un mélange de paludisme et de tuberculose avec en prime les symptômes les plus douloureux de la pneumonie. En une nuit, j'atteignis des himalayas de fièvre et mes poumons se transformèrent en usines à glaires.

En Grande-Bretagne, j'aurais accompli mon devoir patriotique en évitant de déranger le médecin pour d'aussi triviales souffrances. (En quoi un cas bénin de tuberculose paludéenne pourrait-il intéresser un généraliste ?) Je serais allé à la pharmacie où j'aurais acheté quelque chose de chaud et de citronné. Mais les pharmacies étant toujours en grève, il fallait donc passer par un médecin.

À Paris, vous n'êtes pas obligé de vous adresser à un centre de soins sectorisé. Les médecins reçoivent dans des appartements normaux, signalés par des plaques de cuivre à l'entrée de l'immeuble, portant leur nom, leur spécialité et leur numéro de téléphone. À une quinte de toux de chez moi, je relevai des plaques de pédiatres, d'ostéopathes, de dermatologues, de dentistes, de gynécologues, de psychiatres, d'orthodontistes, d'opticiens et même de radiologues. Pour ne parler que des mots que je comprenais.

Ça faisait bizarre de penser qu'on peut vivre dans un appartement avec, de l'autre côté de la cloison, un type qui passe les gens aux rayons X ou regarde du soir au matin entre les jambes des femmes. On partage l'ascenseur ou l'escalier avec des malades et des cinglés. Dans le hall, les poubelles communes doivent être pleines de dents pourries et de verrues arrachées. Ça ne me semblait pas très hygiénique.

La plupart des plaques de cuivre précisaient qu'il fallait prendre rendez-vous, mais je finis par dégotter un médecin généraliste qui affichait ses heures de consultation. À savoir tout de suite. Il était dans les 10 heures du matin, l'horaire allait jusqu'à 12, pour reprendre à 14.

Il s'appelait Jean-Philippe Diafoirus et opérait dans un immeuble XIXe rue de Rivoli.

Je poussai le lourd vantail verni de l'entrée, traversai un hall négligé et grimpai l'escalier moquetté jusqu'au troisième, en toussant et sifflant tout du long. Il y avait bien un ascenseur, mais il avait l'air si étroit et si vétuste que j'eus peur de me retrouver coincé dedans et d'épuiser ma provision de mouchoirs avant l'arrivée du réparateur.

Il y avait une nouvelle plaque de cuivre sur la porte de l'appartement, avec une étiquette qui demandait de sonner et d'entrer. Ce que je fis, pour atterrir dans un hall vide aux murs blancs. Pas trace d'une réceptionniste. Sur ma gauche s'ouvrait un couloir à parquet, en face une porte blanche affichait « salle d'attente ». Je fis un pas dans cette direction et le plancher craqua avec force. C'était le seul bruit perceptible, à part le ronron de la circulation. Je m'attendais presque à une pièce remplie de squelettes, des patients venus s'échouer dans un appartement vide jusqu'à ce que la mort les happe.

Mais non. Quand j'ouvris la porte de la salle d'attente, quatre ou cinq vivants se tournèrent vers moi, attentifs à tout symptôme contagieux. Ils étaient assis dans des fauteuils rangés le long des murs, face à une cheminée de marbre gris sous un miroir monumental à cadre doré. Un salon parisien tout ce qu'il y a de plus banal. Comme si je débarquais dans une réception très ennuyeuse.

On me murmura un ou deux bonjours et je rendis la politesse. Deux vieilles dames assises en silence contre le mur à côté de la cheminée, une ado qui changeait le CD de son walkman, une maman avec un bébé surhabillé dans sa poussette. Le bébé avait le visage tout rouge et semblait au bord d'exploser. Était-ce constipation, fièvre équatoriale ou couches fourrées d'explosifs, je préférais ne pas le savoir.

L'attente se révéla aussi rasoir que chez un médecin anglais, sauf que les magazines étaient mieux. En

France, vous trouvez des numéros assez récents de *Elle*, avec des photo-reportages plus que lisibles : « Comment garder des fesses parfaitement galbées » ou « Comment raffermir vos seins par l'automassage ». Les filles qui les illustraient n'avaient aucun souci à se faire, mais ce n'était pas moi qui leur dirais d'arrêter.

Une fois installé, je m'aperçus que j'entendais un faible murmure, la voix du docteur, à travers la cloison dans mon dos. Il n'arrêtait pas de parler. Pour persuader son patient de partir et de laisser entrer le suivant, espérais-je.

Pendant la première demi-heure, je fus content de rester assis et de souffrir en silence – je ne compte pas reniflements occasionnels et râles d'agonie.

Seulement, au bout d'une demi-heure, seule l'adolescente était entrée, et je l'entendais énumérer ses problèmes.

À ce rythme, je serais encore ici pendant la pause-déjeuner du docteur, et bientôt éclaboussé par des éclats de bébé explosif. J'implorai la mère en silence : sortez ce pauvre gosse de son équipement antarctique, mais c'était elle maintenant qui était fascinée par la lecture de *Elle*. Les pages cuisine, probablement : bébé mariné dans son propre jus.

Je me demandais si le système anti-queue français fonctionnait ici comme ailleurs. Peut-être devrais-je, quand la fille sortirait, me lever et foncer autoritairement dans le cabinet, comme si c'était un droit de naissance, en imitant ceux qui vous passent devant à l'arrêt de bus.

Mais quand le docteur émergea, ce fut pour crier : « Madame Bouvier. »

Ainsi il y avait une queue, et il connaissait le nom des gens. Faites que ce ne soit pas parce qu'ils avaient pris rendez-vous !

Mme Bouvier, c'était la mère. Elle était apparemment venue vérifier que son bébé était bien cuit, car elle ressortit en moins de dix minutes. Les deux petites grand-mères venaient ensuite, toujours silencieuses, comme si elles cherchaient à se rappeler de quoi elles étaient malades.

Je lâchai mon magazine et me concentrai sur la voix du docteur, à guetter les bruits d'au revoir. J'étais maintenant le premier d'une queue de trois. L'un d'entre nous, un quinquagénaire à casquette plate, yeux globuleux, vêtements de bonne qualité mais légèrement effilés, était le portrait-robot du sauteur de queue. Penché en avant sur son siège, mains sur les genoux, on le sentait prêt à l'action. À moins que ce ne soit les hémorroïdes. En entrant dans la salle d'attente, il avait crié « Messieurs-dames », pour annoncer sa présence plutôt que pour nous souhaiter une bonne journée. Et pas un seul coup d'œil aux magazines. Le genre, je le soupçonnais, qui n'aurait aucun scrupule à passer devant un Anglais à l'article de la mort au prétexte que ses hémorroïdes étaient plus importantes que mes troubles respiratoires aigus.

Le docteur raccompagna les vieilles dames à la porte et se tourna vers la salle d'attente. M. Saute-Queue s'exclama « Bonjour docteur » et l'autre répondit d'un signe de tête. Ça y est, me dis-je, je suis consigné pendant tout le déjeuner. J'inspirai profondément et me levai de ma chaise. Le docteur eut l'air surpris et proféra un « Monsieur ? » plein de curiosité.

J'avais encore raté une occasion de préparer un petit discours en français. Comment dire : « Vous ne me connaissez pas mais j'ai besoin de vous pour me sauver la vie » ?

Je me contentai de « Bonjour », il sourit et m'invita dans son bureau, apparemment pas trop perturbé par la présence de gens bizarres dans sa salle d'attente.

— J'ai froid, expliquai-je en français.

Non. Tout faux. J'avais pourtant fait de mon mieux pour mémoriser des mots clés comme tousser, poumons en feu et atchoum.

Le docteur se retourna vers un Mac flambant neuf à écran plat et m'interrompit pour me demander mon nom, mon adresse, ma date de naissance, mon numéro de Sécurité sociale, etc. J'avais oublié : en France, la paperasse passe avant la santé.

Je savais d'expérience qu'il vaut mieux trimballer en permanence tous ses papiers sur soi, et il ne fallut que dix minutes pour me créer un dossier (exactement le temps d'épuiser ma réserve de mouchoirs). Je le regardais tapoter son clavier. Il n'avait pas du tout l'air d'un médecin. Jean, veste de tweed, teint hâlé et plein de santé, cheveux en bataille, très fréquentable, rien du malheureux accablé sous le poids d'un système de santé vacillant comme en Angleterre. Il aurait pu être gérant d'une auberge de jeunesse.

Je décrivis, ou plutôt exhibai, mes symptômes. Il me pesa, écouta les bruits de papiers froissés dans ma poitrine, m'enfonça un bâton de sucette dans la bouche jusqu'à la nausée et déclara qu'il allait prendre ma température. Il saisit un thermomètre accroché à une sorte de pistolet agrafeur.

On y était. J'avais entendu parler des thermomètres français. Marie m'avait raconté l'histoire très marquis de Sade d'un type violé par un revolver. Ça ne m'avait guère excité, et j'étais terrifié à l'idée que les mœurs sadiennes aient contaminé la médecine française.

— Non non, dis-je en serrant les fesses sur la table d'examen. Je n'ai pas chaud.

— Il faut savoir si vous avez de la fièvre, dit le docteur en braquant son arme vers le plafond, comme un duelliste impatient d'en découdre.

— Ça va vite ? demandai-je.

— Oui, un simple clic et ça donne la température.

Il sourit d'un air rassurant. Allons, le canon de ce revolver n'est pas si long que ça.

— Ah, OK, si ça va vite.

Je me déhanchai pour faire glisser mon slip mais avant même que j'aie le temps de saisir l'élastique, il m'enfonça son truc dans l'oreille et cliqua.

— Hum, trente-huit neuf. C'est beaucoup.

J'émis un rire de soulagement.

— Non, vous avez de la fièvre, dit-il surpris de mon air satisfait à l'annonce de la mauvaise nouvelle.

Les jours du thermomètre rectal étaient bien finis, apparemment.

Le docteur retourna à son ordinateur pour saisir mon ordonnance.

L'ordonnance me fit tomber des nues. Je me répète, mais il n'est pas dans mes habitudes de déranger un docteur pour un rhume avant d'avoir une extinction de voix complète et qu'il me soit impossible de rien avaler sans anesthésie générale. Même en cette extrémité, je n'attends rien d'autre qu'une prescription de thé-aspirine.

Mais le médecin français échappait à mes normes. Il commença par me demander de quels médicaments je disposais chez moi.

— Rien, dis-je. Un peu d'aspirine.

Il parut surpris et m'énuméra une liste de produits qui, selon lui, devaient absolument figurer dans mon tiroir à médocs. À chaque nom cité, j'étais obligé de faire non d'un signe de tête.

— Je vois, dit-il, et il corrigea aussitôt mes années de négligence avec une liste d'achat d'antibiotiques, antidouleurs, sprays et inhalations mentholées capables de remettre sur pied un troupeau de girafes asthmatiques. Vous n'avez rien contre les suppositoires ?

— Les suppositoires ? Je ne sais pas. Les gros suppositoires ?

Je n'avais qu'une vague idée de la taille d'un suppositoire, ni même s'il en existe de différents calibres. J'avais jusqu'ici vécu une vie assez protégée pour éviter d'introduire quoi que ce soit dans mon orifice arrière.

Le docteur dressa l'index et mesura le segment supérieur.

— Je peux essayer, dis-je.

Essayer de les flanquer à la poubelle à la première occasion, c'était ça l'idée.

Il ajouta les suppositoires et imprima l'ordonnance.

En contemplant l'interminable liste, je compris soudain la cause des files d'attente hagardes qui encombrent les pharmacies parisiennes. Multipliez mon cas par le nombre d'infections répertoriées et par le nombre de Français, affectés d'un coefficient de gravité pour chaque maladie, et vous obtenez une nation entière littéralement accro aux médicaments.

— Où j'achète tout ça ? demandai-je.

— Dans une pharmacie urgentiste.

— Je suis un cas urgent ? demandai-je plein d'espoir.

— Oui, vous avez une ordonnance.

La gratitude se répandit dans mon sang telle une forte dose de paracétamol. Le docteur me tendit une feuille de papier où figuraient trois adresses.

— Allez dans n'importe laquelle. Ce sont les seuls endroits ouverts. Il faudra faire la queue. Avec un peu de chance, vous serez guéri avant d'obtenir les produits.

Il rit à sa répugnante plaisanterie de type en bonne santé.

— Vous travaillez, à Paris ?

— Oui, mentis-je.

— Vous voulez un arrêt-maladie ?

Un arrêt-maladie, m'expliqua-t-il, était une lettre de médecin permettant de ne pas se rendre au travail. Oui, dis-je, je vous remercie. Bonne excuse pour me dispenser de ces affreux cours d'anglais à longueur de journée.

Quand je me levai pour prendre congé, c'était le docteur qui n'avait plus l'air dans son assiette.

— Il faudrait, euh, me régler, dit-il en rougissant.

« Régler », m'expliqua-t-il, voulait dire « payer ».

— Ah oui. (Je me rassis.) Combien ?

Il grimaça comme s'il était indécent d'être aussi direct. Il se pencha en avant et déplia le formulaire qu'il m'avait donné, où était inscrit le tarif de la consultation. Le prix de cinq ou six bières dans un bistrot moyen.

— La plus grande partie, bien sûr, est remboursée par la Sécurité sociale. Vous avez une mutuelle ?

— Une quoi ?

— L'assurance-santé de votre entreprise.

— Euh, oui, probablement.

— Eh bien c'est eux qui paieront le reste, et vous serez remboursé à cent pour cent.

Un peu compliqué, mais excellent système, me dis-je. Dommage qu'il ne s'applique pas plutôt aux bières.

Je marchai (ou plutôt traînai mon corps souffreteux) jusqu'à l'autre rive de la Seine où se trouvait la pharmacie d'urgence la plus proche. Mes pas me portèrent jusqu'à un hôpital nommé Hôtel-Dieu, ce qui ne me parut pas de bon augure pour un hôpital. Plutôt l'enseigne d'une dernière escale sur la route de l'au-delà. Cela venait de son emplacement, juste en face de la cathédrale Notre-Dame.

L'entrée de l'hôpital affichait un détail plus souriant. Un panneau d'informations suggérait de téléphoner pour prendre rendez-vous avec toutes sortes de spécialistes de toutes les maladies imaginables. Pour un Britannique habitué à patienter six mois en liste d'attente pour consulter un spécialiste autre que celui de l'entretien des WC, ça équivalait à tomber sur la liste des numéros perso des dix plus belles top models du monde. Je pris mon portable et enregistrai le numéro des spécialistes des poumons, des oreilles, du nez et de la gorge et, juste au cas où, du labo équipé de scanners du cerveau. On n'est jamais trop prudent.

Je traversai péniblement un second bras de Seine et frayai ma route jusqu'à une vaste pharmacie du boulevard Saint-Germain, près de l'école de médecine. Je savais que je touchais au but car j'entendais déjà, sous le grondement de la circulation, les plaintes des éclopés.

Bon d'accord, j'exagère, c'était l'écho du gémissement qui monta en moi à la vue de la queue. Cent personnes au moins, des jeunes, des vieux, des qui tenaient debout tout seuls et d'autres avec des béquilles, en ligne sur le trottoir vers le boulevard Saint-Michel. D'autres invalides se hâtaient ou clopinaient sur la chaussée pour s'ajouter à la queue. J'accélérai brutalement et pris ma place en bout de file. Tout en reprenant souffle, je calculai combien d'heures j'aurais à passer ici. Il ne restait que cinq heures avant le coucher du soleil : je regrettai d'être venu sans tente ni matelas.

Comme la plupart des queues françaises, celle-ci comportait deux ou trois personnes de front. À la moindre occasion, vous progressez de quelques millimètres, histoire de garder un nez ou un orteil d'avance sur la personne arrivée après vous mais qui se tient à votre hauteur. Cela confère d'ailleurs à la queue un élan permanent vers l'avant, car le moindre atome d'air entre vous et celui qui précède doit être immédiatement comblé.

L'homme derrière moi, un grand type athlétique en jean et anorak de sport, engagea la conversation.

— Vous avez une ordonnance ? me demanda-t-il avec la mine soupçonneuse d'une caissière de supermarché qui essaie de voir s'il reste un paquet au fond de votre caddy.

— Oui.

Je tirai le papier de ma poche.

— Ah. Vous avez quoi ?

Je reniflai.

— Un rhume, dis-je en regrettant aussitôt mon honnêteté. (J'aurais mieux fait de dire le choléra et en profiter pour me propulser en tête de queue.) Et vous ? demandai-je.

— Fonkle.

Persuadé qu'il se raclait la gorge avant de parler, j'attendis la suite, mais rien ne vint.

— Fonkle ? répétai-je avec effort.

— Oui.

Il me fallut une longue description, avec gestes éloquents et force rictus, pour comprendre que l'homme avait un furoncle sur la fesse.

— Ooh, compatis-je. Heureusement on a inventé les boxers-shorts, hein ?

Et ainsi s'acheva notre conversation.

Mon interlocuteur suivant fut une dame, d'âge moyen et d'allure aisée, qui me demanda si, une fois parvenu en tête de queue, cela ne me dérangeait pas de lui prendre ses médicaments. Je n'avais qu'à l'appeler dès que je serais à quelques mètres de la pharmacie, dit-elle.

— Vous n'avez pas ordonnance ? dis-je.

— Si, mais je ne peux pas attendre.

— Pourquoi ? Êtes-vous un cas urgent ?

— Pourquoi ? Vous avez vu la longueur de la queue ? répondit-elle, ravagée à la seule idée de se mettre en rang.

— Eh, vous, chacun son tour, on fait la queue ici ! fit l'homme à côté de moi.

— Je vous donnerai dix euros, dit la dame.

— Montrez-moi votre ordonnance, dit l'homme, qui recula d'un demi-millimètre pour négocier l'affaire.

Pour autant que je puisse voir, plusieurs négociations similaires étaient en cours, et autant de voix furieuses houspillaient les coupables. Sans résultat. Les resquilleurs resquillaient, les houspilleurs houspillaient et la pitoyable queue avançait lentement, chacun s'en prenant à Dieu, à l'État, au temps et au reste du monde. Si je voulais être méchant, je dirais que j'avais là un parfait microcosme de la société française.

Enfin, vers 2 heures de l'après-midi, j'arrivai devant la pharmacie. Par une sorte d'écoutille dans le volet d'acier, une pharmacienne en blouse blanche se pencha vers moi. Une superbe blonde du dernier chic, à collier de perles et corsage de crêpe au col largement déboutonné. Le remontant rêvé pour un homme à l'agonie. Elle arborait un badge informant qu'elle était en grève.

Elle se montra amicale, et pas du tout pressée – ce qui expliquait en partie la longueur de la queue. Elle s'éclipsa quelques minutes pour rassembler ma montagne de petites boîtes bariolées.

— Je dois prendre tout ça ? fis-je à son retour.

Je doutais d'avoir assez de forces pour porter le paquet jusque chez moi.

Elle m'expliqua qu'elle était obligée de me donner deux boîtes de six comprimés d'antibiotiques puisque j'avais une ordonnance pour huit. Il me faudrait jeter presque la moitié des comprimés. Pas de problème, dit-elle, tout est remboursé par la Sécurité sociale.

— Ou ma mutuelle ! fis-je d'un air finaud.

— Oui.

Un gaspillage massif, apparemment budgété par le système.

— Vous savez comment les prendre ? demanda-t-elle, le doigt sur la boîte de suppositoires.

Je l'assurai que je saurais me débrouiller, désolé de ne pas parler assez bien français pour lui faire comprendre que nous, les Britanniques, savons faire la différence entre notre postérieur et notre bouche.

De retour chez moi, je passai le reste de l'après-midi à lire les instructions sur les boîtes. Quand j'en eus fini avec mes frottis, reniflements et inhalations, la nuit tombait. Et, je dois l'avouer, je vérifiai aussi la taille des fameux suppositoires, histoire de tenter l'expérience. Les instructions, traduites en anglais, assuraient que « l'action du suppositoire purifie le conduit trachéen sans agresser le système digestif ». Cela se résuma à la sensation déplaisante que j'allais sous peu souiller mon caleçon, suivie d'une impression de tiédeur et de fusion à mesure que les effluves remontaient vers mes poumons par l'escalier de service. Puis, le lendemain matin, une explosion grasseyante quand je me posai sur les toilettes. Je comprends que les individus à préférence anale trouvent ça excitant. Pas de quoi néanmoins en informer sur-le-champ mes amis londoniens.

De retour au travail (ou du moins au bureau), je tombai sur une Marianne tout sourire, affublée Dieu sait pourquoi d'une écharpe. Elle était au courant de mon absence. Je posai bruyamment ma fiche d'arrêt-maladie sur le comptoir de la réception, indifférent à ses récriminations sur les horaires de travail. Je lui souhaitai une bonne journée et me dirigeai vers l'ascenseur.

Pendant mon congé, j'avais pris le temps de lire mon contrat d'embauche et d'étudier sur Internet les lois françaises sur le droit du travail. Je connaissais désormais l'existence d'indemnités confortables en cas de révocation anticipée d'un contrat. Par ailleurs, tout un paquet de règles stipule qu'un salarié n'est tenu de faire que ce qui figure sur son descriptif d'emploi.

Il n'y aurait pas de leçons d'anglais pour moi ! J'allais négocier mon départ de façon à récupérer assez de cash pour glander à Paris jusqu'à ce que j'en aie assez de glander.

J'avais pris rendez-vous avec Jean-Marie. Quand j'arrivai, il était assis dans son bureau, porte ouverte. Chemise de soie blanche et cravate rouge, apparemment d'humeur festive.

— Ah, Paul !

Il se fit soudain grave. Son grand air capitaine d'industrie, j'imagine.

J'entrai dans le bureau.

— Vous êtes guéri, j'espère, demanda-t-il, toujours aussi grave.

— Oui, merci. Vous aussi ?

— Oui. Asseyez-vous.

— Une seconde, je pose mon manteau..., dis-je en désignant mon bureau.

— Non non. Asseyez-vous, je vous prie.

Je pris place, perplexe. Pourquoi tant de hâte ? L'Angleterre et les États-Unis avaient-ils envahi la France ? Je n'avais pas écouté les infos ce matin. Devais-je rejoindre de ce pas mon camp d'internement ?

— Il y a un problème, dit Jean-Marie.

Il avait décidément l'air du type qui répète un discours présidentiel sur la nécessité d'être courageux face à l'ennemi anglo-saxon. D'autant qu'il était assis juste sous sa médaille du Mérite bovin.

— Oui, c'est de ça dont nous devons parler, Jean-Marie.

— Non, il s'agit d'un autre problème

— Ah ?

— Oui, I'm afraid d'être obligé de vous virer.

— Me virer ? Mais c'est vous qui stoppez le projet.

— Nous sommes obligés de vous licencier pour faute grave, comme nous disons.

— Quelle faute grave ? Je viens de donner ma feuille d'arrêt-maladie à Marianne. Je n'ai pas...

— Non non, il ne s'agit pas de votre absence. Mais de ça.

Il poussa une pile de papiers en travers du bureau. Je jetai un œil sur le tas et compris aussitôt.

— Vous avez fouillé dans mon mail, dis-je.

Il s'agissait évidemment de toutes les blagues anti-françaises que j'avais reçues et que je m'étais bien gardé d'imprimer.

— Fouillé ? Non. Vos messages sont stockés dans le serveur de l'entreprise.

C'était donc Marc le coupable.

— On ne peut pas virer quelqu'un parce qu'il a reçu quelques blagues dans son mail.

— Quelques blagues ?

Il écarta le pouce et l'index pour figurer l'épaisseur du tas de papier.

— Vous me virez parce que quelqu'un envoie des blagues sur la France ? Mais c'est du chauvinisme !

— Oh non, dit Jean-Marie avec un petit rire amer. Rien à voir avec la France. Non, c'est le temps. Le temps que vous avez passé à les lire. Des heures ! L'e-mail n'est pas fait pour l'amusement personnel, c'est un outil de travail.

C'était, bien sûr, totalement hypocrite. Tout le monde dans la boîte, Jean-Marie le premier, perdait chaque jour des heures en pauses-café, pauses-cigarette, pause-déjeuner interminable, pauses-coups-de-fil-à-la-baby-sitter, pause-réservation-de-billets-de-train-ou-d'avion pour la pause-week-end et, depuis peu, de sournoises pauses-aspirine. Mais, c'est le propre des meilleures hypocrisies, peu importe la réalité. Il m'avait coincé. Je le savais et il savait que je savais. Tout ce qui restait à négocier, c'était l'argent.

— Je peux contester auprès de l'inspecteur du travail, dis-je.

— Si vous restez à Paris assez longtemps pour attendre leur décision.

— Ma messagerie n'est pas forcément la plus intéressante de la compagnie.

— Que voulez-vous dire ?

— Rien, juste que l'autre jour, je passais dans le bureau de Stéphanie, et elle avait laissé son mail ouvert.

— Ah. (Ça le fit réfléchir.) Je suis sûr qu'elle a jeté ses vieux messages dans sa... ah, comment dites-vous ça en anglais, *corbeille* ?

Il perdait son anglais, mais restait cool.

— Peut-être aussi qu'elle les a imprimés et laissés traîner, pour que des gens les lisent...

À ces mots, Jean-Marie jeta un bref regard vers la porte de Christine. À travers la vitre, on la voyait au téléphone.

— Qui pourrait bien s'intéresser à ces messages ? reprit-il d'une voix maîtrisée.

Qui, en effet ? Sa femme, le ministre de l'Agriculture, et d'autres encore ? Pour ce que j'en savais, avec Stéphanie, il avait très bien pu aller plus loin que le sexe et les importations illégales de bœuf.

Je haussai les épaules, à la parisienne. Pas à moi de le dire, pas mes oignons. Comme d'habitude, ce geste fit merveille.

— Très bien, dit Jean-Marie. Oublions ces mails. Vous vous êtes beaucoup investi dans l'entreprise, nous vous donnerons donc une indemnité.

— Compensation.

— *Right*, c'est ça : la compensation complète pour rupture de contrat anticipée pour raisons économiques. OK ?

— Et vous me laissez rester à l'œil dans l'appartement d'Élodie.

— Ah merde, là tu passes les bornes !

La scène aurait pu être drôle s'il n'avait eu l'air aussi furibard. J'avais juste essayé de glisser la main dans sa poche et il réagissait comme si je lui avais enfilé sans prévenir un de ces fameux suppositoires. D'un coup, il était aussi rouge que sa cravate, et ses tempes palpitaient avec force.

— Vous savez quoi, Jean-Marie ? Vous me donnez un petit bonus de fin de contrat, et je vous le rends en loyer.

Il se pencha violemment vers moi par-dessus son bureau en grommelant des obscénités, parmi lesquelles « petit merdeux » semblait la plus fréquente.

Il me dit, toujours en français, de foutre le camp de *son* appartement avant la fin du mois.

— Pourquoi ? Vous allez me dénoncer au ministère du Logement ?

Cela eut pour effet de déclencher de nouvelles palpitations des tempes et un râle animal, profond, inarticulé.

Je sortis mon portable, où j'avais enregistré les numéros de tous les grands spécialistes. Jean-Marie me paraissait dans l'urgente nécessité de consulter un cardiologue.

Avril

Liberty, egality, dégagez

C'est le 1er avril qu'on comprend pourquoi les Français admirent l'humour anglais : c'est parce que nous, nous en avons, de l'humour.

Bon, c'est injuste pour quelques Français extrêmement drôles, à commencer par un acteur nommé Coluche qui s'encastra avec sa moto dans un semi-remorque. Et pas pour rire. Il en est mort, et ce jour-là je le regrettai. Je commençais à savoir juste assez de français pour suivre ses vieux sketches en vidéo : la France aurait grand besoin de lui, aujourd'hui. D'un type qui taille un costard aux politiciens. Pas seulement à ceux du parti au pouvoir, pas seulement à coups d'ironie subtile, non, un vrai matraquage en dessous de la ceinture, et pan sur toute la bande. En 1981, il s'était présenté à l'élection présidentielle, en tant que candidat bleu blanc merde. Il paraît qu'il s'était retiré de la course parce que les services secrets l'avaient clairement averti qu'il ne vivrait pas longtemps s'il s'incrustait.

Ce type-là aurait sûrement imaginé une excellente farce pour mon premier 1er avril à Paris. Car tout ce que les Français trouvent à faire, c'est de coller des poissons dans le dos des autres. Même pas des poissons vivants (ça, ça pourrait être drôle. Un gros turbot gigotant entre les omoplates, ça ferait rire, au moins).

Assis derrière la vitre de mon bar gay local (le matin, il n'était pas différent d'un café hétéro, à part les vestiges de maquillage sur le visage des serveurs), j'observais un groupe d'écoliers qui se bousculaient en essayant de s'épingler des poissons en papier approximatifs sur leurs anoraks.

— Pourquoi un poisson ? demandai-je au serveur qui m'apportait le journal du jour.

— Pourquoi pas ? répondit-il.

Bien vu. Puisque tout, en France, est centralisé, pourquoi pas les farces de 1er avril ?

Ce jour-là, les journaux français publient des articles farceurs, qui tournent toujours autour d'histoires de poisson. Aussi, quand je lus à la une que les journalistes se mettaient en grève, je sus que ce n'était pas une blague.

Les journalistes rengainaient leurs stylos car, expliquaient-ils, la campagne pour les élections municipales était trop ennuyeuse. Comme je les comprenais ! Maintenant que la guerre en Irak était soit-disant finie, les reporters déprimaient d'avoir à écrire sur les luttes de pouvoir à Camembertville-sur-Merde, population trois chèvres et une mémé moustachue.

Pourtant, ces municipales avaient un tout autre enjeu que le choix du parti appelé à claquer l'argent public en construisant des aires de jeux pour chèvres.

Car elles tombaient un an après la présidentielle où un candidat fasciste avait bien failli se faire élire. Le spectre planait sur un nombre gênant de régions votant pour des candidats d'extrême droite.

Les journalistes n'écrivaient pas littéralement : « La campagne électorale est trop ennuyeuse. » Le quotidien citait un représentant syndical appelant à la grève « pour protester contre l'incapacité de l'ensemble des partis politiques à s'occuper des vrais problèmes du pays : la récession, la réforme de la Sécurité sociale, le chômage et le rôle international de la France après la guerre en Irak ».

J'avais personnellement constaté à quel point la campagne pouvait être casse-pieds. Un politicien s'expliquait sur une radio, et le clou de l'interview consistait en « Merci d'être venu dans notre émission, monsieur le Politicien » et « Quelle émission passionnante », sous-titre : « Hé, des millions de gens nous écoutent, essayons d'être le plus pompeux possible pour montrer qu'on est intelligent. »

Dans ce dernier numéro avant le silence, mon journal publiait une analyse des programmes des différents partis. De fait, ça me semblait peu correspondre aux préoccupations du moment.

Les communistes promettaient la retraite à trente-cinq ans pour tous les fonctionnaires. Les socialistes ne proposaient rien parce qu'ils n'arrivaient pas à se mettre d'accord sur un chef pour le faire. Les partis du centre droit (une bonne dizaine) promettaient tous aux employeurs qu'ils n'auraient plus à salarier les salariés ainsi que l'impunité en cas d'accident industriel à moins de cent mille victimes. L'extrême droite, moins réaliste, proposait d'organiser des barbecues d'immigrés tous les vendredis sur chaque place de marché. Dans la même veine, un parti paysan promettait d'abroger les lois sur les espèces protégées pour permettre aux chasseurs de tirer les dodos, les licornes, les sirènes et les touristes américains.

Liberté, égalité, merde, aurait sans doute dit Coluche.

D'un autre côté, j'espérais que les journalistes restent au boulot pour raconter tout ça : depuis qu'on m'empêchait de travailler, j'avais du temps pour lire.

Je m'étais vite installé dans la routine pas désagréable qui consiste à perdre son temps. Je ne comprends pas pourquoi *farniente* est un mot italien. Paris est la ville idéale pour ça. Petit déjeuner dans un café (mater les femmes qui passent). Traîner dans une expo (mater les jeunes touristes et les étudiantes en art employées à mi-temps dans la sécurité). Déjeuner dans un café (voir la rubrique petit déjeuner), entrer dans un cinéma (baver devant une star féminine), aller au pub avec des copains anglais (parler des femmes assez fort pour qu'elles partent en courant).

La seule chose qui perturbait ma routine, c'était le temps. Le climat s'amusait à des jeux frustrants. Une journée commençait chaude et ensoleillée, et les vêtements d'été apparaissaient sous les manteaux. Passé le déjeuner, ça se couvrait, il pleuvait, et les apparitions disparaissaient.

Mon rhume était guéri mais je n'allais pas mieux pour autant. À Paris, c'était officiellement le printemps et je constatai que le bonheur de ne pas être obligé de baiser quatre fois par jour est un bonheur éphémère.

Je pris rendez-vous avec mon vieux pote Jake l'Américain, pour discuter de ma mauvaise passe. Il planchait toujours sur son projet poétique sexuel international, Jake. Nous avions passé l'éponge sur l'incident « Casse-toi de cette librairie » et il m'était même reconnaissant. Lors d'une réunion récente de leur groupe d'écriture, il avait fait une sortie si politiquement correcte contre mon manque de respect envers la littérature féminine qu'une écrivaine débutante mais prometteuse avait couché avec lui. Cela lui avait fourni un nouveau poème (elle était de Nouvelle-Zélande) que, par chance, il ne me proposa pas de lire.

On avait rendez-vous au jardin du Luxembourg, grand parc public dans un quartier friqué à l'entrée sud du Quartier latin. Le parc comprend un bassin circulaire où, le week-end, les enfants peuvent louer des modèles réduits de bateaux. Il y a là aussi l'une des rares pelouses publiques où l'on a le droit de marcher Ce matin-là, jour de semaine, elle était envahie par une nuée de bambins, de mères et de baby-sitters.

J'étais assis avec Jake à la terrasse du petit café du parc. Le café s'abrite dans un pavillon entouré d'une multitude de chaises métalliques vert foncé, sous les frondaisons d'énormes marronniers d'Inde. Les jeunes feuilles, encore presque jaunes, se balançaient au vent. Nous étions en sécurité loin des voitures, mais menacés d'être aspergés par les pigeons. Ça n'aurait pas dérangé Jake. Il était cosmiquement débraillé. Les yeux cachés par ses cheveux tombants, pas lavés, il portait une vieille veste qu'on aurait dit mâchée puis chiée par un cochon. On ne l'aurait probablement pas servi si je n'avais été avec lui, avec mon chic relatif.

On fit l'impasse sur la guerre (« C'est toujours les civils qui trinquent », « Pourquoi les gens gobent-ils les conneries des politiciens ? », etc.) pour aborder directement le plat de résistance.

Je le mis au courant de mes démêlés avec Marie et Jean-Marie et lui demandai, en tant qu'homme désireux, *brûlant* même, de coucher avec le premier être humain majeur, ce que je devais faire.

Jake se mit à rire et shoota dans un couple de pigeons infirmes qui sautillaient en mendiant une miette de pain. À moins qu'ils n'aient été attirés par la chiure de cochon.

— Ah, you're in mank, dit-il.

Au fil des mois, son anglais s'était désintégré en une langue informe, mais je connaissais désormais les expressions françaises qu'il traduisait mot à mot, assez en tout cas pour comprendre son charabia.

— Ouais, fis-je.

Je tentai de me rappeler la date de mon dernier contact physique avec une femme, hors rêves et sans compter les insignifiants bisous sur la joue des collègues du bureau.

— Tu as fait quoi l'autre fois ? Quand t'as trouvé ta copine la photographe ?

— Photographe. (Je me sentais obligé de corriger.) Elle était serveuse par intérim.

— Voilà ta solution.

— Ouais, mais apparemment je ne fréquente plus les mêmes bistrots. Là où je vais maintenant, les serveuses se font baratiner non-stop et elles ne te voient même pas si tu n'as pas les clés d'un coupé Mercedes qui sortent de ta poche. Ou alors, les pubs anglais, mais les barmaids ont toutes des copains français.

— Ouais, c'est problematic.

On sirota nos cafés, admirant les rais de soleil clignoter entre les feuilles, en se demandant pourquoi les joggeurs suants à trois kilomètres/heure ne restaient pas chez eux, au lieu de racler leurs pieds par terre et de soulever des nuages de poussière sous notre nez.

— En plus Jake, toi tu cherches autre chose. Juste tirer ton coup, vrai ? Sans récolter les ennuis.

— No, no, mec. Des fois je suis obligé de bosser. Leur dire que je les aime, tout ce bullshit. Il peut se passer des semaines avant d'avoir un result.

— Mais moi je veux plus que ce result, Jake.

— Tu veux leur apartment ?

— Ouais. Non. Je veux dire, j'ai vraiment envie de *rencontrer* quelqu'un.

— Rencontrer quelqu'un ? Ah, mec, là faut devenir prof d'anglais. Tu rencontres des supercanons qui sont obligées de parler avec toi pendant une heure.

— Prof d'anglais ? Jamais.

Je frissonnai au souvenir fugace de dents jaunes.

— Come on, Paul. Tu rates le point. Tu sais que j'ai une leçon ce matin avec une vraie belle fille là-bas ? (Il fit un signe de tête vers la grande rue au-delà des marronniers.) Dans une compagnie d'assurances. Tout à fait ton type. Employée de bureau. Chic. Trop belle pour moi, tu vois ce que je veux dire ? Rolling stone n'amasse pas mousse.

Je secouai la tête, renonçant à décrypter sa dernière phrase, et me détournai pour observer le vieux serveur, un type à cheveux gris et gilet noir, occupé à servir un café-croissant à une femme entre deux âges vêtue d'un coûteux manteau en cuir couleur crème. Il lui contait fleurette, elle riait.

Pourquoi pas me faire serveur, pensai-je. Tout sauf prof.

— À Paris, il faut aller in the sense of the poil, déclara Jake.

Observation d'une profonde sagesse, si seulement je l'avais comprise.

— Suivre le courant, se reprit-il. Regarde ces gens.

Il désigna le bassin aux petits bateaux. Pas un seul yacht miniature sur l'eau, mais un tas de gens qui se baladaient ou joggaient au soleil.

— Quoi, les gens ?

— Regarde comment ils marchent.

Jake agita le bras, imitant une voiture qui tourne autour d'un de ces fameux ronds-points à la française. Je comprenais ce qu'il voulait dire. Presque tous, qu'ils débouchent des allées ou descendent des escaliers, se mettaient à tourner autour du bassin comme s'ils entraient sur un rond-point.

— Pareil dans le métro, dit-il. Les gens se croient toujours en voiture. Tu essaies de monter les escaliers sur la gauche, ils te regardent comme un dérangé. Tous, ils suivent le flot, sur la droite. Pareil avec la politique. Leurs leaders sortent tous de la même école. Ils ne veulent pas changer la France. Ils ne veulent qu'une chose : que la France soit la capitale de la planète. Et voilà.

— OK. Quel rapport avec prof d'anglais ?

— Mais, c'est le courant fort du moment. Les politiciens ont beau dire, les Français veulent apprendre l'anglais, tous sans exception. Regarde-moi. Depuis un an je fais tout pour me faire virer. Je vais à mes leçons, OK, mais, tu vois, pour insulter ces imbéciles d'élèves, je m'habille n'importe comment. Et même après ça ils ne me virent pas.

— Pourquoi veux-tu te faire virer ?

— Le chômage te file, quoi, soixante-dix pour cent de ton dernier salaire, tu sais ça ? Mais jamais on me vire. Ils ont besoin de moi. Parce qu'ils veulent apprendre l'anglais. C'est pour ça que tu devrais être prof. C'est une super bonne plank !

— Mais je n'ai aucune qualification d'enseignant !

L'explosion de rire de Jake eut pour résultat de faire décoller tous les pigeons du Luxembourg à la tour Eiffel.

— Qu'avez-vous fait à dîner hier soir, Sylvie ?

— J'ai fait du poudig.

— Vous voulez dire pudding. Avec de la crème.

— Oui, j'ai fait un crime.

Le plus dur, c'était de rester sérieux.

— OK Philippe, comment dit-on fourchette en anglais ?

— Euh, fuck ?

C'était cruel, et mon français ne valait pas plus que leur anglais, mais parfois je ne pouvais pas m'empêcher de rigoler.

— À cinq heures, I was working.

— Good.

— À sept heures, I was in ze train.

— OK.

— À neuf heures, I listen ze radio.

— I *was* listening *to* the radio.

— Ah, vous aussi ?

Pendant tous ces jeux de rôles je me demandais ce que je fichais là.

— Sophie, dites-moi ce que vous aimez comme musique.

— I like ze music wiz – comment dire, du rythme ?

— A beat.

— Oui, I like ze bite.

Sur le fond, Jake avait raison. Pendant au moins trois semaines, je me suis amusé à faire le prof, comme quand on visite des maisons qu'on n'a pas l'intention d'acheter. Ça donne le droit d'être indiscret. De mettre le nez dans la vie des autres sans engagement émotionnel.

L'école de Jake était contente de m'embaucher, ravie même, au point de me refiler des élèves le jour même où j'avais frappé à leur porte. Ça les rassurait que j'aie un « vrai » boulot par ailleurs, au contraire des autres paumés qui mettent une cravate pour devenir profs d'anglais à Paris.

La patronne de l'école s'appelait Andrea. C'était une Allemande dans la cinquantaine, pète-sec, mince, un paquet de nerfs affairiste et opportuniste. Elle parlait un anglais parfait et un français plus que parfait. Elle avait de grosses boucles d'oreilles en diamant et des rides profondes sur un front bronzé, ce qui donnait à penser que l'industrie des langues étrangères était un lieu de plaisir et de souci à la fois.

La photocopie de ma carte de séjour était encore tiède quand Andrea me tendit l'adresse de la société où je devais donner des cours dans l'après-midi.

— Mais je leur apprends quoi ?

— Vous y allez et vous leur parlez. Vous vous présentez, vous leur demandez ce qu'ils font, vous parlez de vous et vous notez leurs erreurs. Vingt minutes avant la fin du cours, vous commencez à corriger les erreurs. Ou alors, s'ils parlent jusqu'à la fin de l'heure, vous dites que vous corrigerez les erreurs la prochaine fois. Ça fait très professionnel. Et ça prend plus de temps. N'oubliez pas de leur faire signer la feuille de présence. On se base là-dessus pour établir les factures.

Andrea me regarda en me faisant comprendre que j'aurais déjà dû être parti. Formation professionnelle terminée, apparemment.

Il n'y avait aucune jolie femme parmi mes élèves. J'avais une mère de famille fatiguée qui avait besoin de l'anglais pour travailler derrière le guichet d'une banque sur les Champs-Élysées, mais qui préférait parler de ce qu'elle préparait à dîner (du poudig, donc). Je me rendis dans un grand hôtel dont le manager (Philippe, l'homme à la fourchette grossière) ambitionnait une mutation aux États-Unis et avait besoin de convaincre sa direction qu'il saurait s'occuper de ses équipes et des clients en anglais. J'interprétais le rôle d'un serveur, d'un représentant de la direction et, plus troublant, de sa secrétaire américaine, et fouette cocher. Signez la feuille de présence et salut.

Quand le B.A BA me gavait, je dégainais mon quotidien anglais et on parlait de l'actualité. J'essayais de les faire discuter de la grève des journalistes, mais curieusement, la plupart n'étaient pas au courant, ou s'en fichaient. Ils ne lisaient guère la presse, sauf les gratuits distribués dans les stations de métro dont les rédacteurs n'étaient pas en grève parce que les syndicats ne les reconnaissaient pas comme journalistes. Et tous regardaient les journaux télévisés, qui consacraient la moitié de leur temps à la promo du film de la soirée. Pour mes élèves, l'absence d'infos politiques n'était pas une info. En revanche, ils adoraient lire des histoires sur la coupe de cheveux de David Beckham. Je ne le mentionnais pas tel quel dans la case « sujets abordés » sur la feuille de présence, je notais plutôt « discussion sur la culture britannique inspirée par l'étude du design contemporain ».

Ajoutez quelques cassettes et manuels de pratique et vous aurez une idée du métier de prof d'anglais à Paris. En somme, il fallait juste accepter d'être l'animateur de talk-show le moins payé du monde.

Jake avait raison. Ce qui rendait tout si facile, avec ces gens, était leur désir désespéré d'apprendre. Ils étaient prêts à coller tous les maux du monde, du génocide en Afrique au prix du café, sur le dos de l'Amérique, mais ça ne les empêchait pas de vouloir apprendre sa langue. La guerre en Irak ? Quelle guerre en Irak ? Mauvaises relations franco-américaines et franco-anglaises ? Quelle importance ?... Avaient-ils envie de s'envoyer un lunch dans un salon de thé typiquement britannique ? Oui, s'il vous plaît, c'est quoi l'adresse ? (Tiens, Jean-Marie, au fait, c'est quoi l'adresse ?)

Je gardais un œil sur Jean-Marie, et les deux oreilles. Via Internet et Nicole, je suivais ses avatars politiques. Je voyais Nicole à déjeuner une fois par semaine, mais maintenant je devais me surveiller pour ne pas lui demander de signer sa feuille de présence à la fin du repas.

D'après elle, Jean-Marie passait plus de temps que jamais à Trou. Stéphanie le rejoignait parfois pour lui apporter du travail – travail *et* loisir, c'était bien pensé. D'après ce que Stéphanie racontait à Nicole, Jean-Marie rendait visite à tous les fermiers de sa circonscription et débarquait les jours de marché pour serrer des mains et acheter un produit sur chaque stand. Quand il était à Paris, toujours d'après Nicole, Jean-Marie recevait souvent des personnalités politiques nationales, y compris, murmurait-elle, un certain leader qui avait un jour suggéré qu'Auschwitz, si jamais Auschwitz avait existé, était une sorte de précurseur du club Med.

— Non, répliquai-je en avalant une bouchée de steak de thon quasi cru. Je crois Jean-Marie capable de louer son arrière-grand-mère comme call-girl si ça peut rapporter, mais ce n'est pas un nazi.

— C'est vrai, dit Nicole, pas un nazi. Pas un *vrai* nazi. Vous ne comprenez pas combien être très à droite peut sembler... comment dites-vous... (Elle agita sa fourchette.) *Respectable.* Être fasciste en France, c'est une forme de *nostalgie.*

— Je ne savais pas que vous vous intéressiez à la politique, Nicole, dis-je, un peu déçu.

Dans mon état avancé de manque sexuel, je n'étais pas loin de lui proposer d'élargir son vocabulaire anglais à des expressions plus intimes telles que « Oooh », « Aaah » et « Oui, continue, Paul, espèce de bête de sexe ». Mais si elle était dans la politique, non merci. J'étais déjà passé par là, quand un mot de travers entraîne le coïtus interruptus.

— Non, la politique c'est pas trop mon truc, répondit-elle. Mais ma famille est du Sud-Ouest, du côté de Carcassonne. Par tradition, on est communistes.

— Ah ouais ?

D'un coup, ça la rendait à nouveau sexy. J'ai toujours vu les communistes filles comme des blondes à longues jambes, volontaires dans des fermes collectives, prêtes à se donner au petit père des peuples dans une meule de foin (bien que Nicole n'ait rien d'une blonde à longues jambes, même à mes yeux brûlants).

— Ce n'est pas ce que vous croyez. Mon mari ne comprenait pas ça. Ma famille ne veut pas tuer les capitalistes. Ils sont juste membres de la coopérative agricole. Qui est communiste. C'est la tradition. Mon père a fait la résistance avec les communistes, contre les nazis. Il a aidé les Américains.

De plus en plus sexy. Fille d'un résistant ? Et moi, pilote anglais traqué, obligé de se cacher sous son lit. Alors une nuit, pendant que le père fait sauter des voies ferrées, elle dirait : « Ce soir, pas la peine de dormir sous le lit », et je lui apprendrais tous ces jolis mots anglais (les « ooh » et les « aah »).

— ... et Jean-Marie a de grandes, très grandes ambitions politiques.

— Hein, quoi, pardon ? fis-je, brusquement arraché à mon paradis 1944.

— Jean-Marie. Il ne veut pas être seulement, comment dites-vous ? *major* d'une petite ville.

— Mayor.

— Oui, mayor, merci. Cette nuclear central...

— Power station.

— Cette nuclear central power station (cas désespéré, pensai-je tristement), c'est une importante question régionale. S'il arrive à avoir de l'influence politique dans la région, la centrale se fera sûrement. Et lui, il sera respecté en tant que... comment dites-vous homme d'influence ?

— Man of influence.

— Ah, tout simplement. Ça poussera sa carrière politique. Et, euh... (Elle émit un rire philosophique.) Il en profitera aussi financièrement.

Tiens tiens. Décidément, l'intérêt de ces élections montait de minute en minute. Je me commandai une tranche de fondant chocolat-orange pour fêter ça.

— Au fait, Nicole, je ne vous ai pas dit. Je donne des leçons d'anglais, maintenant.

— Ah, dans une école ?

— Oui, des vraies leçons. Ça vous intéresserait de prendre des cours...

Un jour de la mi-avril, j'avais ma matinée libre et je descendis lire le journal au café homo. Peu avant midi, je remontai me faire un sandwich. Mais la serrure de la porte de l'appartement était bloquée.

J'essayai trois fois la clé (comme d'hab, de haut en bas) avec cris de frustration et coups de pied dans la porte, rien à faire.

Ah, compris. Le syndic nous faisait un petit poisson d'avril à retardement, ils avaient changé les numéros sur les portes, et je cherchais donc à entrer dans le faux appartement, me dis-je, conscient tout de même que ça sonnait de plus en plus ridicule à chaque mot. Après tout, même les gens qui n'ont jamais fait Oxford ni Cambridge, comme moi, se rappellent à quel étage ils habitent.

Ou alors peut-être que la clé avait fondu dans ma poche, sous l'effet de la chaleur animale émanant de mon caleçon.

Peu vraisemblable aussi. L'explication la plus plausible, je le voyais maintenant, c'était que le verrou n'était pas le même que ce matin. On avait changé ma serrure.

Mon portable se mit à sonner. Le numéro qui s'affichait m'était inconnu.

— Bonjour, monsieur Wess, dit une voix mâle et courtoise.

Elle m'expliqua, sans se départir de sa courtoisie, que si je voulais pénétrer dans l'appartement et récupérer mes affaires, je pourrais le faire en revenant à 4 heures de l'après-midi.

— Qui êtes-vous ?

— Vous n'êtes pas le locataire légal de cet appartement, vous n'avez donc pas le droit de l'occuper, dit la voix, éludant ma question.

— Vous êtes de l'office HLM ?

— Voulez-vous revenir à 4 heures cet après-midi ? De nouveau, pas vraiment une réponse franche.

— Oui, dis-je, en essayant de donner l'exemple.

— À 4 heures alors, dit la voix. Bonne journée. Je me jurai d'arracher les cordes vocales au prochain qui me souhaiterait une bonne journée. Que se passait-il donc ?

Dans le doute, demande à ta concierge. Ces Portugaises sont au courant de tout, partout. Si Saddam Hussein avait essayé de se cacher à Paris, la prime aurait servi à construire des garages dans tous les pavillons de Porto.

Je descendis voir Mme Da Costa dans sa loge, un petit studio au rez-de-chaussée près de l'entrée de l'immeuble. Elle vivait là en compagnie de son mari, qui mesurait cinquante centimètres de plus qu'elle, et du plus grand téléviseur que j'aie jamais vu. Leurs trois filles ados mangeaient là et dormaient ailleurs, je ne sais où. Le matin, il m'arrivait d'en voir une arriver à la loge en pyjama.

Mme Da Costa ouvrit sa porte vitrée à rideau qui laissa échapper un léger fumet de morue. Elle était vêtue d'un T-shirt noir à manches longues et de jambières noires, avec des cheveux qui lui hérissaient la tête de boucles sombres et rebelles. Elle me faisait penser à un poulet tout en bréchet et en crête. À ma vue, elle battit précipitamment en retraite dans son antre.

J'étais bel et bien devenu un paria dans ces contrées, semblait-il.

Mais non, elle refit surface, tout agitée, les cheveux serrés dans un bandeau, et s'excusa de ne pas encore avoir distribué le courrier. Elle me tendit une poignée d'enveloppes. Celle du dessus était adressée à un Herr Doktor Helmut Ringelnetz.

— Non, non, dis-je. Je veux dire, oui, merci pour les lettres, mais je viens pour autre chose. Ma...

Bon sang, comment dit-on : on a changé ma serrure sans mon consentement ?

— Ma porte ne veut pas ma clé, baragouinai-je.

Je pris la clé et mimai le type qui découvre qu'elle ne marche plus.

— Ah, oui. (Dans son cerveau des rouages s'engrenèrent, les faits se mirent en place.) Deux monsieurs viennent ce matin, font beaucoup bof, boum, crac ! (C'était maintenant elle qui mimait.) Je monte voir, ils cassent la porte. Je demande qui ils sont, ils disent : « Vous la fermez, on change juste la serrure puis on s'en va. » Ils font et ils partent. Pfff ! Vous leur aviez pas demandé ?

— Non.

— Non, vous vous faites pas de bruit. Pas comme les autres.

Elle me regarda avec un sourire bienveillant. Ça faisait du bien d'avoir un protecteur, même petit et rondouillard comme Mme Da Costa.

— Des monsieurs de l'office HLM ?

— Non. Un est serrurier normal, privé. L'autre est un gros... (Elle bomba le torse comme un petit tonneau, fit jouer son biceps.) Très chic. On aurait dit... (Elle chercha le mot juste.) Comme un garde du corps. (Elle hocha la tête.) Un garde du corps pour le serrurier. Bizarre.

Elle fronça les sourcils.

— Très bizarre.

J'étais bien d'accord avec elle et lui racontai tant bien que mal le coup de fil que je venais de recevoir.

Dix minutes plus tard, j'avais les mains enveloppées dans un vieux sweat-shirt aux couleurs de l'équipe de foot du Portugal (vert, rouge et taches de sueur). Je fermai les yeux en espérant que, quand je les rouvrirais, mes doigts ne se soient pas transformés en coulis de framboise.

M. Da Costa abattit son marteau en visant le burin que je maintenais appuyé sur la serrure neuve.

Un coup assourdissant, qui me fit vibrer les os, puis la porte pivota doucement et on entra, les yeux aux aguets.

Tout était dans l'ordre où je l'avais laissé. La cuisine avec trois jours de vaisselle pas faite, ma chambre décorée d'un patchwork de chaussettes et de caleçons, celle d'Élodie fermée à clé au cas où, dans une crise de solitude, l'envie me prenne de farfouiller dans ses tiroirs à lingerie.

Mme Da Costa mémorisa la scène pour ses futurs ragots et déclara qu'il valait mieux faire mes valises.

— Mais je ne m'en vais pas, protestai-je. Je remets une serrure et je reste.

— Non. Vous avez pas vu le gros. Le garde du corps, insista-t-elle en gonflant le torse.

Monsieur, qui parlait à peine français, opina en accord avec sa femme et lui dit quelques mots dans leur dialecte guttural.

— Il dit qu'à 4 heures, eux seront en colère. Vous devez partir.

— Partir où ?

Ils tinrent une brève conférence, puis madame me tapota le bras.

— Nous trouvons un appartement pour vous. Le garde du corps, lui vous trouvera pas.

Monsieur descendit chercher des cartons pour mes livres et mes CD, et j'entrepris de remplir mes valises. Madame resta à me regarder.

— C'est cette fille, cette Élodie, dit-elle, en lâchant le nom comme un crachat et en faisant le signe de croix contre cette diablesse qui salissait son palier.

— Non, elle est en Amérique. C'est son père.

Explication la plus probable. Le velouté de l'opération serrure et du coup de fil portait la patte de Jean-Marie. On avait attendu que je sorte pour saboter ma porte, puis attendu mon retour et téléphoné juste au bon moment. Le planning était aussi serré que le col de chemise de Jean-Marie. Le seul truc qui m'échappait, c'était la raison de tout ce ramdam. Avec les élections qui approchaient, il avait sûrement d'autres chats à fouetter.

— Mais cet appartement n'est pas à lui ! Je vais dénoncer à la mairie.

Mme Da Costa était scandalisée.

J'interrompis ma pêche à la chaussette pour lui déconseiller d'affronter Jean-Marie.

— Vous faites ça, vous perdez votre boulot et lui garde l'appartement. Là, c'est moi le vainqueur, lui dis-je. On casse la porte, je prends mes affaires, ça suffit.

Mes biens étaient réduits au minimum, mais une fois empilés dans la loge, ils ne laissaient plus guère d'oxygène pour respirer.

À cheval sur une valise, un sac-poubelle rempli de fringues sur les genoux, un bol de café à la main, je considérais la rapidité de ma chute, de mon apogée en tant que propriétaire foncier, directeur du marketing et fourreur de la fille du patron, au statut de sans-abri sans rien d'autre entre les mains qu'un sac de caleçons sales. Pas l'idéal pour figurer au palmarès des success stories du magazine *Forbes*. Tout ce que j'avais entrepris à Paris se terminait en bide total. Résultat largement imputable à Jean-Marie. Ah, j'oubliais la guerre. Dis papa, tu faisais quoi pendant la guerre ? Oh, moi, je me faisais virer de mon appart'.

— Vous ne travaillez pas aujourd'hui ? demandai-je à Mme Da Costa qui m'observait avec angoisse, partageant mon spleen.

— Non, nous travaille la nuit.

— Vous ne dormez pas ?

— Nous finit à 4 heures matin, nous dort avant les filles vont à l'école. Des fois aussi l'après-midi.

— Où est votre mari ?

— Parti chercher la voiture. Lui vous amène dans nouvel appartement. Avec des amis.

— Des amis ?

M. Da Costa revint et on remplit en vitesse une Renault Espace toute neuve, guère différente de la patronmobile de Jean-Marie. Les concierges et leurs familles dépensent peu pour le logement, mais ils savent investir dans les biens de consommation français.

Après deux ou trois rues dans le Marais, il se gara dans une grande cour pavée au pied d'un bâtiment moyenâgeux assez fatigué. L'entrée était un portail lépreux qui avait sans doute vu passer des générations de chevaux. La loge perchait dans un petit escalier qui montait dans l'épaisseur de l'arche. La porte vitrée couverte de givre ouvrait sur une cuisine glaciale, remplie par un énorme frigo et une longue table avec une minitélé à l'extrémité. Au cours de son existence, le téléviseur avait un jour été aspergé de peinture blanche et on n'avait nettoyé que l'écran. La seconde pièce était une chambre obscure avec des lits superposés sur chaque côté. Le rideau était fermé et la pièce sentait l'homme.

M. Da Costa m'intima le silence. Je distinguai deux paquets sombres sur les lits. L'un des paquets reniflait faiblement comme s'il mastiquait un vieux bout de viande en dormant.

On déchargea la voiture et je glissai sans bruit mes affaires au milieu des valises et des caisses qui encombraient déjà la moitié de la chambre. L'endroit avait tout du refuge pour locataires expulsés.

Il fallut deux aller-retours en voiture pour déménager tout mon fourbi, puis M. Da Costa me fit ses adieux.

— Vous être bien ici. Voici clé. Au revoir.

Je le remerciai, on se serra la main et je me retrouvai seul dans la cuisine avec pour toute compagnie quatre chaises pliantes en plastique et une pendule kitsch au mur.

Et maintenant, que faire ? Attendre qu'une des belles au bois dormant se réveille, et me présenter comme le nouveau concierge surprise ? Retourner voir Mme Da Costa et lui demander le montant du loyer et combien de temps je pouvais rester ? Ou filer droit à la gare et me casser de ce pays ?

N'étant pas un lâcheur, je décidai de passer à la gare et de réserver un billet pour dans deux semaines. Le temps de désinfecter mes fringues et de jeter ou donner ce que je ne voulais pas rembarquer chez moi.

Mais où était-ce, chez moi ? Pas chez mes vieux, en tout cas. Tout mais pas ça.

— Jean-Marie, salaud, murmurai-je à l'innocente pendule.

Jean-Marie avait gagné, s'il m'envoyait me réfugier chez maman.

D'ici quinze jours, avant mon départ, je comptais bien lui expédier une jolie merde d'adieu. Ça me ferait du bien de lui laisser un cadeau dédicacé.

Ce même après-midi, j'étais en train de tuer le temps entre deux cours, assis dans un coin solitaire d'un bistrot enfumé, quand mon portable sonna. Je reconnus le numéro du casseur de serrure.

Il était précisément 4 h 15. Ils étaient arrivés en retard, bien entendu. Histoire de faire poireauter l'Anglais.

— Oui ? répondis-je sur le ton macho de celui qui peut compter sur un ami armé d'un gros marteau.

— Vous avez cassé la porte ?

— Quelle porte ?

— Votre porte.

— Je n'ai pas de porte.

— Il va falloir payer pour la serrure.

— Quelle serrure ?

Dommage que mes élèves ne soient pas là pour écouter. C'était un parfait exemple de questions directes, on aurait pu continuer des heures. Quelle serrure ? Quel appartement ? Quel shampooing ? Quel philosophe belge ?

Mon interlocuteur, probablement le garde du corps, finit par perdre son calme et balança mon ancienne adresse.

— Oh, oui, je connais cette adresse. Je vous suggère d'envoyer la facture au locataire, M. Jean-Marie Martin. M-A-R...

— Petit merdeux, coupa la voix, ce qui me rappela les compliments que Jean-Marie m'avait adressés la dernière fois qu'on s'était vus.

Ils avaient sûrement parlé de moi.

La voix continuant à proférer des menaces, je raccrochai. Penser à changer de numéro, me dis-je. Plus que deux semaines et je serais hors de portée de leurs griffes.

Mes trois nouveaux colocs formaient une bande plutôt sympathique. Deux d'entre eux, Pedro et Luis, faisaient du nettoyage de nuit avec M. Da Costa. Pour le troisième, Vasco, je mis plus de temps à comprendre. D'après ses explications, je le pris d'abord pour une sorte de sauteur à la perche percussionniste, avant de comprendre qu'il travaillait, de jour, pour une boîte d'échafaudages.

Tous trois du genre prolos déconstruits, gratteurs de couilles et roteurs d'élite, mais sans mépris pour un blanc-bec comme moi. Même âge que moi, ou un tout petit peu plus vieux, ils trimaient dur plusieurs mois d'affilée et envoyaient tout leur argent au pays. Ils m'acceptèrent dans la fraternité des exilés.

Quand je revins chez nous ce premier soir avec deux bouteilles de vin, ils étaient en train de préparer ce qui était le déjeuner pour deux, le dîner pour le troisième. À base de poisson-pommes de terre. Par la suite, j'allais constater qu'ils mangeaient la même chose à chaque repas, sauf pour leurs petits déjeuners respectifs.

Ils m'offrirent de partager leur dîner/déjeuner au poisson, et je dus ravaler mon vif désir de refuser. La poêle à frire était si bien encroûtée de graisse durcie, intérieur et extérieur, qu'il était impossible d'en deviner la couleur initiale. La friteuse, une espèce d'engin en forme de bulle qui dissimule les frites pendant la cuisson, était ouverte et remplie de la même huile de moteur avec laquelle on l'avait vendue dix ans plus tôt.

Au final, c'était excellent, surtout avec mon vin pour rincer les gosiers, et même si notre langage commun se limitait à « ça va » et au nom de quelques footballeurs. On trinqua en regardant un vieil épisode d'*Alerte à Malibu* sur le câble portugais. Les lèvres de Pamela Anderson étaient désynchronisées par rapport aux paroles mais peu importe, elles ne sont pas synchro non plus sur la version originale. Mais qui s'intéresse aux dialogues ?

Je dormais en face de Vasco, sur la couchette au fond à gauche, que je devais avoir héritée d'un grizzly obèse à en juger par les trous et les bosses du sommier. Je réalisai que je n'avais pas dormi dans la même pièce qu'un autre type, excepté quelques écroulettes post-cuites sur des planchers communs, depuis mon dernier voyage scolaire en classe de géographie, caractérisé par un concours de pets dans le dortoir des mecs. Vasco lui-même aurait pu s'aligner dans une compétition internationale et, pour ne pas le complexer, je m'efforçai de lui souhaiter bonne nuit par une émission bruyante avant de tomber (m'effondrer) de sommeil.

À vivre, l'appartement était aussi spacieux qu'un compartiment de transsibérien. On n'arrêtait pas de se contourner ou d'enjamber une valise. Deux mois plus tôt, j'aurais trouvé ça déprimant. Mais là, à quelques jours de mettre les bouts de Paris, ça ne me dérangeait pas plus qu'une salle de transit sur un vol de retour du Sud-Est asiatique. Ça mettait fin à mes espoirs de lever une dernière poulette, mais j'étais bien obligé de l'accepter. Mon trou à rats collectif aurait congelé les zones érogènes les plus brûlantes de la fille la plus délurée.

Pendant ma dernière semaine entière à Paris, ma patronne Andrea m'expédia pour un séminaire de cinq jours dans une grosse boîte de hardware. Nous étions deux à enseigner à plusieurs groupes d'élèves. Les jeunes commerciaux étaient pris en main par une poule de Floride nommée Carla, dont le certificat pédagogique se limitait à une paire de cuisses bronzées et une captivante capacité à tenir assise sur le bord d'un bureau. Sa feuille de présence était couverte de signatures et de numéros de téléphone. Pas bête, elle avait carrément utilisé son argument jambes pour négocier une augmentation avec la pragmatique Andrea. Elle passait la moitié de son temps à faire du marketing pour l'école, chaque fois qu'Andrea jugeait la minijupe indispensable pour conclure le deal. Et, Paris étant ce qu'il est, c'était souvent le cas.

Mon groupe à moi se composait de ceux qui s'en fichaient d'être chez Carla ou qui n'avaient pas été assez malins pour y décrocher une place, et d'une poignée de gars qui voulaient vraiment apprendre l'anglais des affaires avec un authentique homme d'affaires (ou ex-homme d'affaires) anglais. Ils me donnaient plus de travail, mais je m'en tirais en ressortant mes rapports sur les salons de thé, mines de mots clés basiques.

Comme de juste, tous trouvaient l'idée des salons de thé géniale. Ça m'aurait rendu fou si je n'avais pas eu à me concentrer sept longues heures par jour, ce qui est épuisant. J'étais devenu un Portugais, un type qui en chie pour gagner du fric à rapporter au pays. Avec ces cours du matin au soir, vous méritez vraiment votre argent. Bien plus dur qu'un boulot de bureau. Face à une classe, difficile d'envoyer des textes aux amis. Sans se faire voir, du moins.

Avec Carla, nous allions ensemble à la cantine, souvent sans nos élèves. Les élèves profitaient des lunchs avec les profs pour pratiquer et c'était insoutenable de bêtise.

Un jour, à la cantine, une voix timide coupa notre bavardage.

— Pol ? C'est toi ?

Je levai la tête : un délicieux visage féminin me souriait. Je connaissais ce visage, mais n'eus pas le temps d'y mettre un nom.

— Florence, l'amie de Marie, dit-elle en français.

C'était la métisse indienne sur laquelle Marie avait essayé de me brancher et que je n'avais jamais appelée. Elle l'avait l'air en forme, mais elle avait changé. Dans le bar, ses longs cheveux noirs lui tombaient dans le dos et elle portait un jean serré coupé aux genoux. Ici elle était en queue-de-cheval, chemise kaki sobre et jupe en denim.

— Ah, oui salut. Tu travailles ici ?

— Oui.

Son regard traversa la table jusqu'à Carla. Les deux filles se matèrent sur le thème « Elle a couché avec lui ? » Pas en mode compétition (hélas), juste pour voir et y voir clair.

— Asseyez-vous avec nous, lança Carla, et Florence se posa sur la chaise à côté d'elle, en face de moi, à cette table de cantine.

— On donne des leçons d'anglais ici, toute la semaine, expliquai-je. On travaille dans la même école de langue.

— Oh, tu es prof d'anglais maintenant ? Pourquoi t'as quitté l'autre boulot ?

— C'est une longue histoire.

Que je n'avais pas très envie de raconter.

— Alors l'Anglais et l'Américaine viennent faire de la propagande pour M. Blair et M. Bouche ?

— Ouais, c'est ça, dit Carla en riant. Tous ces mecs me haïssent parce que je suis le symbole de l'impérialisme américain.

Sur ce, elle poussa un rugissement impérialiste capable de faire signer tous les mâles du secteur pour dix ans de cours d'anglais.

— Et Pol ressemble à James Bond, dit Florence.

— Je me sens aussi vieux que Sean Connery, en tout cas.

— Hé les amis, vous voulez un café ? proposa Carla.

Elle fit un geste pour montrer derrière elle le coin bar, dans un angle de la cantine. Après le déjeuner, il y avait la queue pour se faire servir.

— Oui, bonne idée. Tu viens avec nous ? demandai-je à Florence.

— Non, vous deux restez ici. Je rapporte les cafés, dit Carla.

Elle était toujours invitée au premier rang.

Pendant que Carla s'occupait des cafés, Florence me parla de son boulot dans la boîte de hardware. Elle travaillait à la compta. Aucun intérêt, disait-elle, mais elle n'avait pas le courage de chercher autre chose en ce moment. Attitude répandue en France chez les gens hautement qualifiés, si vous me demandez mon opinion. Tant que la boîte marche, on a pratiquement zéro chance de se faire virer, donc on s'incruste et on s'ennuie, c'est statique mais sûr, la position du naufragé sur une île déserte muni d'une inépuisable provision de soupe au poulet déshydratée.

Je commençais à souhaiter que Carla revienne vite et abrège cette triste histoire, dont j'avais déjà entendu moultes variantes lors de mes cours d'anglais.

Comme si elle lisait dans mon esprit, Florence changea brusquement de sujet et me décocha un sourire allumeur.

— Pourquoi tu ne m'appelles pas ? demanda-t-elle.

— Bah, tu sais...

— Tu as quelqu'un d'autre ?

Elle regarda en direction de Carla, laquelle était occupée à bavarder avec – ou à se faire prendre la tête par – un conglomérat de jeunes types à langue pendante.

— Carla ? Oh, non, c'est juste une collègue. Elle a un petit ami.

— Quelqu'un d'autre, alors ?

— Non non, personne d'autre, avouai-je, d'un air plus sinistre que je n'aurais voulu.

C'était la vérité. Je n'avais rien tenté avec Nicole. Au lieu de lui proposer une leçon particulière d'anglais érotique, je lui avais demandé si ça intéresserait Vian-Diffusion d'acheter des cours d'anglais à mon école :

Andrea m'avait promis une commission de 10 % sur toute affaire que je rapporterais. Nicole l'avait pris comme une ruse sournoise pour lui faire payer ses conversations avec moi, et me battait froid désormais. J'en déduisis que toute suggestion de ma part pour transférer nos déjeuners hebdo du restaurant vers sa chambre aurait été moins mal venue, mais j'avais raté le coche. Et puis Nicole était trop triste et trop vulnérable pour servir de passerelle entre deux histoires. Quel moraliste chiant je peux être, parfois, me dis-je plus tard, tout seul au lit avec un magazine. (Ça se passait quand j'avais encore une chambre à moi.)

Il devait y avoir quelque chose de drôle, dans ce que je disais ou sur ma gueule, parce que Florence se mit à rire. Un rire fort et joyeux.

— Qu'est-ce qui te fait rire ?

Elle avait de belles dents, en fait, pas un seul plombage.

— Rien, dit-elle sans cesser de rire.

— Hé, tu n'as pas remarqué ? demandai-je.

Elle se retourna vers les autres tables, qui se vidaient à mesure que les gens retournaient travailler. Elle chercha des yeux Carla, qui ne revenait toujours pas.

— Quoi ?

— Tu parles en français, et moi en anglais. C'est bizarre, non ?

— C'est vrai.

Elle sourit.

— C'est la première fois que ça m'arrive. Soit je parle anglais, et je dois m'adapter à l'accent des autres, c'est terrible.

— Comme avec Marie ?

— Oui, comme avec Marie. (On éclata de rire ensemble.) Soit j'essaie de parler français et je suis incapable de dire la moitié de ce que j'ai envie.

— Et qu'as-tu envie de dire ? demanda Florence.

Question typiquement féminine, pensai-je, surtout si elle s'accompagne de cette lueur dans les yeux. Des yeux sombres, attirants, au fait ! D'un coup, je n'avais plus envie que Carla revienne avec les cafés.

— Ça va te paraître incroyablement cliché, dis-je.

— Oui ?

— Mais tu es tellement *soyeuse.*

— Pourquoi c'est un cliché ?

— La soie orientale...

— Ah oui. Ça c'est un cliché. (Florence éclata de rire et m'embrassa la main, qui s'étalait de son épaule nue à son sein gauche également nu.) Mais ce n'est pas de la soie. C'est le résultat des milliers de litres de crèmes et de lotions que je me passe sur le corps chaque semaine.

— Hum. C'est vrai, tu sens la lotion.

Son dos sentait la noix de coco. Et voilà, me dis-je, tu as échoué sur l'île déserte, mais avec autre chose que de la soupe au poulet.

Dans le grand lit, elle se retourna vers moi.

— Je n'ai pas l'habitude d'amener des hommes ici dès le premier jour, dit-elle. Tu comprends ?

Je hochai la tête et jetai un œil sur le décor. Je n'avais guère eu le temps de l'admirer avant qu'on saute dans le lit. La pièce aurait pu servir de vitrine à un décorateur ethnique, mais l'élément principal, c'était Florence elle-même. Les tentures murales d'un rouge flamboyant et les rideaux du Cachemire lui avaient été envoyés par des parents de Pondichéry, un ancien comptoir français de l'Inde du Sud.

— Bon, j'imagine que d'habitude, tu emmènes d'abord les types te payer à dîner au restaurant.

On s'était retrouvés juste après le boulot et on avait rappliqué chez elle dans le 20e, près du cimetière du Père-Lachaise. À 6 h 30, on était au lit.

Florence essaya de me frapper pour venger cette insulte, mais je l'empoignai et la serrai fort contre moi pour l'empêcher de balancer des directs. Ce qui était l'idée, j'imagine.

— Quand ton petit ami revient-il d'Irak ? demandai-je, mi-sérieux, mi-blagueur.

— Idiot. Je n'ai pas de petit ami. Et moi, je ne suis pas juste un jouet, si ? Juste un cul à baiser parce que tu n'as personne d'autre ?

— Ah, tu aurais dû demander ça avant de te déshabiller.

Ce qui déclencha une nouvelle bagarre, de nouvelles embrassades, puis la recherche frénétique d'un préservatif sur le plancher, où gisait le paquet qu'on avait acheté à la pharmacie avant de monter chez elle.

Quand je rouvris les yeux, il faisait sombre. La première chose que je vis, c'était Florence qui me dévisageait depuis l'autre oreiller. Je la regardai moi aussi, un long moment les yeux dans les yeux. D'habitude, ça me met mal à l'aise.

C'est ce qui me décida à lui balancer une proposition radicale.

— Dis, Florence. Ce week-end, si on faisait le test du sida ?

Elle se souleva de l'oreiller et se pencha pour m'embrasser. Après tout, de nos jours, c'est le truc le plus romantique qu'un type puisse dire à une fille.

Les tests étaient négatifs, mais l'angoisse à l'ouverture des résultats avait de quoi vous coller un malaise cardiaque. Faire l'amour immédiatement s'imposait, ne serait-ce que pour nous calmer.

Bon, calmer n'était pas vraiment le mot. Je découvris que Florence meublait son temps libre en donnant des cours d'un machin appelé Pilates : un mix de yoga et de stretching, disait-elle. Elle en appliquait les techniques au lit, et au bout de deux heures vous vous retrouviez avec des courbatures à des endroits dont vous ignoriez jusqu'à l'existence. Nettement plus près du nirvana, aussi.

Je déchirai mon billet de train (me le fis rembourser, plutôt) et j'apportai mon bazar chez Florence. Pedro, Luis et Vasco me dirent un au revoir bref et sans cérémonie, et on se souhaita tous bonne chance (à ce que je crus comprendre). Cette petite loge était véritablement une oasis pour nomades aux prises avec le désert parisien.

En comparaison, l'appartement de Florence était d'une taille presque obscène. Un trois-pièces en duplex aux deux derniers étages d'un immeuble moderne qui dominait le cimetière. Un balcon courait autour de l'étage supérieur. Les beaux jours, on pouvait, au sortir du lit, s'asseoir dehors à poil et se gratter les doigts de pied (ou toute autre partie grattable) au-dessus des toits de Paris.

Un cynique aurait dit que j'exploitais à fond mon nouveau et étonnant contrat sexo-locatif. J'aurais répondu en demandant à M. Da Costa de calmer le cynique avec son marteau. Puis, abandonnant à son agonie le cynique écrabouillé, je lui aurais souhaité « bonne journée ».

Par un beau samedi, les journalistes mirent fin à leur grève, bien que la campagne électorale soit vautrée dans l'ennui comme jamais. Comme pour la plupart des grèves françaises, elle n'avait débouché sur aucun résultat. Cesser le travail est ici une forme d'art folklorique, la grève pour la grève.

Ce matin-là, j'étais assis avec Florence sur un banc du cimetière, qui n'est pas aussi lugubre qu'on l'imagine. Le Père-Lachaise est un endroit lumineux et aéré, une cité miniature. Un damier d'allées larges comme des routes le divise en quartiers de tombes. La plupart de ces tombes ressemblent à des modèles réduits de maisons. C'est une métropole silencieuse et verte, avec des massifs de grands arbres et pas d'embouteillages. Un endroit agréable pour flâner le premier matin estival du printemps.

Entre nous sur le banc, des gobelets de café et des croissants. Je lisais un mag musical anglais et pour la première fois depuis des semaines, Florence avait acheté un journal. (Titre à la une : « Fin de la grève des journalistes ». Un peu redondant, non ?)

Il y avait pas mal de gens dans le cimetière, des endeuillés à bouquets et des touristes qui cherchaient Oscar Wilde, Chopin et Jim Morrison.

— Hé, ça ne serait pas ton ex-patron ? demanda Florence.

Je levai la tête et vis s'approcher un groupe d'amateurs de cimetières. Jeunes, les cheveux dans les yeux, jeans bouffants, petits sacs à dos sautant dans le dos, filles et garçons distinguables au seul fait que les filles exhibaient leur nombril. Ils avaient un œil sur leur plan du cimetière et l'autre sur les pancartes donnant le nom des allées.

— Non, sauf s'il s'est fait percer le nombril depuis, dis-je.

— Non, *ici*.

Elle me fourra son journal sous le nez.

Sur une page intérieure s'étalait une photo de Jean-Marie entouré d'une délégation de paysans grimaçants. D'après la légende, les paysans étaient montés à Paris remplir les fontaines du Trocadéro, en face de la tour Eiffel, avec des fraises pourries. Et il ne s'agissait pas d'une performance d'art moderne. Les fraises étaient espagnoles et ils les avaient prélevées sur des barrages routiers. Un bref article expliquait que les paysans protestaient contre ces fruits à bas prix qui inondaient le marché et ruinaient la production française. En omettant de préciser que mi-avril, les fraises françaises sont encore loin d'être mûres, mais cela ne paraissait déranger ni les paysans ni Jean-Marie.

Ainsi donc c'était lui, le champion des paysans, qui promettait de faire tout son possible, dans un futur indéterminé, dès qu'il en aurait le pouvoir, pour interdire les importations de nourriture étrangère, à commencer par les produits des profiteurs espagnols et des envahisseurs anglo-saxons.

Il arborait l'uniforme classique du politicien français, costume chic, chemise amidonnée, cravate et sourire suffisant à la limite de l'intolérable. Liberté, égalité, vanité. Les fermiers l'entouraient, les mains dans le jus de fraise comme s'ils venaient juste de trucider l'ensemble de ses adversaires politiques. L'homme de pouvoir gardait les mains propres.

L'un des clones de Jim Morrison se dirigea vers notre banc.

— Où est... ? commença-t-il.

— Là-bas à droite, dit Florence.

— Merci, madame, répondit-il poliment, et la bande s'éloigna.

L'un d'eux entonna *Come on bébé, Latte my fayeur.*

— L'imbécile, dis-je. Je parle de Jean-Marie. Interdire les importations de nourriture ! Il veut faire pousser des cocotiers en France ?

— Il y en a, dit Florence.

— Ah oui, dans des serres souterraines géantes chauffées au nucléaire ?

— Non. La France comprend des îles aux Caraïbes et dans le Pacifique.

— Des colonies ?

— Non, elles font partie de la France. Ce sont des départements, au même titre que la Dordogne. En France on fait pousser des cocotiers, des bananes, des mangues. Pour être juste avec Jean-Marie, même si c'est un imbécile, d'accord, la France *plus* ses territoires d'outremer *plus* nos alliés traditionnels en Afrique pourrait très bien s'autosuffire alimentairement. On n'est pas l'Angleterre, tu vois. La France n'accepte pas la perte de son empire. On se dit contre la globalisation mais au fond, on n'a jamais cessé de globaliser.

— Ah.

Alors le gars avait des arguments. Je devais admettre qu'il n'était pas si nul. Son passé chargé avec le bœuf anglais prouvait qu'il se fichait des paysans français comme d'une couille de taureau, mais la simple énormité de son hypocrisie rayonnait de l'esthétique de la symétrie.

Quand même, il devait forcément y avoir une faille dans la campagne de Jean-Marie.

— Et le caviar ? Ça vient bien d'Iran, ou de Russie, non ?

— Il y a des élevages d'esturgeons en France, maintenant, je crois, dit Florence. Son plan ne marchera jamais, bien sûr, mais c'est intéressant. Ça montre que la France avait choisi ses colonies en fonction de la bouffe. En fait, quand j'y pense, le seul truc qu'il ne pourrait pas fournir, à part des produits spécifiques comme la vodka russe ou le sirop d'érable canadien, c'est le thé.

— Le thé.

Évident. Logique.

— Oui, le thé vient principalement des anciennes colonies anglaises. Ils en produisent un peu au Vietnam, une ex-colonie à nous, mais pas assez.

— Élodie avait raison, alors. Le thé, ça serait comme la drogue.

— Élodie ?

— La fille de mon boss. (Florence parut vivement intéressée, mais elle n'avait aucune chance d'en apprendre plus sur Élodie.) Je veux dire, avec le président Jean-Marie, le thé serait interdit. Encore plus illégal que l'herbe. On ferait des badges à feuilles de thé et l'Angleterre deviendrait une espèce d'Amsterdam où les accros français iraient se défoncer au Lapsang Souchong.

— Peut-être, mais moi j'aurais mes livraisons secrètes.

— Comment ça ?

— Par mon oncle en Inde. Il est dans l'import-export. Il nous en enverrait, du thé.

Mai

1968 et ce qui s'ensuit

En mai 1968, les étudiants arrachèrent les pavés dans les rues de Paris et bombardèrent la police pour faire tomber le gouvernement ultraconservateur de Charles de Gaulle.

Tous les Français vous le diront, Mai 68 a changé la France en profondeur. Personnellement, je n'en ai jamais vu la preuve. Comme dit Jake, plus ça va plus c'est pareil. Les étudiants lanceurs de pavés sont devenus des patrons réactionnaires, la classe politique reste la classe politique et le président en exercice se dit toujours gaulliste. Le seul vrai changement, c'est qu'à Paris, on a goudronné les pavés.

Reste que mai est un mois important dans le calendrier français. Parce que, si l'année française commence en septembre, c'est en mai qu'elle finit.

Tout le monde était en congé le 1er Mai (ironiquement baptisé « fête du Travail », comme si, pour la « fête du vin », il était interdit d'en boire), le 8 Mai (jour de la victoire de 1945) et le 29 (jour de l'Ascension). Tous tombaient un jeudi et, chaque fois, les gens firent ce qu'ils appellent un « pont », c'est-à-dire qu'ils prennent le vendredi pour avoir un week-end de quatre jours. Ce qui, couplé avec la semaine de trente-cinq heures, explique qu'avec Florence on ait souvent fait la grasse matinée en ce mois de mai.

Peu de temps pour travailler en juin aussi. Des tas de gens doivent absolument utiliser leur solde de congés annuels avant la fin du mois, et donc partent une bonne semaine avant les grandes vacances.

Bref, tout cela nous amène en juillet, et là, il n'y a aucune urgence à se remettre au boulot avant la *rentrée*, en septembre.

Fondamentalement, en France, si le 30 avril vous n'avez pas fini ce que vous avez à faire, vous êtes grave dans la merde.

Pour faire déborder la coupe, en mai de cette année-là, les professeurs se mirent en grève au lendemain de la fête du Travail. Les profs ont quatre mois de vacances par an mais, n'ayant pas droit aux « ponts », il se sentaient maltraités. Résultat, les parents durent amener leurs rejetons avec eux au bureau et celui de Florence se retrouva rempli de gosses qui se photocopiaient la figure et se plantaient des agrafes dans les doigts. Du coup, elle travaillait encore moins que d'habitude.

Pire : puisqu'en France la grève est une sorte de fête folklorique, tous décidèrent de se joindre à l'orchestre – les postiers, les vendeurs, les camionneurs, les acteurs, les ouvreurs d'huîtres, les éventreurs de fromages, les fabricants de gilets de maîtres d'hôtel, les étireurs de baguettes, les ratatineurs de saucissons et toutes les branches imaginables de l'industrie française. La police resta à son poste assez longtemps pour asperger de gaz lacrymogène quelques manifestants, puis se rallia au mouvement.

Pas terrible comme climat pour créer une entreprise, direz-vous. C'est pourtant ce que j'ai fait.

J'ai laissé tomber mon boulot de prof début mai. Nombre d'élèves avaient annulé leurs cours pour cause de week-ends sans fin. Je fis mes adieux à ma patronne allemande, Andrea, qui me demanda si j'avais des amis/enfants/animaux susceptibles de devenir profs d'anglais, et je suis passé revoir ma vieille amante Marie. Ça se passait la semaine d'avant la grève des employés de banque.

Son petit ami était en voyage, mais Florence me certifia que je ne courais aucun danger. Pour assurer, je pris rendez-vous avec Marie dans son bureau : il a un mur en verre qui donne directement sur la rue. Si des actes licencieux devaient survenir, ce serait aux yeux du grand public.

Je me flattais, cela dit. D'après Florence, Marie m'avait considéré comme une sorte d'objet sexuel à valeur éducative. Les Anglais sont « coincés », rigides, et je l'avais prouvé en fuyant le matin de notre première nuit. Son seul but était de me décoincer. Maintenant que je tenais debout tout seul, Marie était contente pour moi, comme un bon ouvrier français qui apprend que son fils fait grève pour la première fois de sa vie.

J'avais déjà vu Marie en habit de travail, du moins je l'avais vue l'ôter, mais ça faisait drôle de me retrouver en face d'elle dans son bureau, tel le client et son conseiller bancaire. Et plus drôle encore que le conseiller bancaire conclut le deal en m'embrassant sur la bouche. Même en France, les banques n'ont pas coutume de proposer ce service.

Marie m'octroya un emprunt remboursable sur douze mois, sans garantie.

— Et si je ne peux pas rembourser ?

Elle haussa les épaules.

— Ne pose pas de stioupids quouestions. Tu vas pay. You gentle ingliche boy. Et tu es my friend.

À Paris, tant qu'il y a un ami tout peut s'arranger. L'argent, dit-elle, serait disponible dès la fin de la grève.

Ce qui me poussait à emprunter, c'était, bien sûr, le projet Salons de thé. Avec Florence et sa connexion directe thé pas cher, l'évidence sautait aux yeux. Pourquoi lâcher une affaire viable sous prétexte qu'une équipe de nuls incompétents que je voulais virer m'avait viré moi ?

Avec Florence, on s'est mis autour d'une table et on s'est plongés dans le business-plan. Avec ses compétences en compta, elle monta un plan crédible en un rien de temps.

Elle se donnait un an pour lâcher son boulot chiant et me rejoindre au salon de thé. C'était la récompense ultime : qu'une Française nantie d'un boulot à vie le laisse tomber. Pour rallier le camp des gagnants.

Seul obstacle potentiel : Jean-Marie. J'allais utiliser ses recherches, ses tests. Tenterait-il de me stopper en invoquant quelque clause de concurrence déloyale avec un ex-employeur ? Et même, d'un strict point de vue légal, mon employeur *actuel*. Officiellement, je travaillais toujours pour lui.

Il était clair maintenant qu'il avait laissé tomber l'idée des salons de thé à des fins politiques. Il avait reçu des promesses de la droite et des partis paysans : s'il était régulier, il pourrait aller loin. En conséquence, il avait fait le ménage et sabordé son histoire de cuisine anglo-saxonne.

Malheureusement pour lui, si je révélais tout ce que je savais (et que je pouvais prouver par les mails) sur ses importations de bœuf, je risquais de le mettre hors jeu en affaires et de torpiller ses ambitions politiques.

Inutile de balancer le coup de la baise sur le bureau avec Stéphanie : une accusation d'adultère n'aurait fait qu'augmenter son score dans les urnes. Le président Mitterrand, par exemple, bénéficia d'un respect posthume suite à la présence aux obsèques de sa fille illégitime. Un politicien français sans maîtresse, c'est comme un shérif sans revolver, les gens se disent qu'il manque de puissance de feu.

De même, inutile de laisser entendre que le maire Jean-Marie allait profiter financièrement de la construction d'une centrale nucléaire sur ses terres. Ça reviendrait à « révéler » qu'une prostituée profite du sexe. Ce n'est pas un scoop.

Mais je savais qu'avec le bœuf anglais, je le tenais.

Les élections étaient prévues pour le troisième dimanche de mai. Il me restait quelques jours pour exercer des pressions, tant qu'il se sentirait vulnérable.

J'ai téléphoné à son bureau une semaine avant le scrutin et convaincu Christine de me passer Jean-Marie. Ça lui vaudrait probablement une engueulade, dit-elle, mais elle prenait le risque « parce que je m'étais toujours conduit en gentleman avec elle ». Comme quoi, ne pas coucher avec une fille peut avoir aussi ses bons côtés.

— Oui ? se contenta de grogner Jean-Marie.

— J'ai besoin de vous parler.

— Et moi je n'ai pas besoin de vous parler.

— Peut-être pas, mais moi si.

Heureusement qu'il ne répondit pas « mais moi non », on aurait pu continuer jusqu'à ce que l'un des deux meure de faim.

— Parlez, dit-il et j'entendis un bruit de paperasses froissées, signe qu'il ne se sentait pas obligé de m'écouter.

Je n'avais pas l'intention de proférer au téléphone des menaces ouvertes de chantage. Ce n'était pas l'envie qui me manquait, mais je supputais que Jean-Marie me prendrait pour un amateur de bas étage et me dirait d'aller me faire voir. Et donc, sans nulle allusion au bœuf anglais, je lui fis comprendre que j'étais résolu à le voir le lundi, ou au plus tard mardi matin.

D'accord pour un rendez-vous chez lui, à Neuilly, le mercredi à 19 heures.

— J'ai un dîner après, me dit-il, pour signifier qu'il ne s'agissait pas d'une invitation à une petite soirée sympa.

— Moi aussi, répondis-je.

Dans un petit resto indien avec Florence et Marie, pour fêter le lancement de notre affaire. À moins que d'ici là Jean-Marie ne m'ait jeté de son balcon.

Le mercredi, la grève générale connut son apogée et la ville atteignit des niveaux records de saleté, de rogne, d'embouteillages et de paralysie, bref, un chaos pire qu'en mai 1968, de l'avis général. Et plus une seule baguette fraîche chez les boulangers.

À ce stade, après avoir accompli leur œuvre de dislocation sociale, les grévistes reprirent le travail, pour pouvoir utiliser leur solde de congés annuels. C'est Mme Jean-Marie qui m'ouvrit la porte. Toujours aussi impeccablement en ordre de marche. Racines teintes, paré. Bronzage rafraîchi, paré. Bracelet Dior à la mode du moment, paré. Poitrine orientée à quatre-vingts degrés sud, paré.

Elle me serra la main et me fit entrer dans le salon, sans daigner se fendre d'un brin de causette, ni même d'un sourire de politesse. À moins qu'elle ne soit chargée au Botox, j'étais devenu persona non exista dans cet appartement.

Le salon était toujours aussi impressionnant, avec sa vue imprenable sur le bois de Boulogne. (Depuis combien d'appartements, dans une grande capitale, ne voit-on que des arbres ?) Mais un détail significatif avait changé depuis ma dernière visite. Au-dessus de la cheminée, sur le manteau de marbre, trônait désormais un buste de Marianne en terre cuite. Pas

Marianne la réceptionniste, que personne n'aimerait voir sur sa cheminée, la pauvre, même recouverte d'une couche d'argile. C'était Marianne l'héroïne révolutionnaire, équivalent français de l'Oncle Sam. La France étant ce qu'elle est, au lieu d'un tonton barbu qui a une tête à faire de la pub pour du poulet frit, ils préfèrent une femme à moitié nue.

À mes yeux novices, le buste propriété de Jean-Marie passait pour une sculpture sophistiquée. On avait gravé à la main, sur l'argile molle, le nom Marianne en belles courbes à l'ancienne. On voyait même les empreintes de doigts de l'artiste là où il avait peaufiné le relief du décolleté. Ce n'était pas un buste de série, mais du sur mesure à un seul exemplaire. Jean-Marie investissait massivement dans sa nouvelle carrière politique.

Un maître chanteur professionnel aurait empoigné la statue et menacé de la laisser tomber, attentat symbolique contre l'avenir électoral de Jean-Marie. Je me contentai de la mater de près et, même, d'effleurer du doigt le sein d'une admirable fermeté.

— Vous n'êtes pas le premier, dit Jean-Marie. (De surprise, je faillis faire tomber la statue de son socle. Il venait de surgir dans mon dos, en manches de chemise bleu roi, le col provisoirement privé de cravate.) Si vous regardez bien, vous verrez un petit endroit sombre, là où les gens touchent ses seins. Ils préfèrent le droit, j'ai remarqué.

Il gloussa de plaisir à ce trait de satire politique. Comparé à son humeur au téléphone, il paraissait tout à fait joyeux. L'idée me traversa l'esprit qu'il avait peut-être demandé au garde du corps serrurier de me préparer une sympathique mort violente au sortir de notre discussion.

Il resta campé sur place, attendit que je traverse la pièce pour venir à lui et me serra brièvement la main. Contraste radical avec ma première visite, quand il donnait l'impression d'être prêt à dégainer les formulaires d'adoption et à me déclarer son fils unique et héritier légal.

On s'assit face à face, sur des fauteuils anciens à accoudoirs dorés. Il sortit de sa poche des boutons de manchettes voyants et, tout en m'écoutant, s'affaira à dérouler ses manches. Il la jouait monsieur l'Indifférent.

— Je suppose que maintenant, quelqu'un d'autre vit dans l'appartement, dis-je pour casser la glace.

Il haussa les épaules. L'iceberg n'avait pas frémi d'un pouce.

— Au passage, Jean-Marie, pourquoi avoir fait ça ? Je payais le loyer.

Il inspira profondément, comme pour se donner la force de répondre.

— Il arrive qu'un ami ait besoin d'un logement, dit-il.

— Je vois.

Encore son plan politique, j'en étais sûr. Il avait fallu renvoyer un ascenseur. Peut-être au garde du corps lui-même. Les types d'extrême droite ont toujours besoin de gros muscles autour d'eux à cause du grand nombre d'Arabes qui vivent en France et ne raffolent pas des politiciens racistes.

— Dites-moi, que me vaut le plaisir de votre visite ? demanda-t-il.

— Je viens vous demander une faveur.

— Oh !

Il éclata de rire, incrédule devant une telle effronterie, comme mon ancienne équipe le jour où j'avais dénigré la qualité des sachets de thé français.

— Deux faveurs, en fait, dis-je.

— Ah ? (Il cessa de rire et se replongea dans la manipulation de ses boutons de manchettes.) Lesquelles ?

— Je vais ouvrir un salon de thé anglais.

— Oh ! Et qui vous a donné cette idée ? (Il secoua la tête comme s'il était déçu, mais pas surpris, par cette trahison.) Et en quoi cela me concerne-t-il ?

Je crus surprendre une lueur d'angoisse dans son regard.

— Je ne veux pas d'argent, j'en ai.

— Oui. Mon argent. Je vous ai payé un an à ne rien faire.

Il avait l'air à la fois outré par mon ingratitude et soulagé que je ne débarque pas avec une sébile.

— Si ça n'a rien donné, c'est votre choix, Jean-Marie. C'est vous qui avez stoppé le projet.

— Non, c'est la guerre qui a stoppé le projet.

Il se composa une mine douloureuse, bon entraînement pour ses futures séances de photos politiques.

— Peu importe. De toute façon, j'ai emprunté assez pour démarrer un salon. Ce qui me manque encore, ce sont les locaux. Et donc, j'aimerais louer l'un de ceux que vous avez achetés. Au prix du marché, bien sûr.

— Ils sont occupés par les marchands de chaussures.

Il vint à bout du premier bouton de manchette et s'attaqua au second.

— Celui que je voudrais est vide en ce moment. (Ainsi qu'il aurait dû le savoir.) J'aimerais un bail d'un an avec une option pour acheter au terme de la première année. Toujours au prix du marché.

Je pouvais voir, dans le cerveau de Jean-Marie, la calculette en train de faire les totaux. Le résultat alluma un rapide sourire sur ses lèvres. Il devait se dire que je me vendais en dessous de mon prix.

— Vous me donneriez de l'argent ? Vous achèteriez ? demanda-t-il jovialement. (Dans ses yeux, l'angoisse avait disparu. C'était même tout le contraire.) Après ce qui s'est passé entre nous ?

Il en termina avec le bouton de manchette et se cala dans son fauteuil, ravi du tour imprévu de la conversation.

— Oui, vous avez acheté les meilleurs emplacements pour salons de thé anglais, et celui-ci est vide. C'est la solution logique.

— Et personne ne saura que je vends une propriété pour y installer un salon de thé anglais ?

— Je ne le dirai à personne.

— Ce ne serait pas dans votre intérêt, d'ailleurs. (Il m'examina avec attention, à l'affût du moindre indice de fourberie, puis haussa les épaules.) Si c'est vide, je pourrai peut-être vous le louer.

— OK, merci.

— J'ai dit peut-être.

— OK. Voyons la seconde faveur.

— Ah ?

— Je veux le nom.

— Le nom ?

— My Tea Is Rich. Vous aviez raison, Jean-Marie. Pour les Français, c'est un nom formidable.

Jean-Marie hurla de rire, si fort que sa femme passa la tête par la porte pour vérifier que je n'étais pas en train de lui infliger le supplice des chatouilles chinoises.

— Vous voulez acheter ce nom, que vous détestez ? Mon nom ?

— Je sais, je sais, dis-je, essayant d'éteindre la note d'autosatisfaction palpable dans sa voix. J'ai passé des mois à énerver mes collaborateurs en essayant de tuer My Tea Is Rich, mais j'avais tort et maintenant je voudrais le reprendre.

— Vous me donnez quoi en échange ?

— Rien.

La dernière trace de rire s'évanouit.

— Hors de question.

— Légalement, je ne suis pas obligé de payer quoi que ce soit. Bernard ne l'a jamais déposé.

— Hein ? Jamais...

— Non. Je vous avais mis en garde contre Bernard. John Lennon pensait sûrement à lui quand il a écrit *I am the Walrus*.

— Pardon ?

— Désolé, private joke.

— Oui, humour anglais. (Il eut un rire amer.) Vous savez, je ne l'admettrais jamais... (il se pencha en avant d'un air de conspirateur, comme si le buste de Marianne ne devait rien entendre de nos secrets)... mais parfois, j'aimerais tellement faire les choses à l'anglo-saxonne. Un type est mauvais, on le vire. (Il fit claquer ses doigts.) C'est si simple, si génial.

Je le sortis de sa rêverie :

— Comme moi, c'est ça ?

Il se contenta d'un grognement, comme si je ressortais une blague éculée.

— Ou bien, dis-je, autre exemple, si un produit français est trop cher, on achète un équivalent anglais qui l'est moins.

Il me lança un coup d'œil d'avertissement, pour me rappeler télépathiquement qu'il avait sous la main des gens assez effrayants pour faire taire une concierge portugaise.

— Je ne mentionne ces détails, ici, entre nous, ajoutai-je, que pour une seule raison : j'aimerais être sûr que vous direz oui. J'ai besoin de votre accord.

Jean-Marie me dévisagea longuement, tel le roi qui soupèse le pour et le contre avant de rire à la farce de son bouffon ou de lui faire couper la tête.

— Je dois être sûr d'avoir les locaux et que vous ne vous opposerez pas au dépôt du nom. Alors je pourrai finaliser le projet avec ma banque.

Jean-Marie ne bougea pas un muscle pendant dix bonnes secondes, puis, soudain, leva les mains en l'air. Signe de reddition ?

— Dans ce cas, c'est d'accord ?

Je tendis la main pour conclure l'affaire.

Il baissa les bras et tendit avec effort une de ses grosses mains brunes, avec son bouton de manchette de la taille d'une balle de revolver. Je pris la main et la serrai. Elle était molle.

— OK, dis-je, je faxerai les détails à votre bureau demain matin à 9 heures, et à 11 heures j'enverrai un coursier prendre les documents signés.

La main de Jean-Marie se durcit sur la mienne et il m'attira vers lui. Allions-nous sceller notre accord par un baiser, comme Marie ?

Il s'approcha juste assez pour que je distingue les petites veines dans ses yeux, avec gros plan sur les cheveux, luisants et bien tirés en arrière, avec les mèches sombres teintes, un peu comme les cheveux de la statuette. Mais pas couleur argile, marée noire plutôt.

— Nous sommes quittes, alors, chuinta-t-il.

Son haleine sentait imperceptiblement l'alcool.

Je m'écartai.

— À mon avis, la France et l'Angleterre ne seront jamais quittes, dis-je. Mais on se débrouille pour garder des rapports professionnels cordiaux.

— Oh oh, ricana-t-il, toujours sans me lâcher la main.

Alors que nous étions assis sur nos trônes respectifs, physiquement connectés, j'eus soudain la sensation que nous étions comme deux maillons d'une même chaîne. La chaîne des hommes d'affaires et politiciens français qui passent leur temps à se renvoyer des ascenseurs, plutôt que se poignarder dans le dos, ce qui serait contre-productif. Jean-Marie allait remporter son élection, et j'avais beau tenir la preuve de son hypocrisie, je la fermerais en échange d'un petit cadeau ou deux. J'entrais à mon tour, j'imagine, dans la vaste toile d'araignée de la corruption. Et ça me semblait parfaitement naturel. C'est juste comme ça que ça marche, en France.

— Nous sommes les meilleurs ennemis, dis-je. Ainsi va la vie entre la France et l'Angleterre depuis Napoléon, non ?

— Depuis que vous avez brûlé Jeanne d'Arc, ouais, marmonna-t-il.

Il me lâcha la main. Je me levai.

— Bonne soirée, dis-je. Ah : et merde !

Et je le laissai s'apprêter pour son dîner.

Pour autant, je ne l'insultais pas. En France, quand on se souhaite bonne chance avant une épreuve délicate, comme un examen, une première de théâtre ou (je suppose) une élection, on se dit toujours « merde ».

La merde est bien là, comme on le voit, et elle peut même vous porter chance. Tant que c'est un autre qui met le pied dedans.

Table

Cet ouvrage a été composé et imprimé par

FIRMIN DIDOT

GROUPE CPI

Mesnil-sur-l'Estrée

pour le compte de NiL Éditions
24, avenue Marceau, 75008 Paris
en juillet 2005

Imprimé en France
Dépôt légal : avril 2005
N° d'édition : 46380/07 - N° d'impression : 74841